코로나19 바이러스

"친환경 99.9% 항균잉크 인쇄" 전격 도입

언제 끝날지 모를 코로나19 바이러스

99.9% 항균잉크(V-CLEAN99)를 도입하여 「**안심도서**」로

독자분들의 건강과 안전을 위해 노력하겠습니다.

항균잉크(V-CLEAN99)의 특징

- 바이러스, 박테리아, 곰팡이 등에 항균효과가 있는 산화아연을 적용
- 산화아연은 한국의 식약처와 미국의 FDA에서 식품첨가물로 인증받아 **강력한 항균력**을 구현하는 소재
- 황색포도상구균과 대장균에 대한 테스트를 완료하여 **99.9%의 강력한 항균효과** 확인
- 잉크 내 중금속, 잔류성 오염물질 등 **유해 물질 저감**

TEST REPORT

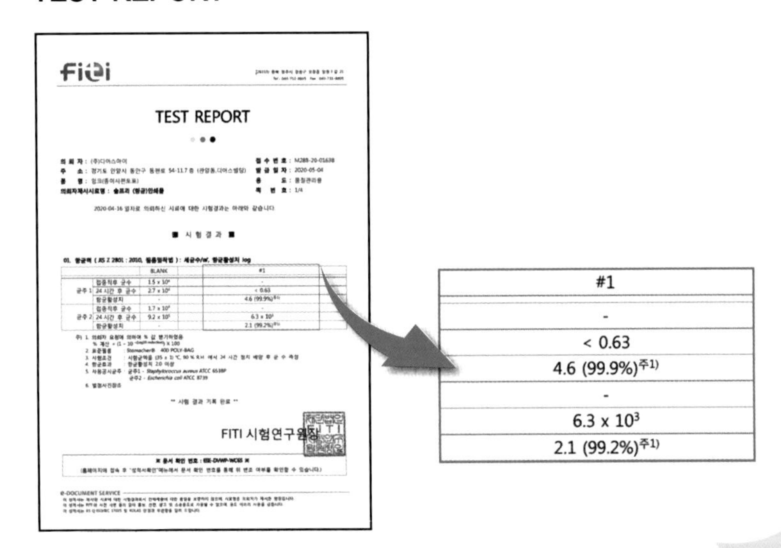

SD에듀
(주)시대고시기획

소방설비 기사 필기

소방전기일반

PREFACE

머리글

본 교재는 소방설비기사 자격증 취득을 위한 1차 필기시험 대비 수험서로서 기본이론과 중요이론 그리고 5년 동안에 출제된 기사 과년도 문제를 쉽고 빠르게 자격증 취득을 돕기 위해 모두 장별로 분류하고 수록하였으며 이에 해설과 풀이를 통해 본 교재를 가지고 공부하시는 분들이 다른 유형의 문제도 풀 수 있도록 하였습니다.

현재 기출문제는 예전과 달리 동일한 문제가 반복적으로 출제되는 게 아니라 조금씩 변화를 주며 출제되고 있는 상황이라 이에 맞게 내용에 충실하게 교재를 준비하였습니다.

본 교재는 중요부분의 이론은 내용설명을 충실히 하였고, 가끔 출제는 되나 그 내용이 중요하지 않은 부분은 간단하게 암기할 수 있도록 만들었습니다.

끝으로 본 교재로 필기시험을 준비하시는 수험생 여러분들에게 깊은 감사를 드리며 전원 합격하시기를 기원하겠습니다.

오 · 탈자 및 오답이 발견될 경우 연락을 주시면 수정하여 보다 나은 수험서가 되도록 노력하겠습니다.

편저자 씀

소방설비기사

개 요

건물이 점차 대형화, 고층화, 밀집화 되어감에 따라 화재 발생 시 진화보다는 화재의 예방과 초기진압에 중점을 둠으로써 국민의 생명, 신체 및 재산을 보호하는 방법이 더 효과적인 방법이다. 이에 따라 소방설비에 대한 전문인력을 양성하기 위하여 자격제도를 제정하게 되었다.

진로 및 전망

산업구조의 대형화 및 다양화로 소방대상물(건축물 · 시설물)이 고층 · 심층화되고, 고압가스나 위험물을 이용한 에너지 소비량의 증가 등으로 재해 발생 위험요소가 많아지면서 소방과 관련한 인력수요가 늘고 있다. 소방설비 관련 주요 업무 중 하나인 화재관련 건수와 그로 인한 재산피해액도 당연히 증가할 수밖에 없어 소방관련 인력에 대한 수요는 증가할 것으로 전망된다. 소방공사, 대한주택공사, 전기공사 등 정부투자기관, 각종 건설회사, 소방전문업체 및 학계, 연구소 등으로 진출할 수 있다.

시험일정

구 분	필기원서접수 (인터넷)	필기시험	필기합격 (예정자)발표	실기원서접수	실기시험	최종 합격자 발표
제1회	1.24~1.27	3.5	3.23	4.4~4.7	5.7~5.20	6.17
제2회	3.28~3.31	4.24	5.18	6.20~6.23	7.24~8.5	9.2
제4회	8.16~8.19	9.14~10.3	10.13	10.25~10.28	11.19~12.2	12.30

※ 상기 시험일정은 시행처의 사정에 따라 변경될 수 있으니, www.q-net.or.kr에서 확인하시기 바랍니다.

시험요강

❶ 시행처 : 한국산업인력공단(www.q-net.or.kr)

❷ 관련 학과 : 대학 및 전문대학의 소방학, 건축설비공학, 기계설비학, 가스냉동학, 공조냉동학 관련 학과

❸ 시험과목
- ㉠ 필기 : 소방원론, 소방전기일반, 소방관계법규, 소방전기시설의 구조 및 원리
- ㉡ 실기 : 소방전기시설 설계 및 시공실무

❹ 검정방법
- ㉠ 필기 : 객관식 4지 택일형 과목당 20문항(과목당 30분)
- ㉡ 실기 : 필답형(3시간)

❺ 합격기준
- ㉠ 필기 : 100점을 만점으로 하여 과목당 40점 이상, 전과목 평균 60점 이상
- ㉡ 실기 : 100점을 만점으로 하여 60점 이상

출제기준

필기과목명	주요항목	세부항목	세세항목
소방전기일반	전기회로	직류회로	• 전압과 전류 • 전력과 열량 • 전기저항 • 전류의 열작용과 화학작용
		정전용량과 자기회로	• 콘덴서와 정전용량 • 전계와 자계 • 자기회로 • 전자력과 전자유도 • 전자파
		교류회로	• 단상 교류회로 • 3상 교류회로
	전기기기	전기기기	• 직류기 • 변압기 • 유도기 • 동기기 • 소형교류전동기, 교류정류기 • 전력용 반도체에 의한 전기기기제어
		전기계측	• 전기계측기기의 구조 및 원리 • 전기요소의 측정
	제어회로	자동제어의 기초	• 자동제어의 개요 • 제어계의 요소 및 구성 • 블록선도 • 전달함수
		시퀀스 제어회로	• 불대수의 기본정리 및 응용 • 무접점논리회로 • 유접점회로
		제어기기 및 응용	• 제어기기의 구성요소 • 제어의 종류 및 특성
	전자회로	전자회로	• 전자현상 및 전자소자 • 정전압 전원회로 및 정류회로 • 증폭회로 및 발진회로 • 전자회로의 응용

이 책의 구성과 특징

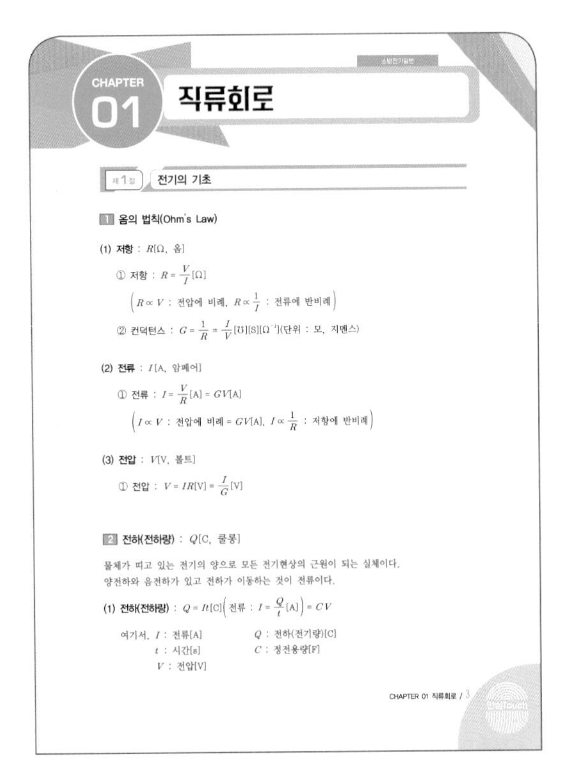

CHAPTER 01 직류회로

제1절 전기의 기초

1 옴의 법칙(Ohm's Law)

(1) 저항 : R[Ω, 옴]

① 저항 : $R = \frac{V}{I}$[Ω]

($R \propto V$: 전압에 비례, $R \propto \frac{1}{I}$: 전류에 반비례)

② 컨덕턴스 : $G = \frac{1}{R} = \frac{I}{V}$[℧][S][$\Omega^{-1}$](단위 : 모, 지멘스)

(2) 전류 : I[A, 암페어]

① 전류 : $I = \frac{V}{R}$[A] $= GV$[A]

($I \propto V$: 전압에 비례 $= GV$[A], $I \propto \frac{1}{R}$: 저항에 반비례)

(3) 전압 : V[V, 볼트]

① 전압 : $V = IR$[V] $= \frac{I}{G}$[V]

2 전하(전하량) : Q[C, 쿨롱]

물체가 띠고 있는 전기의 양으로 모든 전기현상의 근원이 되는 실체이다.
양전하와 음전하가 있고 전하가 이동하는 것이 전류이다.

(1) 전하(전하량) : $Q = It$[C]$\left(전류 : I = \frac{Q}{t}[A]\right) = CV$

여기서, I : 전류[A], Q : 전하(전기량)[C], t : 시간[s], C : 정전용량[F], V : 전압[V]

CHAPTER 01 직류회로 / 3

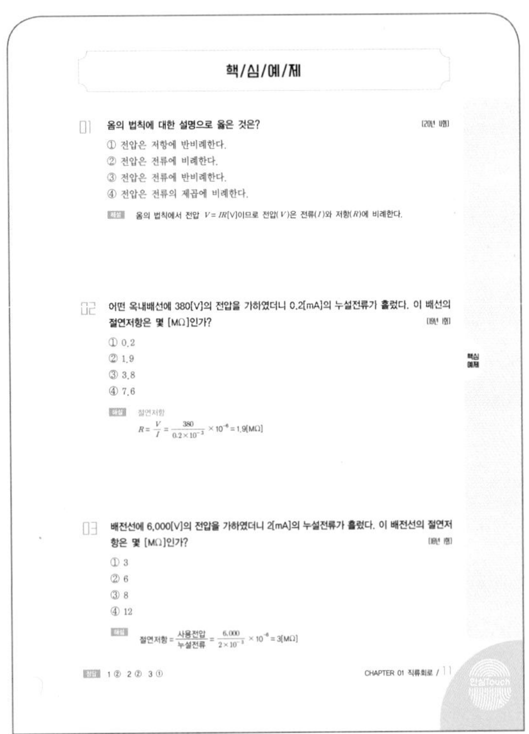

핵/심/예/제

01 옴의 법칙에 대한 설명으로 옳은 것은?

① 전압은 저항에 반비례한다.
② 전압은 전류에 비례한다.
③ 전압은 전류에 반비례한다.
④ 전압은 전류의 제곱에 비례한다.

해설 옴의 법칙에서 전압 $V = IR$[V]이므로 전압(V)은 전류(I)와 저항(R)에 비례한다.

02 어떤 옥내배선에 380[V]의 전압을 가하였더니 0.2[mA]의 누설전류가 흘렀다. 이 배선의 절연저항은 몇 [MΩ]인가?

① 0.2
② 1.9
③ 3.8
④ 7.6

해설 절연저항 $R = \frac{V}{I} = \frac{380}{0.2 \times 10^{-3}} \times 10^{-6} = 1.9$[MΩ]

03 배전선에 6,000[V]의 전압을 가하였더니 2[mA]의 누설전류가 흘렀다. 이 배전선의 절연저항은 몇 [MΩ]인가?

① 3
② 6
③ 8
④ 12

해설 절연저항 $= \frac{사용전압}{누설전류} = \frac{6,000}{2 \times 10^{-3}} \times 10^{-6} = 3$[MΩ]

정답 1 ② 2 ② 3 ①

CHAPTER 01 직류회로 / 11

핵심이론

필수적으로 학습해야 하는 중요한 이론들을 각 과목별로 분류하여 수록하였습니다. 두꺼운 기본서의 복잡한 이론은 이제 그만! 시험에 꼭 나오는 이론을 중심으로 효과적으로 공부하십시오.

핵심예제

기출문제들의 키워드를 철저하게 분석하여 한눈에 출제이론을 파악할 수 있도록 하였고 자주 출제되는 문제를 추려낸 뒤 핵심예제로 수록하여 반복학습을 유도하였습니다.

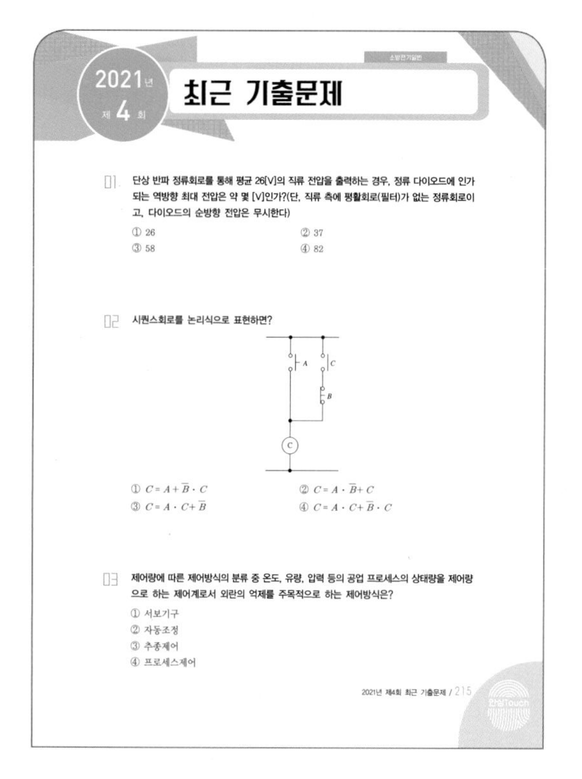

소방전기일반

2021년 제 4 회 최근 기출문제

01. 단상 반파 정류회로를 통해 평균 26[V]의 직류 전압을 출력하는 경우, 정류 다이오드에 인가되는 역방향 최대 전압은 약 몇 [V]인가?(단, 직류 측에 평활회로(필터)가 없는 정류회로이고, 다이오드의 순방향 전압은 무시한다)

① 26　② 37
③ 58　④ 82

02 시퀀스회로를 논리식으로 표현하면?

① $C = A + \overline{B} \cdot C$　② $C = A \cdot \overline{B} + C$
③ $C = A \cdot C + \overline{B}$　④ $C = A \cdot C + \overline{B} \cdot C$

03 제어량에 따른 제어방식의 분류 중 온도, 유량, 압력 등의 공업 프로세스의 상태량을 제어량으로 하는 제어계로서 외란의 억제를 주목적으로 하는 제어방식은?

① 서보기구
② 자동조정
③ 추종제어
④ 프로세스제어

2021년 제4회 최근 기출문제 / 215

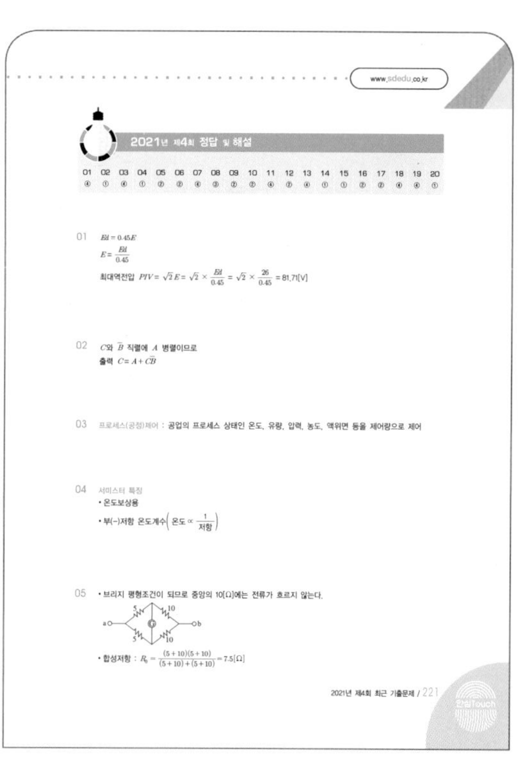

www.sdedu.co.kr

2021년 제4회 정답 및 해설

01	02	03	04	05	06	07	08	09	10	11	12	13	14	15	16	17	18	19	20
④	①	④	①	②	②	④	③	②	②	④	②	④	①	①	②	②	④	④	①

01 $Ed = 0.45E$

$E = \frac{Ed}{0.45}$

최대역전압 $PIV = \sqrt{2}E = \sqrt{2} \times \frac{Ed}{0.45} = \sqrt{2} \times \frac{26}{0.45} = 81.71$[V]

02 C와 $\overline{B}$ 직렬에 A 병렬이므로

출력 $C = A + C\overline{B}$

03 프로세스(공정)제어 : 공업의 프로세스 상태인 온도, 유량, 압력, 농도, 액위면 등을 제어량으로 제어

04 서미스터 특징
- 온도보상용
- 부(-)저항 온도계수$\left(온도 \propto \frac{1}{저항}\right)$

05
- 브리지 평형조건이 되므로 중앙의 10[Ω]에는 전류가 흐르지 않는다.

- 합성저항 : $R_0 = \frac{(5+10)(5+10)}{(5+10)+(5+10)} = 7.5[\Omega]$

2021년 제4회 최근 기출문제 / 221

최근 기출문제

최근에 출제된 기출문제를 수록하여 가장 최신의 출제경향을 파악하고 새롭게 출제된 문제의 유형을 파악하여 합격에 한 걸음 더 가까이 다가갈 수 있도록 구성하였습니다.

정답 및 해설

가장 최근에 시행된 기출문제의 명쾌하고 상세한 해설을 수록하여 놓친 부분을 다시 한 번 확인할 수 있도록 하였습니다.

목 차

Engineer Fire
Protection System

소방설비기사(필기) 기본서 시리즈
(전기분야)

소방전기일반

Engineer Fire Protection System

소방설비기사(필기) 기본서 시리즈

(전기분야)

소방전기일반

CHAPTER 01 직류회로

제 1 절 전기의 기초

1 옴의 법칙(Ohm's Law)

(1) 저항 : R[Ω, 옴]

① 저항 : $R = \dfrac{V}{I}[\Omega]$

$\left(R \propto V\right.$: 전압에 비례, $R \propto \dfrac{1}{I}$: 전류에 반비례$\left.\right)$

② 컨덕턴스 : $G = \dfrac{1}{R} = \dfrac{I}{V}[\mho][S][\Omega^{-1}]$(단위 : 모, 지멘스)

(2) 전류 : I[A, 암페어]

① 전류 : $I = \dfrac{V}{R}[A] = GV[A]$

$\left(I \propto V\right.$: 전압에 비례 $= GV[A]$, $I \propto \dfrac{1}{R}$: 저항에 반비례$\left.\right)$

(3) 전압 : V[V, 볼트]

① 전압 : $V = IR[V] = \dfrac{I}{G}[V]$

2 전하(전하량) : Q[C, 쿨롱]

물체가 띠고 있는 전기의 양으로 모든 전기현상의 근원이 되는 실체이다.
양전하와 음전하가 있고 전하가 이동하는 것이 전류이다.

(1) 전하(전하량) : $Q = It[C]\left(\text{전류} : I = \dfrac{Q}{t}[A]\right) = CV$

여기서, I : 전류[A]　　Q : 전하(전기량)[C]
t : 시간[s]　　C : 정전용량[F]
V : 전압[V]

3 에너지(일) : W[J, 줄]

두 점 사이에 1[V]의 전위차에 의해 1[C]의 전하가 이동하여 얻거나 잃은 에너지

(1) 에너지(일) : $W = VQ$[J]$\left(\text{전압} : V = \dfrac{W}{Q}[\text{V}] \right)$

여기서, V : 전압[V]
W : 일[J]
Q : 전하량[C]

(2) 전압(전위, 전위차) : 도체 내에 있는 두 점 사이의 단위 전하당 전기적인 위치에너지(전위) 차이

전위(전위차) : $V = \dfrac{W}{Q}$[V]

4 저항의 접속

(1) 직렬접속 : 전류 일정

여러 개의 저항을 차례로 연결하여 회로의 전류가 각 저항에서 일정하게 흐르도록 접속한 회로

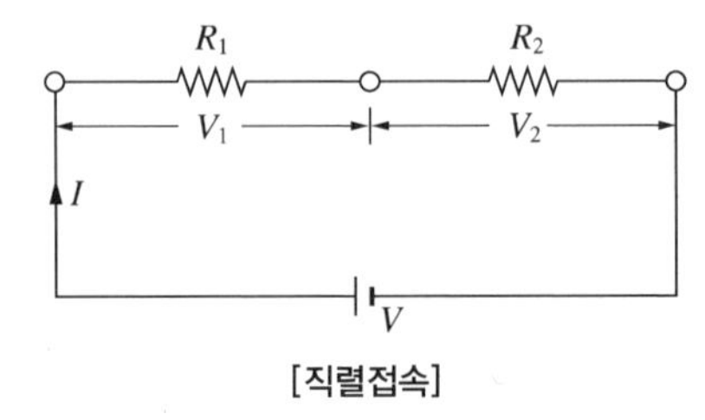

[직렬접속]

① 합성저항 : R_0[Ω]

$R_0 = R_1 + R_2 + R_3 + \cdots$ [Ω]

② R[Ω]의 저항을 n개 직렬접속하면 합성저항 R_0는

$R_0 = nR$[Ω]

③ 전류 : I[A]

$I = \dfrac{V}{R_0} = \dfrac{V}{R_1 + R_2}$[V]

④ 전체 전압(전전압) : V[V]

$V = IR_0 = I(R_1 + R_2) = V_1 + V_2 = IR_1 + IR_2$[V]

⑤ 각 저항에 걸리는 전압(분배전압)

$$V_1 = IR_1 = \frac{R_1}{R_1 + R_2} V[\text{V}]$$

$$V_2 = IR_2 = \frac{R_2}{R_1 + R_2} V[\text{V}]$$

⑥ 키르히호프의 제2법칙 : 전압 법칙

회로망 안에서 임의의 한 폐회로(Loop)를 따라 일주할 때의 각 부의 전압강하의 대수합은 그 폐회로의 모든 기전력의 대수합과 같다.

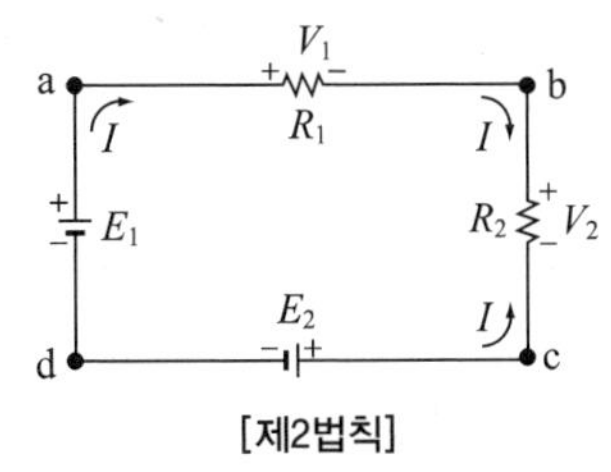

[제2법칙]

$$E_1 - E_2 = V_1 + V_2 = IR_1 + IR_2 \rightarrow \sum_{k=1}^{n} I_k R_k = \sum_{k=1}^{n} E_k$$

⑦ 배율기

전압계의 측정범위를 넓히기 위해 전압계와 직렬로 접속한 저항

$R_s = (m-1)R_a$, 배율기 배율 : $m = \dfrac{V}{V_a} = 1 + \dfrac{R_s}{R_a}$

여기서, V : 측정 가능한 전압[V]

V_a : 전압계의 최대눈금[V]

R_s : 배율기의 저항[Ω]

R_a : 전압계의 내부저항[Ω]

㉠ 측정 가능한 전압

$$V = \left(1 + \frac{R_s}{R_a}\right) V_a = m V_a[\text{V}]$$

㉡ 배율기 저항

$$R_s = \left(\frac{V}{V_a} - 1\right) \cdot R_a[\Omega]$$

(2) 병렬접속 : 전압 일정

여러 개의 저항을 병렬로 접속한 회로를 말하며 각 저항에서 전압이 일정하게 되도록 접속한 회로

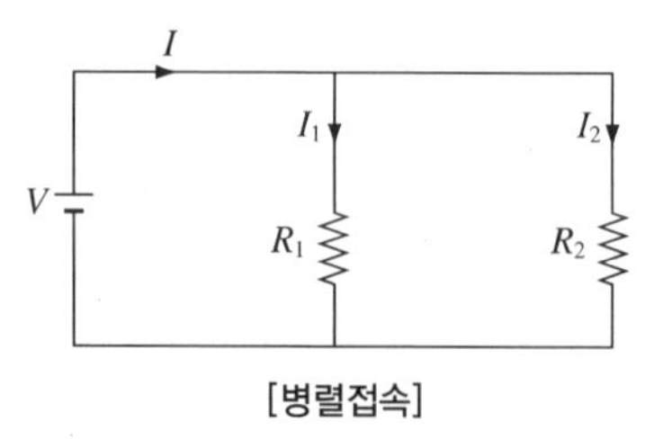

[병렬접속]

① 합성저항 : $R_0[\Omega]$

$$\frac{1}{R_0} = \frac{1}{R_1} + \frac{1}{R_2} + \cdots [\Omega]$$

㉠ 2개 병렬 : $R_0 = \frac{R_1 R_2}{R_1 + R_2} [\Omega]$

㉡ 3개 병렬 : $R_0 = \frac{R_1 R_2 R_3}{R_1 R_2 + R_2 R_3 + R_3 R_1} [\Omega]$

② $R[\Omega]$의 저항을 n개 병렬접속하면 합성저항 R_0는

$$R_0 = \frac{R}{n} [\Omega]$$

③ 전체 전류 : $I[\text{A}]$

$$I = \frac{V}{R_0} = \frac{V}{\frac{R_1 R_2}{R_1 + R_2}} [\text{A}]$$

④ 각 저항에 걸리는 전류(분배전류)

$$I_1 = \frac{V}{R_1} = \frac{R_2}{R_1 + R_2} I [\text{A}]$$

$$I_2 = \frac{V}{R_2} = \frac{R_1}{R_1 + R_2} I [\text{A}]$$

⑤ 전압 : $V[\text{V}]$

$$V = IR_0 = I\frac{R_1 R_2}{R_1 + R_2} [\text{V}]$$

⑥ 키르히호프의 제1법칙 : 전류 법칙

회로망 중의 임의의 접속점에 유입하는 전류와 유출하는 전류의 대수합은 0이다.

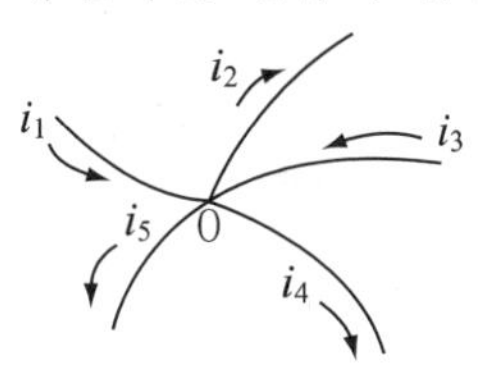

[전류법칙]

$i_1 + i_3 = i_2 + i_4 + i_5$

$\rightarrow i_1 - i_2 + i_3 - i_4 - i_5 = 0$

$\rightarrow \sum_{k=1}^{n} i_k = 0$

⑦ 분류기

전류계의 측정범위를 넓히기 위해 전류계와 병렬로 접속한 저항

$$R_s = \frac{1}{m-1} R_a \qquad \text{분류기 배율 : } m = \frac{I}{I_a} = 1 + \frac{R_a}{R_s}$$

여기서, R_a : 전류계의 내부저항[Ω]

R_s : 분류기저항[Ω]

I : 측정 가능한 전류[A]

I_a : 전류계의 최대눈금[A]

㉠ 측정 가능한 전류

$$I = \left(1 + \frac{R_a}{R_s}\right) I_a = m I_a [\mathrm{A}]$$

㉡ 분류기 저항

$$R_s = \frac{R_a}{\left(\frac{I}{I_a} - 1\right)} [\Omega]$$

5 전지의 접속과 단자전압

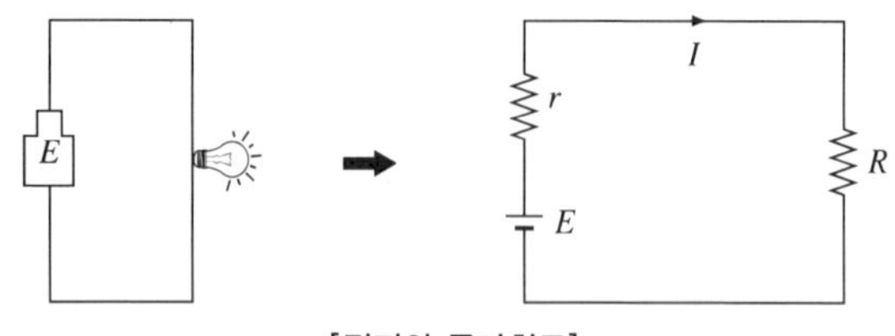

[전지의 등가회로]

(1) 전지의 저항 및 전류

① 합성 저항 : $R_0 = r + R[\Omega]$

② 전류 : $I = \dfrac{E}{r+R}$[A]

여기서, r : 전지의 내부저항

R : 부하저항

E : 기전력

(2) 전지의 직렬접속

① 전지의 직렬연결(n개)

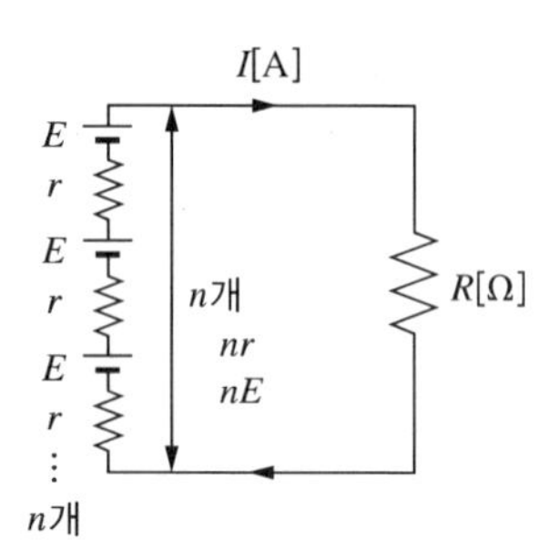

전력은 n배 증가하고 용량은 일정

$I = \dfrac{nE}{nr+R}$[A]

부하저항과 내부저항이 같을 때 최대 전력 조건

② 전지의 병렬연결(m개)

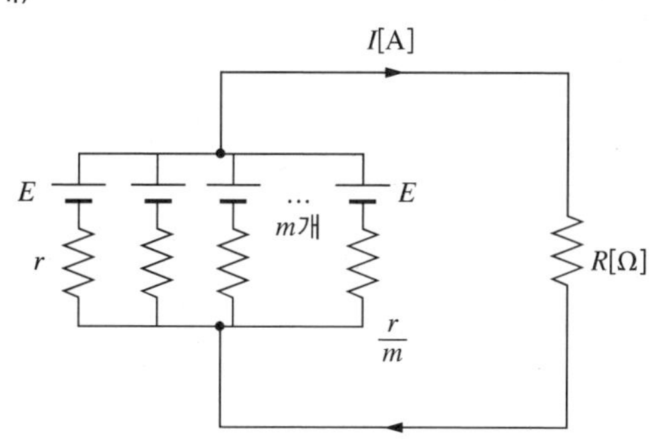

용량은 m배 증가하고 기전력은 일정

$$I = \frac{E}{\frac{r}{m} + R} [A]$$

③ 전지의 직렬(n개), 병렬(m개) 연결

$$I = \frac{nE}{\frac{n}{m}r + R} [A]$$

6 전기 저항

전선이 가지고 있는 자체 저항을 말하며, 이 저항값에 의해 전압강하가 발생하고 전선에 열이 발생된다.

(1) 전기 저항 : $R = \rho\frac{l}{A} = \rho\frac{l}{\frac{\pi d^2}{4}} = \frac{4\rho l}{\pi d^2} [\Omega]$

여기서, A : 면적[mm²]
l : 길이[m]
d : 직경(지름)[m]

(2) 고유 저항 : $\rho = \frac{RA}{l} [\Omega \cdot m]$

(3) 도전율 : $\lambda = \frac{1}{\rho} \left[\frac{1}{\Omega \cdot m}\right]$, [s/m], [℧/m]

(4) 온도 변화에 따른 저항 변화

$R_T = R_t\,[\,1 + \alpha\,(\,t - t_0\,)][\Omega]$

여기서, R_T : 온도 변화 후 저항[Ω]

R_t : 온도 변화 전 저항[Ω]

t_0 : 처음온도

t : 나중온도

α : 저항온도계수

7 전력(Electric Power)과 열량

(1) 전력(P[W])

① 전기가 단위 시간(1[s]) 동안 한 일의 양

$$P = VI = I^2R = \frac{V^2}{R} = \frac{W}{t}\,[\mathrm{W}]$$

② 전력량(W[J]) : 전기가 일정한 시간(t[s]) 동안 한 일의 양

$$W = Pt = VIt = I^2Rt = \frac{V^2}{R}t\,[\mathrm{J = W \cdot s}]$$

(2) 열량(H[cal])

$$H = 0.24\,W = 0.24Pt = 0.24\,VIt = 0.24I^2Rt = 0.24\frac{V^2}{R}t\,[\mathrm{cal}]$$

※ 1[cal] ≒ 4.2[J], 1[J] ≒ 0.24[cal]

핵/심/예/제

01 옴의 법칙에 대한 설명으로 옳은 것은? [20년 11회]

① 전압은 저항에 반비례한다.
② 전압은 전류에 비례한다.
③ 전압은 전류에 반비례한다.
④ 전압은 전류의 제곱에 비례한다.

해설 옴의 법칙에서 전압 $V = IR$[V]이므로 전압(V)은 전류(I)와 저항(R)에 비례한다.

02 어떤 옥내배선에 380[V]의 전압을 가하였더니 0.2[mA]의 누설전류가 흘렀다. 이 배선의 절연저항은 몇 [MΩ]인가? [19년 1회]

① 0.2
② 1.9
③ 3.8
④ 7.6

해설 절연저항

$$R = \frac{V}{I} = \frac{380}{0.2 \times 10^{-3}} \times 10^{-6} = 1.9[\text{M}\Omega]$$

03 배전선에 6,000[V]의 전압을 가하였더니 2[mA]의 누설전류가 흘렀다. 이 배전선의 절연저항은 몇 [MΩ]인가? [18년 1회]

① 3
② 6
③ 8
④ 12

해설

$$\text{절연저항} = \frac{\text{사용전압}}{\text{누설전류}} = \frac{6,000}{2 \times 10^{-3}} \times 10^{-6} = 3[\text{M}\Omega]$$

정답 1 ② 2 ② 3 ①

핵심 예제

04 자동화재탐지설비의 감지기 회로의 길이가 500[m]이고, 종단에 8[kΩ]의 저항이 연결되어 있는 회로에 24[V]의 전압이 가해졌을 경우 도통 시험 시 전류는 약 몇 [mA]인가?(단, 동선의 저항률은 1.69×10^{-8}[Ω · m]이며, 동선의 단면적은 2.5[mm^2]이고, 접촉저항 등은 없다고 본다)

[17년 2회, 20년 1·2회]

① 2.4
② 3.0
③ 4.8
④ 6.0

해설

$$I = \frac{V}{\text{릴레이저항} + \text{종단저항} + \text{배선저항}}$$

릴레이저항은 조건에 없으므로 무시,

배선저항 $R = \rho\frac{l}{A} = 1.69 \times 10^{-8} \times \frac{500}{2.5} = 0.338 \times 10^{-5}$

작으므로 무시한다.

$$I = \frac{V}{\text{종단저항}} = \frac{24}{8 \times 10^3} \times 10^3 = 3[\text{mA}]$$

핵심 예제

05 회로의 전압과 전류를 측정하기 위한 계측기의 연결방법으로 옳은 것은?

[18년 1회, 21년 1회]

① 전압계 : 부하와 직렬, 전류계 : 부하와 병렬
② 전압계 : 부하와 직렬, 전류계 : 부하와 직렬
③ 전압계 : 부하와 병렬, 전류계 : 부하와 병렬
④ 전압계 : 부하와 병렬, 전류계 : 부하와 직렬

해설

- 전압계 : 부하와 병렬(전압은 병렬일 때 일정)
- 전류계 : 부하와 직렬(전류는 직렬일 때 일정)

06 다음과 같은 회로에서 a-b 간의 합성저항은 몇 [Ω]인가?

[17년 2회, 20년 1회]

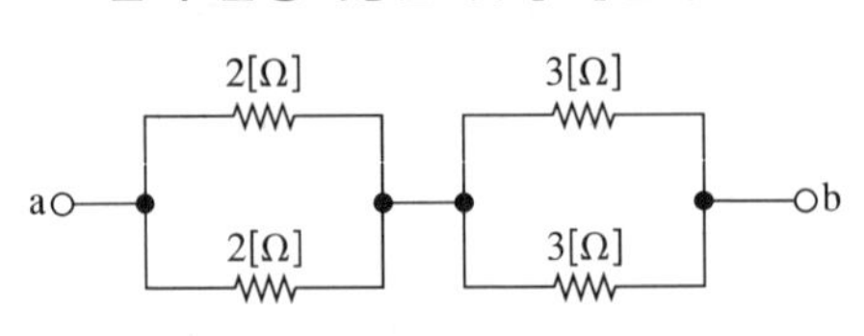

① 2.5
② 5
③ 7.5
④ 10

해설

합성저항 : $R = \frac{2}{2} + \frac{3}{2} = 2.5[\Omega]$

4 ② 5 ④ 6 ① 정답

07 20[Ω]과 40[Ω]의 병렬회로에서 20[Ω]에 흐르는 전류가 10[A]라면, 이 회로에 흐르는 총 전류는 몇 [A]인가? [19년 1회]

① 5　　② 10
③ 15　　④ 20

해설 병렬은 전압이 일정

$V_{20} = I_{20}R_{20} = 10 \times 20 = 200[\text{V}]$

$I_{40} = \dfrac{V}{R_{40}} = \dfrac{200}{40} = 5[\text{A}]$

$\therefore\ I = I_{20} + I_{40} = 10 + 5 = 15[\text{A}]$

08 그림과 같은 회로에서 A–B 단자에 나타나는 전압은 몇 [V]인가? [19년 2회]

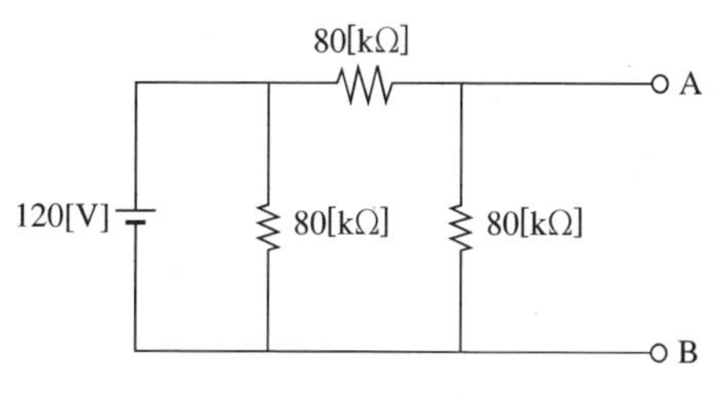

① 20　　② 40
③ 60　　④ 80

해설 A와 B 단자에 걸리는 전압은 전원전압의 반이므로 60[V]가 인가된다.

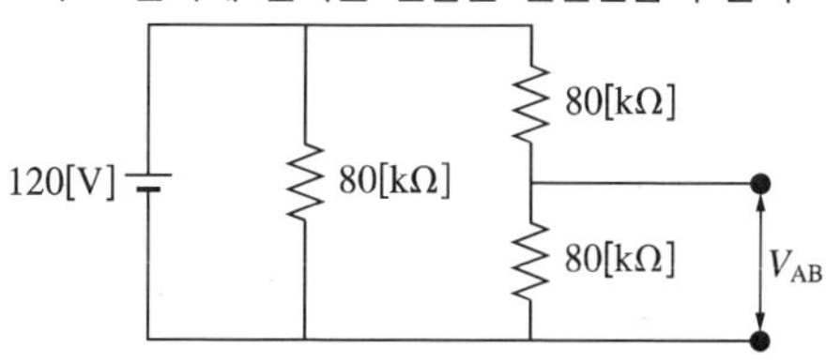

병렬은 전압이 일정하므로

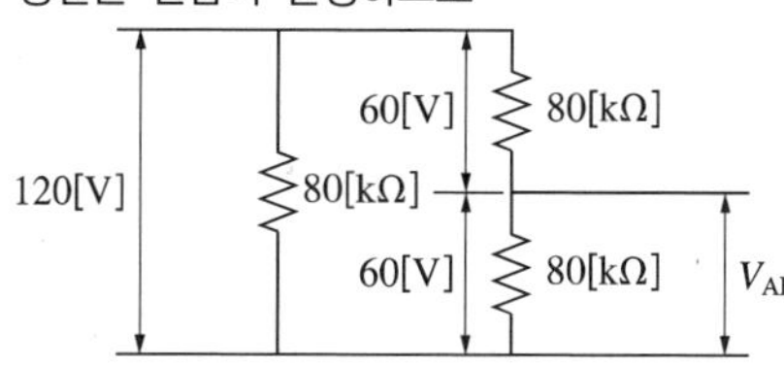

정답 7 ③ 8 ③

09 분류기를 사용하여 전류를 측정하는 경우에 전류계의 내부저항이 0.28[Ω]이고 분류기의 저항이 0.07[Ω]이라면, 이 분류기의 배율은? [20년 1회]

① 4 ② 5
③ 6 ④ 7

해설

$R_s = \frac{1}{m-1}R_a$

$m-1 = \frac{R_a}{R_s}$

$m = \frac{R_a}{R_s} + 1 = \frac{0.28}{0.07} + 1 = 5$배

10 직류 전압계의 내부저항이 500[Ω], 최대 눈금이 50[V]라면, 이 전압계에 3[kΩ]의 배율기를 접속하여 전압을 측정할 때 최대 측정치는 몇 [V]인가? [17년 2회]

① 250 ② 300
③ 350 ④ 500

해설

배율 : $m = \frac{V}{V_r} = 1 + \frac{R_s}{R_a}$ 에서

측정전압 : $V = \left(1 + \frac{R_s}{R_a}\right)V_r$

$= \left(1 + \frac{3 \times 10^3}{500}\right) \times 50 = 350[V]$

$\because R_s = (m-1)R_a$

11 최대 눈금이 150[V]이고, 내부저항이 30[kΩ]인 전압계가 있다. 이 전압계로 750[V]까지 측정하기 위해 필요한 배율기의 저항[kΩ]은? [21년 2회]

① 120 ② 150
③ 300 ④ 800

해설 $R_s = (m-1)R_a = (5-1) \times 30 = 120[k\Omega]$

여기서, R_s : 배율기 저항

R_a : 전압계 내부저항

m : 배수 $= \frac{V}{V_a} = \frac{750}{150} = 5$배

핵심예제

9 ② 10 ③ 11 ① 정답

12 **최대눈금이 70[V]인 직류전압계에 5[kΩ]의 배율기를 접속하여 전압의 최대측정치가 350[V]라면 내부저항은 몇 [kΩ]인가?** [17년 1회]

① 0.8

② 1

③ 1.25

④ 20

해설 $R_s = (m-1)R_a$

$5{,}000 = (5-1)R_a$

$R_a = \frac{5{,}000}{4} = 1{,}250[\Omega] = 1.25[k\Omega]$

여기서, R_s : 배율기 저항

m : 배수

R_a : 내부저항

※ $m = \frac{V}{V_r} = 1 + \frac{R_s}{R_a}$

핵심예제

13 **최고 눈금 50[mV], 내부저항이 100[Ω]인 직류 전압계에 1.2[MΩ]의 배율기를 접속하면 측정할 수 있는 최대 전압은 약 몇 [V]인가?** [20년 1·2회]

① 3

② 60

③ 600

④ 1,200

해설 $R_s = (m-1)R_a$

$m = \frac{R_s}{R_a} + 1 = \frac{1.2 \times 10^6}{100} + 1 = 12{,}001$

$\frac{V}{V_a} = m$

$V = V_a m = 50 \times 10^{-3} \times 12{,}001 \fallingdotseq 600[V]$

정답 12 ③ 13 ③

안심Touch

14 측정기의 측정범위 확대를 위한 방법의 설명으로 틀린 것은? [17년 4회, 18년 2회]

① 전류의 측정범위 확대를 위하여 분류기를 사용하고, 전압의 측정범위 확대를 위하여 배율기를 사용한다.

② 분류기는 계기에 직렬로 배율기는 병렬로 접속한다.

③ 측정기 내부 저항을 R_a, 분류기 저항을 R_s라 할 때, 분류기의 배율은 $1+\frac{R_a}{R_s}$로 표시된다.

④ 측정기 내부 저항을 R_v, 배율기 저항을 R_m라 할 때, 배율기의 배율은 $1+\frac{R_m}{R_v}$로 표시된다.

해설
- 배율기 : 전압계의 측정범위를 넓히기 위해 전압계와 직렬로 접속한 저항
- 분류기 : 전류계의 측정범위를 넓히기 위해 전류계와 병렬로 접속한 저항

15 전류 측정 범위를 확대시키기 위하여 전류계와 병렬로 연결해야만 되는 것은? [17년 4회]

핵심예제

① 배율기 ② 분류기

③ 중계기 ④ CT

해설 14번 해설 참조

16 분류기를 써서 배율을 9로 하기 위한 분류기의 저항은 전류계 내부저항의 몇 배인가? [18년 2회, 21년 1회]

① $\frac{1}{8}$ ② $\frac{1}{9}$

③ 8 ④ 9

해설

$R_s = \frac{1}{m-1}R_a$

$R_s = \frac{1}{8}R_a$

$\therefore \frac{1}{8}$배

여기서, R_s : 분류기 저항

m : 배율

R_a : 전류계 내부저항

14 ② 15 ② 16 ① 정답

17 그림과 같은 회로에서 분류기의 배율은?(단, 전류계 A의 내부저항은 R_A이며, R_S는 분류기 저항이다) [19년 1회]

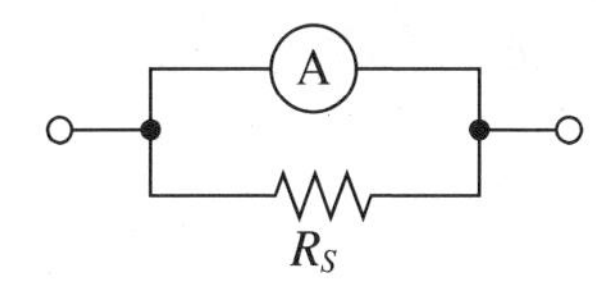

① $\frac{R_A}{R_A+R_S}$　② $\frac{R_S}{R_A+R_S}$

③ $\frac{R_A+R_S}{R_S}$　④ $\frac{R_A+R_S}{R_A}$

해설

$R_S = \frac{1}{m-1}R_A$

$m-1 = \frac{R_A}{R_S}$

$m = 1+\frac{R_A}{R_S}$

$= \frac{R_S+R_A}{R_S}$

18 내부저항이 200[Ω]이며 직류 120[mA]인 전류계를 6[A]까지 측정할 수 있는 전류계로 사용하고자 한다. 어떻게 하면 되겠는가? [19년 1회]

① 24[Ω]의 저항을 전류계와 직렬로 연결한다.
② 12[Ω]의 저항을 전류계와 병렬로 연결한다.
③ 약 6.24[Ω]의 저항을 전류계와 직렬로 연결한다.
④ 약 4.08[Ω]의 저항을 전류계와 병렬로 연결한다.

해설 분류기 : 전류의 측정범위를 넓히기 위해 전류계와 병렬로 접속한 저항

$R_S = \frac{1}{m-1}R_A$

$= \frac{1}{\left(\frac{6}{120\times10^{-3}}-1\right)}\times 200 = 4.08[\Omega]$

4.08[Ω]의 저항을 전류계와 병렬연결

정답 17 ③ 18 ④

19

그림과 같이 전류계 A_1, A_2를 접속할 경우 A_1은 25[A], A_2는 5[A]를 지시하였다. 전류계 A_2의 내부저항은 몇 [Ω]인가? [20년 1·2회]

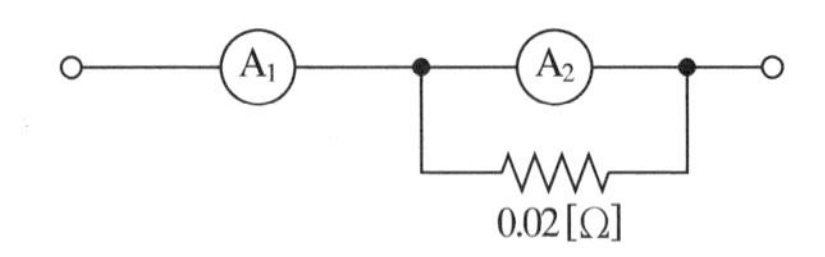

① 0.05
② 0.08
③ 0.12
④ 0.15

해설 0.02[Ω]에 흐르는 전류
$I = A_1 - A_2 = 25 - 5 = 20$[A]
$A_2 = 5$[A], 0.02[Ω]에 흐르는 전류 $I = 20$[A]가 흐르면 A_2에 흐르는 전류가 4배 작으므로 저항의 크기는 0.02[Ω]보다 4배 커지게 된다.
$R \propto \frac{1}{I}$
∴ A_2 내부저항 : $r = 0.02 \times 4 = 0.08$[Ω]

핵심 예제

20

최대눈금이 200[mA], 내부저항이 0.8[Ω]인 전류계가 있다. 8[mΩ]의 분류기를 사용하여 전류계의 측정범위를 넓히면 몇 [A]까지 측정할 수 있는가? [20년 3회]

① 19.6
② 20.2
③ 21.4
④ 22.8

해설 $V = I_a R_a$
$= 200 \times 10^{-3} \times 0.8$
$= 0.16$[V]
$V = I_s R_s$
$I_s = \frac{V}{R_s} = \frac{0.16}{8 \times 10^{-3}} = 20$[A]

19 ② 20 ② 정답

21 그림과 같은 회로에서 전압계 Ⓥ가 10[V]일 때 단자 A–B 간의 전압은 몇 [V]인가?

[20년 3회]

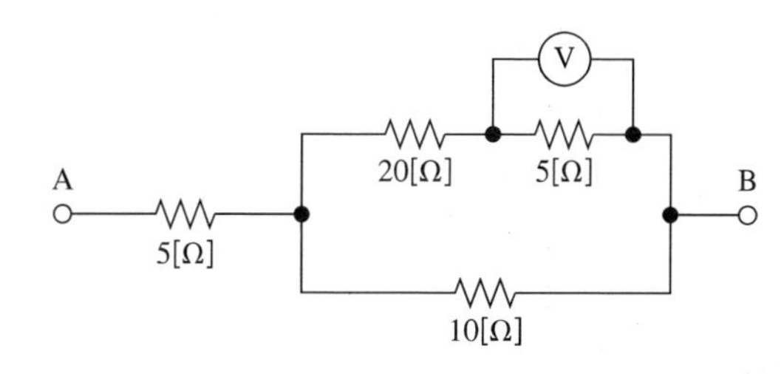

① 50
② 85
③ 100
④ 135

해설

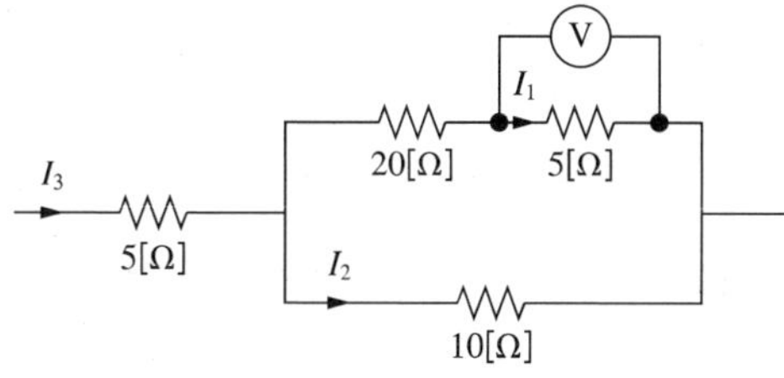

$I_1 = \frac{10}{5} = 2[A]$

$V_{20} = I_1 R_{20} = 2 \times 20 = 40[V]$

$V = 10 + 40 = 50[V]$

$I_2 = \frac{V}{R_{10}} = \frac{50}{10} = 5[A]$

$I_3 = I_1 + I_2 = 7[A]$

$V_5 = I_3 R_3 = 7 \times 5 = 35[V]$

$V_0 = V + V_{20} + V_5$

$= 10 + 40 + 35$

$= 85[V]$

핵심 예제

정답 21 ②

22 어떤 전지의 부하로 6[Ω]을 사용하니 3[A]의 전류가 흐르고, 이 부하에 직렬로 4[Ω]을 연결했더니 2[A]가 흘렀다. 이 전지의 기전력은 몇 [V]인가? [17년 2회]

① 8　　② 16

③ 24　　④ 32

해설

전류 : $I = \dfrac{E}{r+R}$ 에서 기전력 : $E = I(r+R)$ 이므로

$E = 3 \times (r+6) = 2 \times (r+6+4)$

$3r + 18 = 2r + 20$

$3r - 2r = 20 - 18$

$\therefore\ r = 2[\Omega]$

$E = I(r+R) = 3 \times (2+6) = 24[\text{V}]$

$E = I(r+R+4) = 2 \times (2+6+4) = 24[\text{V}]$

23 어느 도선의 길이를 2배로 하고 전기 저항을 5배로 하려면 도선의 단면적은 몇 배로 되는가? [18년 1회]

① 10배　　② 0.4배

③ 2배　　④ 2.5배

해설

$R = \rho\dfrac{l}{A}$ 에서

$R \propto \dfrac{l}{A}$

$A \propto \dfrac{l}{R} \propto \dfrac{2}{5} = 0.4$배

24 지름 8[mm]의 경동선 1[km]의 저항을 측정하였더니 0.63536[Ω]이었다. 같은 재료로 지름 2[mm], 길이 500[m]의 경동선의 저항은 약 몇 [Ω]인가? [17년 2회]

① 2.8　　② 5.1

③ 10.2　　④ 20.4

해설

$R = \rho\dfrac{l}{A} = \rho\dfrac{l}{\dfrac{\pi D^2}{4}} = \rho\dfrac{4l}{\pi D^2},\ R \propto \dfrac{l}{D^2}$

$R = 0.63536 \times \dfrac{\dfrac{1}{2}}{\left(\dfrac{1}{4}\right)^2} \fallingdotseq 5.1[\Omega]$

22 ③ 23 ② 24 ② 정답

25 직류회로에서 도체를 균일한 체적으로 길이를 10배 늘이면 도체의 저항은 몇 배가 되는가? (단, 도체의 전체 체적은 변함이 없다) [19년 1회]

① 10 ② 20
③ 100 ④ 1,000

해설 $V = Al$(일정), $A = \frac{1}{10}$, $l = 10$

$R = \rho\frac{l}{A} \propto \frac{l}{A} = \frac{10}{\frac{1}{10}} = 100$배

26 지름 1.2[m], 저항 7.6[Ω]의 동선에서 이 동선의 저항률을 0.0172[Ω · m]라고 하면 동선의 길이는 약 몇 [m]인가? [17년 1회]

① 200 ② 300
③ 400 ④ 500

해설 $R = \rho\frac{l}{A}$

$l = \frac{RA}{\rho} = \frac{7.6\times\frac{\pi}{4}\times(1.2)^2}{0.0172} = 499.73$[m]

27 0[℃]에서 저항이 10[Ω]이고, 저항의 온도계수가 0.0043인 전선이 있다. 30[℃]에서 이 전선의 저항은 약 몇 [Ω]인가? [21년 2회]

① 0.013 ② 0.68
③ 1.4 ④ 11.3

해설 온도변화 후 저항
$R_2 = R_1[1+\alpha(t_2-t_1)] = 10[1+0.0043(30-0)] = 11.29$[Ω]

정답 25 ③ 26 ④ 27 ④

28 동선의 저항이 20[℃]일 때 0.8[Ω]이라 하면 60[℃]일 때의 저항은 약 몇 [Ω]인가? (단, 동선의 20[℃]의 온도계수는 0.0039이다)

[17년 2회]

① 0.034
② 0.925
③ 0.644
④ 2.4

해설 $R_{60} = R_{20}[1+\alpha_t(t-t_0)]$
$= 0.8 \times [1 + 0.0039 \times (60 - 20)]$
$= 0.925$

29 온도 t[℃]에서 저항이 R_1, R_2이고 저항의 온도계수가 각각 α_1, α_2인 두 개의 저항을 직렬로 접속했을 때 합성저항 온도계수는?

[19년 2회]

핵심예제

① $\dfrac{R_1\alpha_2 + R_2\alpha_1}{R_1 + R_2}$
② $\dfrac{R_1\alpha_1 + R_2\alpha_2}{R_1 R_2}$
③ $\dfrac{R_1\alpha_1 + R_2\alpha_2}{R_1 + R_2}$
④ $\dfrac{R_1\alpha_2 + R_2\alpha_1}{R_1 R_2}$

해설 온도계수 α_1, α_2 두 개의 저항 직렬접속 시
합성저항 온도계수 : $\alpha_T = \dfrac{R_1\alpha_1 + R_2\alpha_2}{R_1 + R_2}$

30 1[W · s]와 같은 것은?

[19년 1회]

① 1[J]
② 1[kg · m]
③ 1[kWh]
④ 860[kcal]

해설 **에너지(일)** : W[J] = PT[W · s]
∴ 1[J] = 1[W · s]

28 ② 29 ③ 30 ① 정답

31 줄의 법칙에 관한 수식으로 틀린 것은? [19년 1회]

① $H = I^2Rt$[J]
② $H = 0.24I^2Rt$[cal]
③ $H = 0.12\,VIt$[J]
④ $H = \dfrac{1}{4.2}I^2Rt$[cal]

해설

줄 법칙 : $H = Pt = VIt = I^2Rt$[cal]

$H = 0.24Pt = 0.24\,VIt = 0.24I^2Rt$[cal]

※ $0.24 = \dfrac{1}{4.2}$

32 100[V], 1[kW]의 니크롬선을 3/4의 길이로 잘라서 사용할 때 소비전력은 약 몇 [W]인가? [19년 1회]

① 1,000
② 1,333
③ 1,430
④ 2,000

해설

전력 : $P = \dfrac{V^2}{R}$에서 $P \propto \dfrac{1}{R} = \dfrac{1}{\rho\dfrac{l}{A}}\left(P \propto \dfrac{1}{l}\right)$

$P' \propto \dfrac{1}{l} = \dfrac{1}{\dfrac{3}{4}} = \dfrac{4}{3}$배이므로

$P' = \dfrac{4}{3} \times 1{,}000 = 1{,}333$[W]

33 100[V], 500[W]의 전열선 2개를 같은 전압에서 직렬로 접속한 경우와 병렬로 접속한 경우의 전력은 각각 몇 [W]인가? [17년 11회, 20년 3회]

① 직렬 : 250, 병렬 : 500
② 직렬 : 250, 병렬 : 1,000
③ 직렬 : 500, 병렬 : 500
④ 직렬 : 500, 병렬 : 1,000

해설

$P = \dfrac{V^2}{R}$에서 $R = \dfrac{V^2}{P} = \dfrac{100^2}{500} = 20[\Omega]$

$P_{직} = \dfrac{V^2}{2R} = \dfrac{100^2}{2 \times 20} = 250$[W]

$P_{병} = \dfrac{V^2}{\dfrac{1}{2}R} = \dfrac{100^2}{\dfrac{1}{2} \times 20} = 1{,}000$[W]

정답 31 ③ 32 ② 33 ②

CHAPTER 02 교류회로

제 1 절 정현파교류

1 교류의 발생

(1) 전자유도 현상

코일에서 발생하는 기전력의 크기는 자속의 시간적인 변화에 비례하고 기전력의 방향은 자속 ϕ의 증감을 방해하는 방향으로 발생하는 현상

① 기전력의 크기(패러데이의 법칙)

$$e = N\frac{d\phi}{dt}\,[\mathrm{V}]$$

② 기전력의 방향(렌츠의 법칙)

$$e = -N\frac{d\phi}{dt}\,[\mathrm{V}]$$

(2) 발전기에서 발생하는 기전력

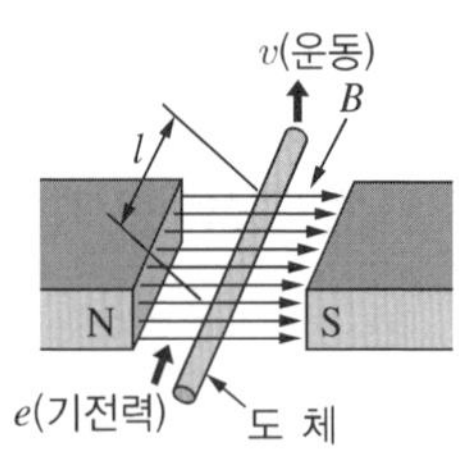

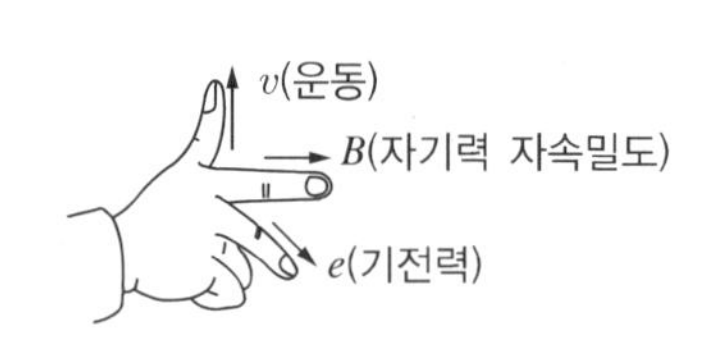

- 엄지 : 도체의 운동방향, $v[\mathrm{m/s}]$
- 검지 : 자장의 방향, $B[\mathrm{Wb/m^2}]$
- 중지 : 기전력의 방향, $e[\mathrm{V}]$

(3) 교류의 발생

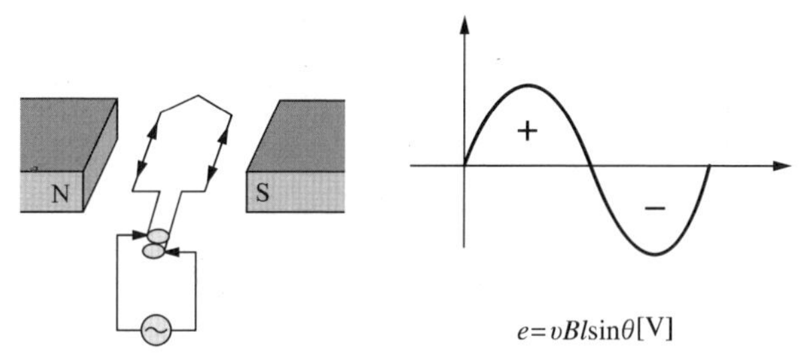

$e = vBl\sin\theta$[V]

$v(t) = V_m \sin\omega t$[V]

$i(t) = I_m \sin\omega t$[A]

① 주기(T[s]) : 1사이클(Cycle) 도는 데 필요한 시간

② 주파수(f[Hz]) : 1초 동안에 만들어지는 사이클의 수

$f = \frac{1}{T}$[Hz], $T = \frac{1}{f}$[s]

③ 각주파수(ω) : 1초 동안 각의 변화율

$\omega = 2\pi f = \frac{2\pi}{T}$[rad/s]

④ 위상차

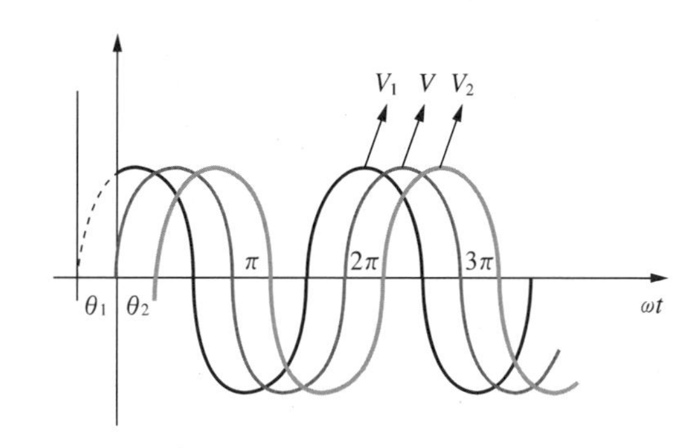

$v = V_m \sin\omega t$

$v_1 = V_m \sin(\omega t + \theta_1)$

$v_2 = V_m \sin(\omega t - \theta_2)$

2 정현파 교류

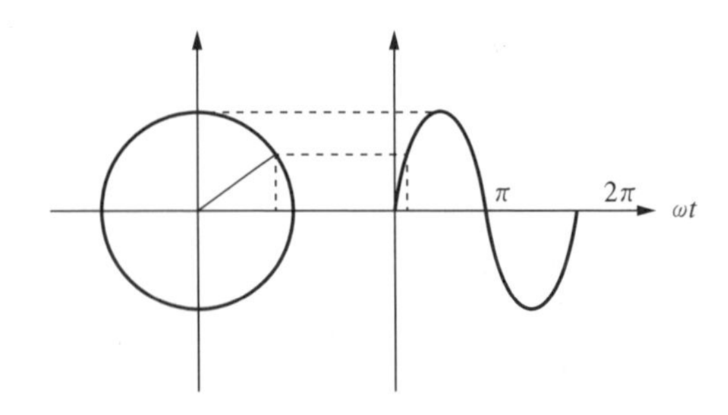

(1) 정현파 교류의 실횻값(교류의 크기)

같은 저항에서 일정 시간 동안 각각 직류와 교류를 흘렸을 때 저항에서 발생하는 열량이 같아지는 순간의 교류를 직류로 환산한 값

$$I^2RT = \int_0^T i^2 R dt \rightarrow I^2 = \frac{1}{T}\int_0^T i^2 dt$$

$$I = \sqrt{\frac{1}{T}\int_0^T i^2 dt} = \sqrt{1\text{주기 동안의 } i^2\text{의 평균}} = \frac{I_m}{\sqrt{2}} = 0.707 I_m \, [\text{A}]$$

(2) 정현파 교류의 평균값(직류의 크기)

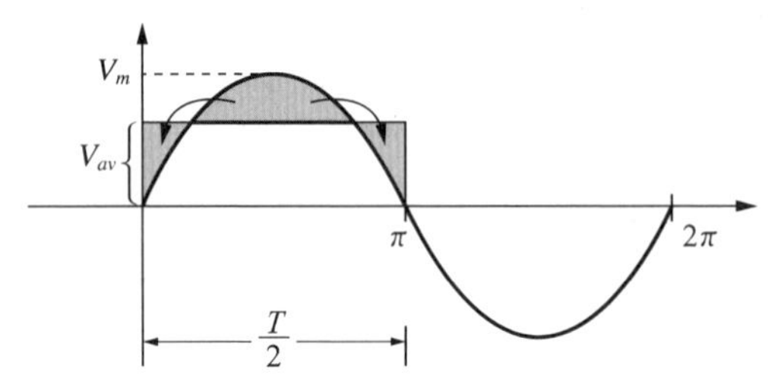

한 주기 동안의 면적에 대한 평균값 – 가동 코일형 계기값

$$I_{av} = \frac{1}{T}\int_0^T |i(t)| dt = \frac{1}{\frac{T}{2}}\int_0^{\frac{T}{2}} i(t) dt = \frac{2}{\pi} I_m = 0.637 I_m \, [\text{A}]$$

(3) 정현파 교류의 순시값(교류의 파형)

교류 파형에서 임의의 순간에서의 전류, 전압의 크기

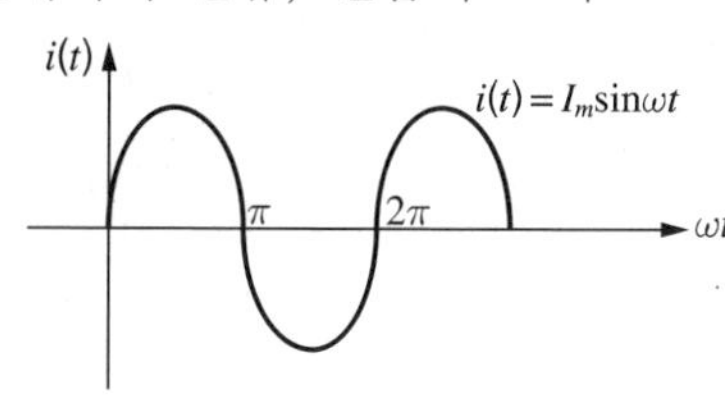

$i(t) = I_m \sin\omega t$ [A]

$i = I_m \sin(\omega t - \theta)$, 늦은 전류(지상전류)

$i = I_m \sin(\omega t + \theta)$, 빠른 전류(진상전류)

(4) 정현파 교류의 파고율과 파형률

① 파고율 $= \dfrac{\text{최댓값}}{\text{실횻값}} = \sqrt{2} = 1.414$

② 파형률 $= \dfrac{\text{실횻값}}{\text{평균값}} = \dfrac{\pi}{2\sqrt{2}} = 1.11$

3 각 파형별 데이터값

(1) 전파정류(현)파

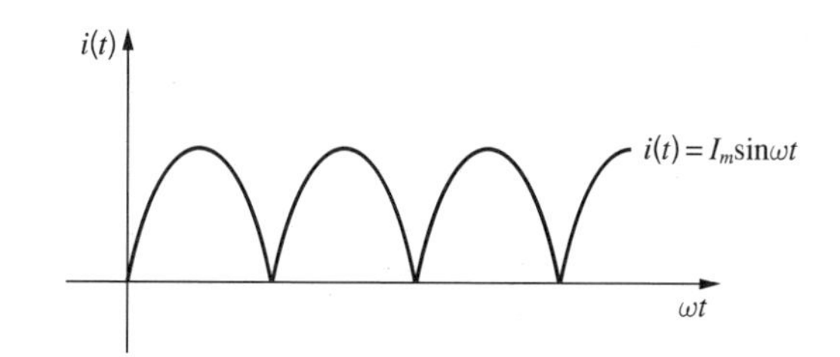

① 실횻값 : $\dfrac{I_m}{\sqrt{2}} = 0.707 I_m$

② 평균값 : $\dfrac{2I_m}{\pi} = 0.637 I_m$

③ 파고율 : $\sqrt{2} = 1.414$

④ 파형률 : $\dfrac{\pi}{2\sqrt{2}} = 1.11$

(2) 반파정류(현)파

① 실횻값 : $\frac{I_m}{2} = 0.5I_m$

② 평균값 : $\frac{I_m}{\pi} = 0.318I_m$

③ 파고율 : 2

④ 파형률 : $\frac{\pi}{2} = 1.57$

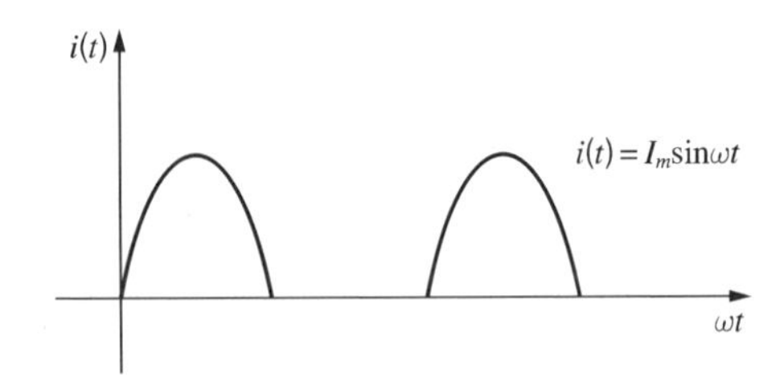

(3) 구형파

① 실횻값 : I_m

② 평균값 : I_m

③ 파고율 : 1

④ 파형률 : 1

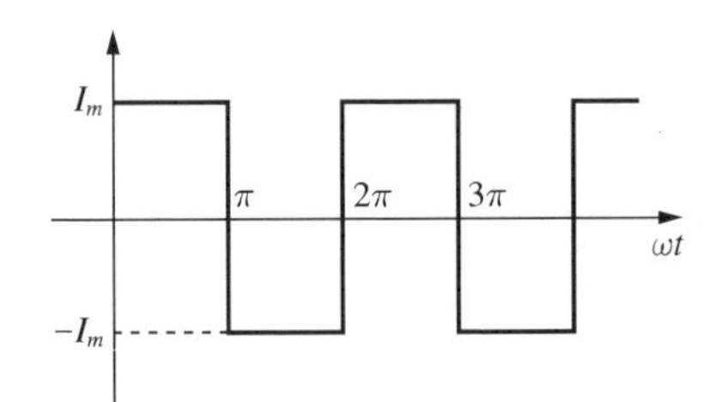

(4) 반파구형파

① 실횻값 : $\frac{I_m}{\sqrt{2}} = 0.707I_m$

② 평균값 : $\frac{I_m}{2} = 0.5I_m$

③ 파고율 : $\sqrt{2} = 1.414$

④ 파형률 : $\sqrt{2} = 1.414$

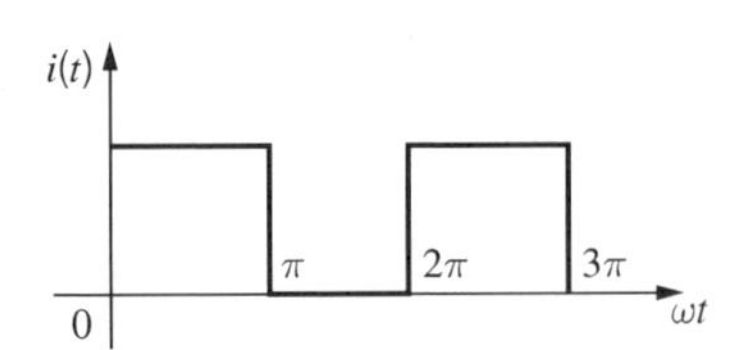

(5) 톱니파

① 실횻값 : $\frac{I_m}{\sqrt{3}} = 0.577I_m$

② 평균값 : $\frac{I_m}{2} = 0.5I_m$

③ 파고율 : $\sqrt{3} = 1.732$

④ 파형률 : $\frac{2}{\sqrt{3}} = 1.155$

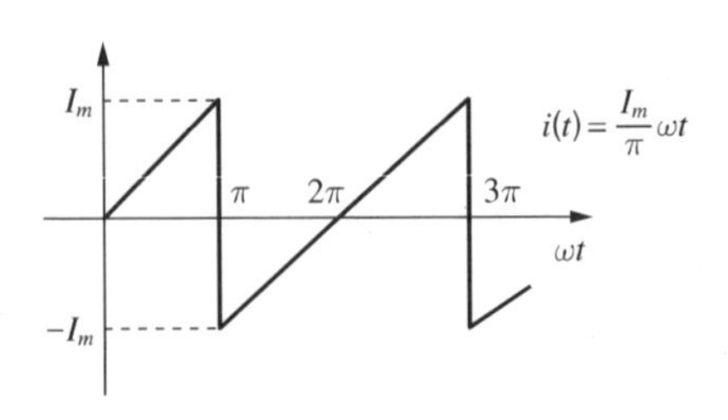

(6) 삼각파

① 실횻값 : $\frac{I_m}{\sqrt{3}} = 0.577 I_m$

② 평균값 : $\frac{I_m}{2} = 0.5 I_m$

③ 파고율 : $\sqrt{3} = 1.732$

④ 파형률 : $\frac{2}{\sqrt{3}} = 1.155$

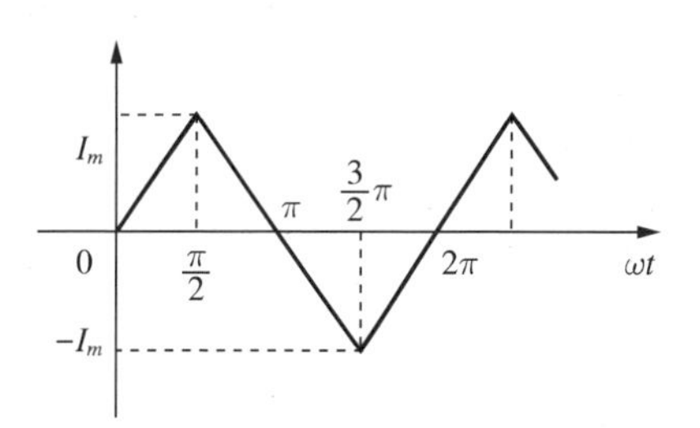

구 분	실횻값	평균값	파형률	파고율
정현파	$\frac{V_m}{\sqrt{2}}$	$\frac{2V_m}{\pi}$	1.11	1.414
정현반파	$\frac{V_m}{2}$	$\frac{V_m}{\pi}$	1.57	2
구형파	V_m	V_m	1	1
구형반파	$\frac{V_m}{\sqrt{2}}$	$\frac{V_m}{2}$	1.41	1.41
삼각파(톱니파)	$\frac{V_m}{\sqrt{3}}$	$\frac{V_m}{2}$	1.15	1.73

4 교류의 벡터 표시법과 계산

(1) 벡터 표시 방법

① 복소수법 : $\dot{A} = a + jb$

② 극형식법 : $\dot{A} = A\angle\theta = \sqrt{a^2+b^2}\angle\tan^{-1}\frac{b}{a}$

③ 삼각함수법 : $\dot{A} = A\cos\theta + jA\sin\theta = A(\cos\theta + j\sin\theta)$

④ 지수함수법 : $\dot{A} = Ae^{j\theta} = Ae^{j\omega t}$

(2) 벡터의 계산

$A\angle\theta_1 = A\cos\theta_1 + jA\sin\theta_1$와 $B\angle\theta_2 = B\cos\theta_2 + jB\sin\theta_2$일 때

① 곱셈 : $A\angle\theta_1 \times B\angle\theta_2 = AB\angle\theta_1 + \theta_2$

② 나눗셈 : $\frac{A\angle\theta_1}{B\angle\theta_2} = \frac{A}{B}\angle\theta_1 - \theta_2$

③ 덧셈 : $A\angle\theta_1 + B\angle\theta_2 = \sqrt{A^2 + B^2 + 2AB\cos(\theta_1 - \theta_2)}$

제2절 기본 교류회로

1 단일소자회로

(1) R만의 회로

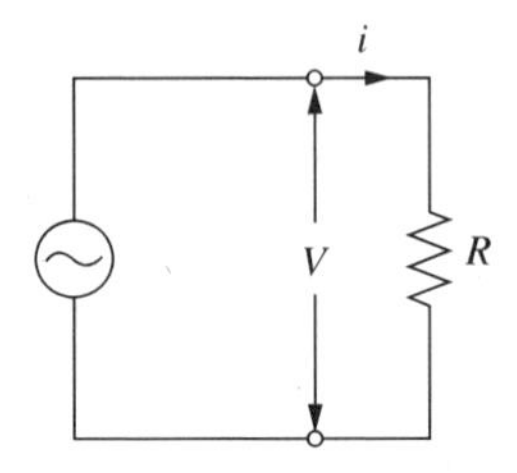

$v = V_m \sin \omega t$

$i = I_m \sin \omega t$

① R만의 회로에서 임피던스

$Z = R = R\angle 0°$

② 전류의 순시값과 실횻값

㉠ $i_R = \dfrac{V_m}{R} \sin\omega t\,[\mathrm{A}]$

㉡ $I_R = \dfrac{V}{R}\,[\mathrm{A}]$

③ R만의 회로의 특징

㉠ 전압과 전류의 위상차는 0이다(동위상 전류).

㉡ 저항은 순저항, 무유도 저항이다.

(2) L(인덕턴스)만의 회로

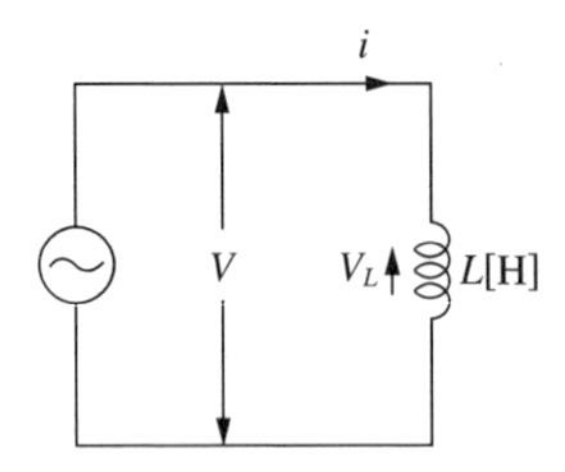

$v = N\dfrac{d\phi}{dt} = L\dfrac{di}{dt}$(코일에서 전류는 급격히 변화할 수 없다)

$i = \dfrac{1}{L}\displaystyle\int v\,dt$

① L만의 회로에서 임피던스

$$Z = j\omega L = jX_L = X_L \angle \frac{\pi}{2}$$

② 전류의 순시값과 실횻값

$$i_L = \frac{V_m}{\omega L}\sin(\omega t - 90°)[\text{A}]$$

$$I_L = \frac{V}{X_L} = \frac{V}{\omega L} = \frac{V}{2\pi f L}[\text{A}]$$

③ L만의 회로의 특징

㉠ 전류는 전압보다 90° 늦다(지상, 뒤진 전류).

㉡ 유도성

④ 코일에서 축적되는 에너지

$$W = \int p\, dt = \int vi\, dt = \int L\frac{di}{dt} i\, dt = \frac{1}{2}LI^2[\text{J}]$$

(3) C(커패시턴스)만의 회로

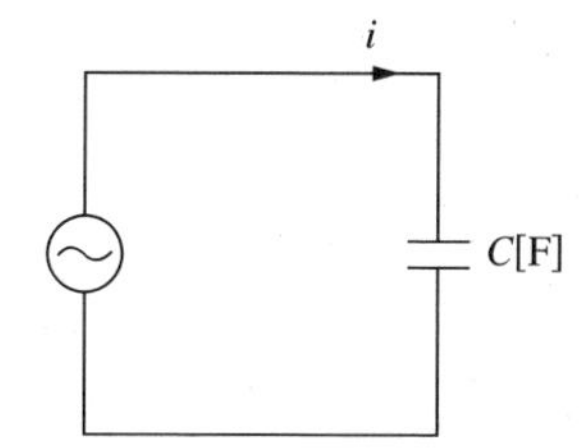

$$v_c = \frac{1}{C}\int i(t)dt$$

$i = C\dfrac{de}{dt}$(콘덴서에서 전압은 급격히 변화할 수 없다)

① C만의 회로에서 임피던스

$$Z = \frac{1}{j\omega C} = -j\frac{1}{\omega C} = -jX_C = X_C \angle -\frac{\pi}{2}$$

② 전류의 순시값과 실횻값

㉠ $i_c = \omega C V_m \sin(\omega t + 90°)[\text{A}]$

㉡ $I_C = \dfrac{V}{X_C} = \omega C V = 2\pi f C V[\text{A}]$

③ C만의 회로의 특징

㉠ 전류는 전압보다 90° 빠르다(진상, 앞선 전류).

㉡ 용량성

④ 콘덴서에 저장되는 에너지

$$\omega = \int p\,dt = \int vi\,dt = \int v\cdot c\frac{dv}{dt}dt = \int cv\,dv = \frac{1}{2}Cv^2 = \frac{1}{2}Qv = \frac{Q^2}{2C}[\mathrm{J}]$$

2 $R-L-C$ 직렬회로

(1) $R-L$ 직렬회로

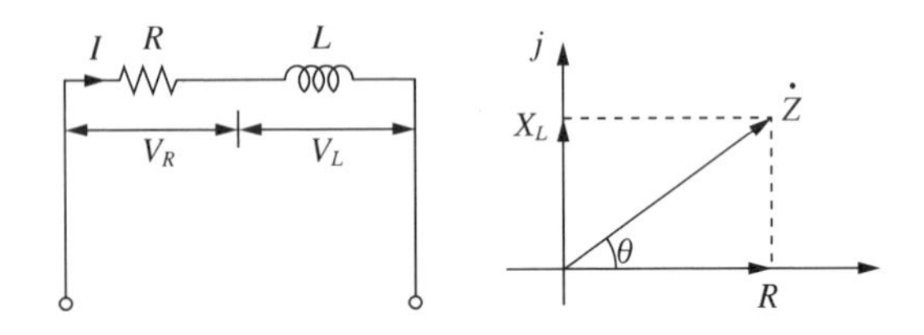

① 임피던스

$$Z = R + j\omega L = \sqrt{R^2+(\omega L)^2}\angle\tan^{-1}\frac{\omega L}{R} = Z\angle\theta$$

② 전 류

$$i = \frac{v}{Z} = \frac{V_m\sin\omega t}{\sqrt{R^2+(\omega L)^2}\angle\tan^{-1}\frac{\omega L}{R}} = \frac{V_m}{\sqrt{R^2+(\omega L)^2}}\sin\left(\omega t-\tan^{-1}\frac{\omega L}{R}\right)$$

③ 역 률

㉠ $\cos\theta$(역률) $= \dfrac{R}{\sqrt{R^2+X^2}} = \dfrac{R}{\sqrt{R^2+(\omega L)^2}}$

㉡ $\sin\theta = \dfrac{X}{\sqrt{R^2+X^2}} = \dfrac{\omega L}{\sqrt{R^2+(\omega L)^2}}$

(2) $R-C$ 직렬회로

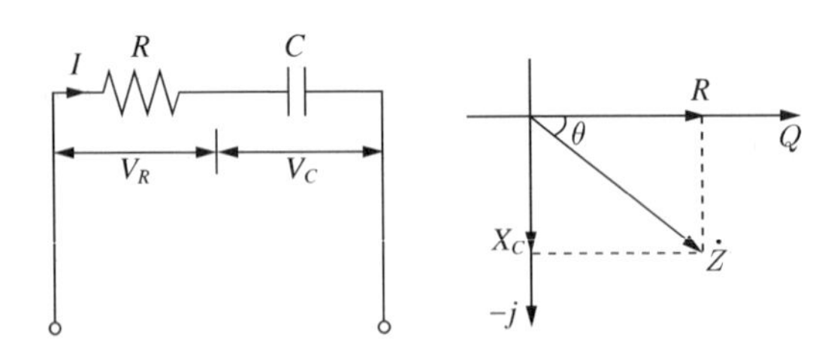

① 임피던스

$$Z = R - j\frac{1}{\omega C} = \sqrt{R^2 + \left(\frac{1}{\omega C}\right)^2} \angle -\tan^{-1}\frac{1}{R\omega C} = Z\angle\theta$$

② 전 류

$$i = \frac{v}{Z} = \frac{V_m \sin\omega t}{\sqrt{R^2 + \left(\frac{1}{\omega C}\right)^2} \angle -\tan^{-1}\frac{1}{R\omega C}}$$

$$= \frac{V_m}{\sqrt{R^2 + \left(\frac{1}{\omega C}\right)^2}} \sin\left(\omega t + \tan^{-1}\frac{1}{R\omega C}\right)$$

③ 역 률

㉠ $\cos\theta$(역률) $= \frac{R}{\sqrt{R^2 + X^2}} = \frac{R}{\sqrt{R^2 + \left(\frac{1}{\omega C}\right)^2}}$

㉡ $\sin\theta = \frac{X}{\sqrt{R^2 + X^2}} = \frac{\frac{1}{\omega C}}{\sqrt{R^2 + \left(\frac{1}{\omega C}\right)^2}}$

(3) $R-L-C$ 직렬회로

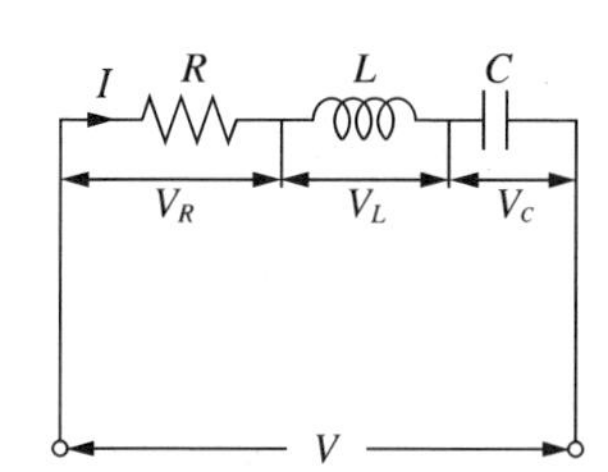

- $Z = R + jX_L - jX_C = R + j\omega L - j\frac{1}{\omega C} = Z\angle\theta$
- $I = \frac{V}{Z}$, 역률 $\cos\theta$

① $X_L > X_C$인 경우(유도성 회로)

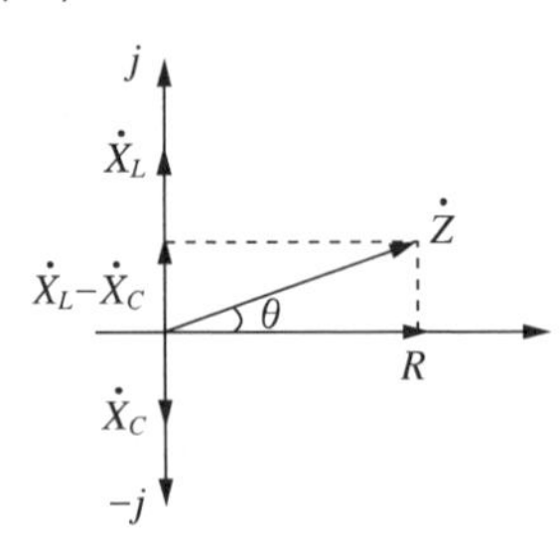

㉠ 임피던스

$$Z = R + j\left(\omega L - \frac{1}{\omega C}\right) = \sqrt{R^2 + \left(\omega L - \frac{1}{\omega C}\right)^2} \angle \tan^{-1}\frac{\left(\omega L - \frac{1}{\omega C}\right)}{R} = Z\angle\theta$$

㉡ 전 류

$$i = \frac{v}{Z} = \frac{V_m \sin\omega t}{\sqrt{R^2 + \left(\omega L - \frac{1}{\omega C}\right)^2} \angle \tan^{-1}\frac{\omega L - \frac{1}{\omega C}}{R}}$$

$$= \frac{V_m}{\sqrt{R^2 + \left(\omega L - \frac{1}{\omega C}\right)^2}} \sin\left(\omega t - \tan^{-1}\frac{\omega L - \frac{1}{\omega C}}{R}\right)$$

㉢ 역 률

- $\cos\theta = \dfrac{R}{Z} = \dfrac{R}{\sqrt{R^2 + \left(\omega L - \frac{1}{\omega C}\right)^2}}$

- $\sin\theta = \dfrac{\omega L - \frac{1}{\omega C}}{Z} = \dfrac{\omega L - \frac{1}{\omega C}}{\sqrt{R^2 + \left(\omega L - \frac{1}{\omega C}\right)^2}}$

② $X_C > X_L$인 경우(용량성 회로)

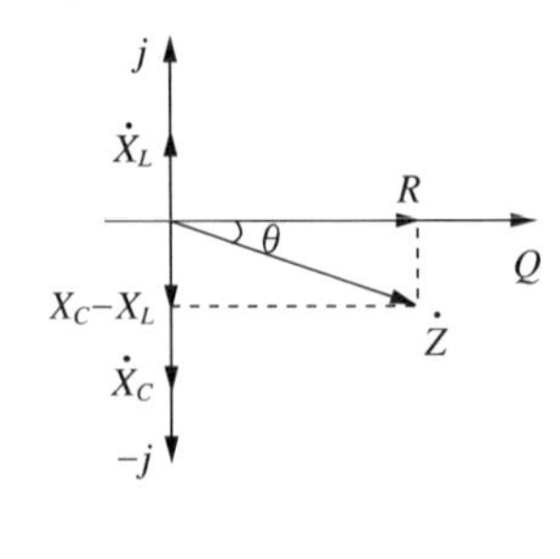

㉠ 임피던스

$$Z = R - j\left(\frac{1}{\omega C} - \omega L\right) = \sqrt{R^2 + \left(\frac{1}{\omega C} - \omega L\right)^2} \angle -\tan^{-1}\frac{\frac{1}{\omega C} - \omega L}{R} = Z\angle\theta$$

㉡ 전 류

$$i = \frac{v}{Z} = \frac{V_m \sin\omega t}{\sqrt{R^2 + \left(\frac{1}{\omega C} - \omega L\right)^2} \angle -\tan^{-1}\frac{\frac{1}{\omega C} - \omega L}{R}}$$

$$= \frac{V_m}{\sqrt{R^2 + \left(\frac{1}{\omega C} - \omega L\right)^2}} \sin\left(\omega t + \tan^{-1}\frac{\frac{1}{\omega C} - \omega L}{R}\right)$$

㉢ 역 률

- $\cos\theta = \frac{R}{Z} = \frac{R}{\sqrt{R^2 + \left(\frac{1}{\omega C} - \omega L\right)^2}}$
- $\sin\theta = \frac{\frac{1}{\omega C} - \omega L}{Z} = \frac{\frac{1}{\omega C} - \omega L}{\sqrt{R^2 + \left(\frac{1}{\omega C} - \omega L\right)^2}}$

③ $X_L = X_C$인 경우(직렬공진 : 전압과 전류가 동상)

㉠ 임피던스 : $Z = R$(임피던스는 최소)

㉡ 전류 : $I = \frac{V}{Z}$(전류는 최대)

㉢ 역률 : $\cos\theta = 1$

㉣ 공진주파수

$$X_L = X_C,\ \omega L = \frac{1}{\omega C},\ \omega^2 LC = 1$$

$$\therefore\ f = \frac{1}{2\pi\sqrt{LC}}$$

㉤ 첨예도(Q) : 전압확대비(율), 양호도

전원전압 V에 대한 L 및 C 양단의 단자전압인 V_L, V_C 전압의 비율(저항에 대한 리액턴스비)

$$Q = \frac{X_L}{R} = \frac{X_C}{R} = \frac{\omega L}{R} = \frac{1}{R\omega C} = \frac{V_L}{V} = \frac{V_C}{V} = \frac{1}{R}\sqrt{\frac{L}{C}}$$

3 $R-L-C$ 병렬회로

(1) 병렬 어드미턴스(Y[℧]) : Z의 역수

$$Y = \frac{1}{Z} = \frac{I}{V},\ I = YV$$

$$\dot{Y} = \frac{1}{Z} = \frac{1}{(R+jX)} = \frac{R-jX}{(R+jX)(R-jX)} = \frac{R}{R^2+X^2} + j\frac{-X}{R^2+X^2}$$

$$= G + jB\left(G = \frac{R}{R^2+X^2},\ B = \frac{-X}{R^2+X^2}\right)$$

여기서, G : 컨덕턴스 $= \frac{1}{R}$[℧]

B : 서셉턴스 $= \frac{1}{X}$[℧]

① R만의 회로 : $Y_R = \frac{1}{Z} = \frac{1}{R}$

② L만의 회로 : $Y_L = -j\frac{1}{X_L} = -j\frac{1}{\omega L}$

③ C만의 회로 : $Y_C = j\frac{1}{X_C} = j\omega C$

(2) $R-L$ 병렬회로

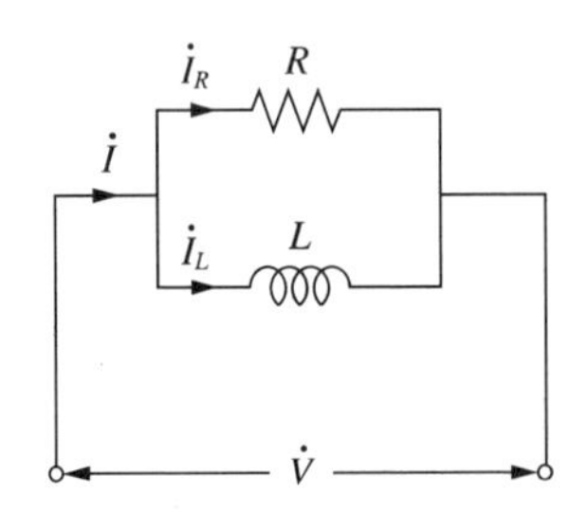

① 어드미턴스

$$Y = \frac{1}{R} - j\frac{1}{X_L} = \frac{1}{R} - j\frac{1}{\omega L} = \sqrt{\left(\frac{1}{R}\right)^2 + \left(\frac{1}{\omega L}\right)^2} \angle -\tan^{-1}\frac{R}{\omega L} = Y\angle\theta$$

② 전 류

$$i = \frac{v}{Z} = Yv = \left(\sqrt{\left(\frac{1}{R}\right)^2 + \left(\frac{1}{\omega L}\right)^2} \angle -\tan^{-1}\frac{R}{\omega L}\right) \cdot V_m \sin\omega t$$

$$= \sqrt{\left(\frac{1}{R}\right)^2 + \left(\frac{1}{\omega L}\right)^2}\, V_m \sin\left(\omega t - \tan^{-1}\frac{R}{\omega L}\right)$$

③ 역 률

㉠ $\cos\theta = \dfrac{\frac{1}{R}}{Y} = \dfrac{\frac{1}{R}}{\sqrt{\left(\frac{1}{R}\right)^2 + \left(\frac{1}{\omega L}\right)^2}} = \dfrac{\omega L}{\sqrt{R^2 + (\omega L)^2}}$

㉡ $\sin\theta = \dfrac{\frac{1}{\omega L}}{Y} = \dfrac{\frac{1}{\omega L}}{\sqrt{\left(\frac{1}{R}\right)^2 + \left(\frac{1}{\omega L}\right)^2}} = \dfrac{R}{\sqrt{R^2 + (\omega L)^2}}$

(3) $R-C$ 병렬회로

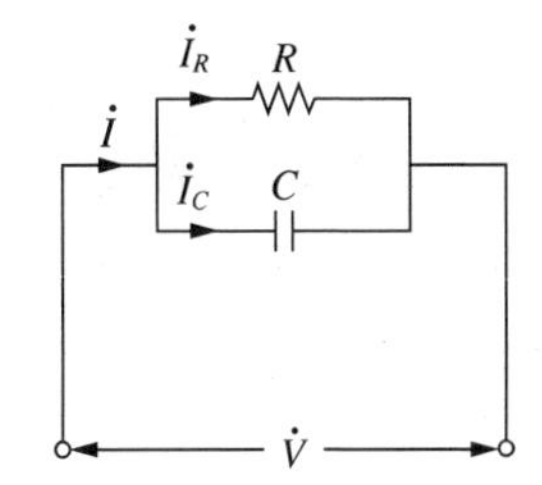

① 어드미턴스

$$Y = \frac{1}{R} + j\frac{1}{X_C} = \frac{1}{R} + j\frac{1}{\frac{1}{\omega C}} = \frac{1}{R} + j\omega C = \sqrt{\left(\frac{1}{R}\right)^2 + (\omega C)^2}\ \angle \tan^{-1}R\omega C$$

$$= Y\angle\theta$$

② 전 류

$$i = \frac{v}{Z} = Yv = \left(\sqrt{\left(\frac{1}{R}\right)^2 + (\omega C)^2}\ \angle \tan^{-1}R\omega C\right) \cdot V_m \sin\omega t$$

$$= \sqrt{\left(\frac{1}{R}\right)^2 + (\omega C)^2}\ V_m \sin(\omega t + \tan^{-1}R\omega C)$$

③ 역 률

㉠ $\cos\theta = \dfrac{\frac{1}{R}}{Y} = \dfrac{\frac{1}{R}}{\sqrt{\left(\frac{1}{R}\right)^2 + (\omega C)^2}} = \dfrac{\frac{1}{\omega C}}{\sqrt{R^2 + \left(\frac{1}{\omega C}\right)^2}} = \dfrac{1}{\sqrt{1 + (R\omega C)^2}}$

㉡ $\sin\theta = \dfrac{\omega C}{Y} = \dfrac{\omega C}{\sqrt{\left(\frac{1}{R}\right)^2 + (\omega C)^2}} = \dfrac{R}{\sqrt{R^2 + \left(\frac{1}{\omega C}\right)^2}} = \dfrac{1}{\sqrt{1 + \left(\frac{1}{R\omega C}\right)^2}}$

(4) $R-L-C$ 병렬회로

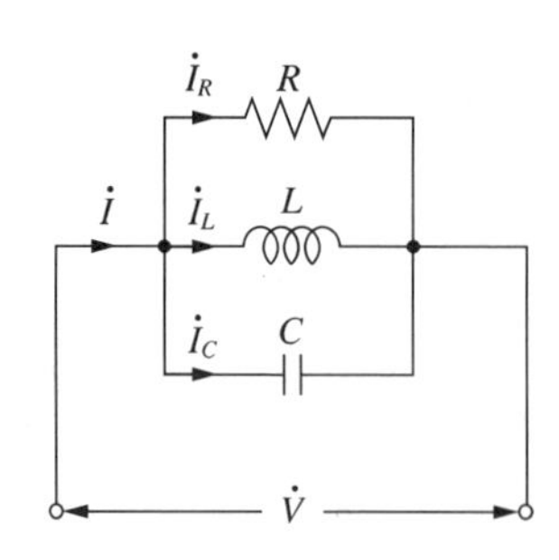

$$Y = \frac{1}{R} - j\frac{1}{X_L} + j\frac{1}{X_C} = \frac{1}{R} - j\frac{1}{\omega L} + j\omega C = Y\angle\theta$$

$I = YV$, 역률 $\cos\theta$

① $X_L > X_C = \dfrac{1}{X_L} < \dfrac{1}{X_C}$ 인 경우(용량성 회로)

㉠ 어드미턴스

$$Y = \frac{1}{R} + j\left(\omega C - \frac{1}{\omega L}\right) = \sqrt{\left(\frac{1}{R}\right)^2 + \left(\omega C - \frac{1}{\omega L}\right)^2} \angle \tan^{-1}\frac{\omega C - \frac{1}{\omega L}}{\frac{1}{R}} = Y\angle\theta$$

㉡ 전 류

$$i = Yv = \left(\sqrt{\left(\frac{1}{R}\right)^2 + \left(\omega C - \frac{1}{\omega L}\right)^2} \angle \tan^{-1}\left(\omega C - \frac{1}{\omega L}\right)R\right) \cdot V_m \sin\omega t$$

$$= \sqrt{\left(\frac{1}{R}\right)^2 + \left(\omega C - \frac{1}{\omega L}\right)^2} \cdot V_m \sin\left(\omega t + \tan^{-1}\left(\omega C - \frac{1}{\omega L}\right)R\right)$$

㉢ 역 률

- $\cos\theta = \dfrac{\frac{1}{R}}{Y} = \dfrac{\frac{1}{R}}{\sqrt{\left(\frac{1}{R}\right)^2 + \left(\omega C - \frac{1}{\omega L}\right)^2}}$

- $\sin\theta = \dfrac{\omega C - \frac{1}{\omega L}}{Y} = \dfrac{\omega C - \frac{1}{\omega L}}{\sqrt{\left(\frac{1}{R}\right)^2 + \left(\omega C - \frac{1}{\omega L}\right)^2}}$

② $X_C > X_L = \frac{1}{X_C} < \frac{1}{X_L}$인 경우(유도성 회로)

㉠ 어드미턴스

$$Y = \frac{1}{R} - j\left(\frac{1}{\omega L} - \omega C\right) = \sqrt{\left(\frac{1}{R}\right)^2 + \left(\frac{1}{\omega L} - \omega C\right)^2} \angle -\tan^{-1}\frac{\frac{1}{\omega L} - \omega C}{\frac{1}{R}} = Y\angle\theta$$

㉡ 전 류

$$i = Yv = \left(\sqrt{\left(\frac{1}{R}\right)^2 + \left(\frac{1}{\omega L} - \omega C\right)^2} \angle -\tan^{-1}\left(\frac{1}{\omega L} - \omega C\right)R\right) \cdot V_m \sin\omega t$$

$$= \sqrt{\left(\frac{1}{R}\right)^2 + \left(\frac{1}{\omega L} - \omega C\right)^2} \cdot V_m \sin\left(\omega t - \tan^{-1}\left(\frac{1}{\omega L} - \omega C\right)R\right)$$

㉢ 역 률

- $\cos\theta = \frac{\frac{1}{R}}{Y} = \frac{\frac{1}{R}}{\sqrt{\left(\frac{1}{R}\right)^2 + \left(\frac{1}{\omega L} - \omega C\right)^2}}$
- $\sin\theta = \frac{\frac{1}{\omega L} - \omega C}{Y} = \frac{\frac{1}{\omega L} - \omega C}{\sqrt{\left(\frac{1}{R}\right)^2 + \left(\frac{1}{\omega L} - \omega C\right)^2}}$

③ $X_L = X_C$, $\frac{1}{X_L} = \frac{1}{X_C}$인 경우(병렬공진 : 전압과 전류가 동상)

㉠ 어드미턴스

$Y = \frac{1}{R}$(어드미턴스는 최소)

㉡ 전 류

$I = YV$(전류는 최소)

㉢ 역 률

$\cos\theta = 1$

㉣ 공진 주파수

$\frac{1}{X_L} = \frac{1}{X_C}$, $\frac{1}{\omega L} = \omega C$, $\omega^2 LC = 1$

$\therefore\ f = \frac{1}{2\pi\sqrt{LC}}$

㉤ 첨예도(Q) : 전류확대비(율), 양호도
전원전류 I에 대한 L 및 C에 흐르는 전류 I_L, I_C 전류의 비율(리액턴스에 대한 저항비)

$$Q = \frac{R}{X_L} = \frac{R}{X_C} = \frac{R}{\omega L} = R\omega C = \frac{I_L}{I} = \frac{I_C}{I} = R\sqrt{\frac{C}{L}}$$

4 브리지회로(Bridge Circuit)

(1) 휘트스톤 브리지(Wheatstone Bridge)회로

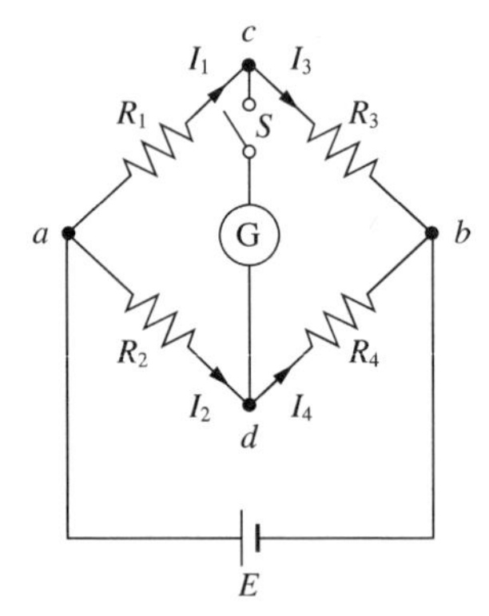

① 목적 : 나머지 저항값을 조절하여 가운데 전류가 흐르지 않도록 한 다음 모르는 미지의 저항값을 찾으려고 만든 회로

② **평형조건** : 양단의 전압 V_a와 V_b가 같을 때(전위차가 없어 가운데 전류가 흐르지 않는다)

$$V_a = \frac{Z_1}{Z_1 + Z_3}V, \quad V_b = \frac{Z_2}{Z_2 + Z_4}V$$

$$V_a = V_b$$

$$\frac{Z_1}{Z_1 + Z_3}V = \frac{Z_2}{Z_2 + Z_4}V$$

$$\therefore \ Z_1 Z_4 = Z_2 Z_3$$

핵/심/예/제

01 교류에서 파형의 개략적인 모습을 알기 위해 사용하는 파고율과 파형률에 대한 설명으로 옳은 것은? [18년 1회]

① 파고율 $= \dfrac{실효값}{평균값}$, 파형률 $= \dfrac{평균값}{실효값}$

② 파고율 $= \dfrac{최댓값}{실효값}$, 파형률 $= \dfrac{실효값}{평균값}$

③ 파고율 $= \dfrac{실효값}{최댓값}$, 파형률 $= \dfrac{평균값}{실효값}$

④ 파고율 $= \dfrac{최댓값}{평균값}$, 파형률 $= \dfrac{평균값}{실효값}$

해설

파고율 $= \dfrac{최댓값}{실효값}$, 파형률 $= \dfrac{실효값}{평균값}$

핵심 예제

02 반파 정류회로를 통해 정현파를 정류하여 얻은 반파정류파의 최댓값이 1일 때, 실횻값과 평균값은? [19년 4회]

① $\dfrac{1}{\sqrt{2}}$, $\dfrac{2}{\pi}$　　② $\dfrac{1}{2}$, $\dfrac{\pi}{2}$

③ $\dfrac{1}{\sqrt{2}}$, $\dfrac{\pi}{2\sqrt{2}}$　　④ $\dfrac{1}{2}$, $\dfrac{1}{\pi}$

해설

구 분	실횻값	평균값	파형률	파고율
정현파	$\frac{V_m}{\sqrt{2}}$	$\frac{2V_m}{\pi}$	1.11	1.414
정현반파	$\frac{V_m}{2}$	$\frac{V_m}{\pi}$	1.57	2

정현반파 정류회로이고, 최댓값(V_m)이 1이므로

실횻값 : $V = \dfrac{V_m}{2} = \dfrac{1}{2}$

평균값 : $V_a = \dfrac{V_m}{\pi} = \dfrac{1}{\pi}$

정답 1 ② 2 ④

핵심 예제

03 정현파 전압의 평균값과 최댓값의 관계식 중 옳은 것은? [17년 1회]

① $V_{av} = 0.707\,V_m$

② $V_{av} = 0.840\,V_m$

③ $V_{av} = 0.637\,V_m$

④ $V_{av} = 0.956\,V_m$

해설

$V_{av} = \frac{2}{\pi} V_m = 0.637\,V_m$[V]

04 정현파 전압의 평균값이 150[V]이면 최댓값은 약 몇 [V]인가? [18년 4회]

① 235.6

② 212.1

③ 106.1

④ 95.5

해설

- 평균값 : $V_{av} = \frac{2}{\pi} V_m$
- 최댓값 : $V_m = \frac{\pi}{2} V_{av} = \frac{\pi}{2} \times 150 = 235.6$[V]

05 정현파교류의 최댓값이 100[V]인 경우 평균값은 몇 [V]인가? [17년 2회]

① 45.04

② 50.64

③ 63.69

④ 69.34

해설

$V_{av} = \frac{2}{\pi} V_m = \frac{2}{\pi} \times 100 \fallingdotseq 63.69$[V]

3 ③ 4 ① 5 ③ 정답

06 정현파 교류회로에서 최댓값은 V_m, 평균값은 V_{av}일 때 실홋값(V)은? [17년 2회, 21년 2회]

① $\frac{\pi}{\sqrt{2}} V_m$
② $\frac{\pi}{2\sqrt{2}} V_{av}$
③ $\frac{\pi}{2\sqrt{2}} V_m$
④ $\frac{1}{\pi} V_m$

해설

$V_{av} = \frac{2}{\pi} V_m$

$V_{av} = \frac{2}{\pi} \sqrt{2}\, V$

$V = \frac{\pi}{2\sqrt{2}} V_{av}$

07 삼각파의 파형률 및 파고율은? [18년 2회]

① 1.0, 1.0
② 1.04, 1.226
③ 1.11, 1.414
④ 1.155, 1.732

해설

구 분	파형률	파고율
정현파	1.11	1.414
정현반파	1.57	2
구형파	1	1
구형반파	1.41	1.41
삼각파	1.15	1.73

08 복소수로 표시된 전압 $10-j[\mathrm{V}]$를 어떤 회로에 가하는 경우 $5+j[\mathrm{A}]$의 전류가 흘렀다면 이 회로의 저항은 약 몇 [Ω]인가? [20년 1·2회]

① 1.88
② 3.6
③ 4.5
④ 5.46

해설

$Z = \frac{V}{I} = \frac{10-j}{5+j} = 1.884 - j0.576$

$R = 1.884$

$X = -j0.576$

정답 6 ② 7 ④ 8 ①

핵심예제

09 인덕턴스가 0.5[H]인 코일의 리액턴스가 753.6[Ω]일 때 주파수는 약 몇 [Hz]인가?

[17년 1회, 20년 1·2회]

① 120
② 240
③ 360
④ 480

해설
- 유도리액턴스 : $X_L = \omega L = 2\pi f L[\Omega]$
- 주파수 : $f = \dfrac{X_L}{2\pi L} = \dfrac{753.6}{2\pi \times 0.5} = 240[\text{Hz}]$

10 10[μF]인 콘덴서를 60[Hz] 전원에 사용할 때 용량리액턴스는 약 몇 [Ω]인가? [18년 1회]

핵심예제

① 250.5
② 265.3
③ 350.5
④ 465.3

해설 **용량리액턴스**

$$X_C = \frac{1}{\omega C} = \frac{1}{2\pi f C} = \frac{1}{2\pi \times 60 \times 10 \times 10^{-6}} = 265.3[\Omega]$$

11 저항 6[Ω]과 유도리액턴스 8[Ω]이 직렬로 접속된 회로에 100[V]의 교류전압을 가할 때 흐르는 전류의 크기는 몇 [A]인가?

[18년 2회]

① 10
② 20
③ 50
④ 80

해설
- 임피던스 : $Z = \sqrt{R^2 + X^2} = \sqrt{6^2 + 8^2} = 10[\Omega]$
- 전류 : $I = \dfrac{V}{Z} = \dfrac{100}{10} = 10[\text{A}]$

9 ② 10 ② 11 ① 정답

12 **저항이 R, 유도리액턴스가 X_L, 용량리액턴스가 X_C인 $R-L-C$ 직렬회로에서의 $\dot{Z}$와 Z값으로 옳은 것은?** [17년 4회]

① $\dot{Z} = R + j(X_L - X_C)$, $Z = \sqrt{R^2 + (X_L - X_C)^2}$

② $\dot{Z} = R + j(X_L + X_C)$, $Z = \sqrt{R + (X_L + X_C)^2}$

③ $\dot{Z} = R + j(X_C - X_L)$, $Z = \sqrt{R^2 + (X_C - X_L)^2}$

④ $\dot{Z} = R + j(X_C + X_L)$, $Z = \sqrt{R^2 + (X_C + X_L)^2}$

해설 $R-L-C$ 직렬회로

$Z = R + j(X_L - X_C) = \sqrt{R^2 + (X_L - X_C)^2}$

13 **$R-L-C$ 회로의 전압과 전류 파형의 위상차에 대한 설명으로 틀린 것은?** [17년 2회]

① $R-L$ 병렬회로 : 전압과 전류는 동상이다.

② $R-L$ 직렬회로 : 전압이 전류보다 θ만큼 앞선다.

③ $R-C$ 병렬회로 : 전류가 전압보다 θ만큼 앞선다.

④ $R-C$ 직렬회로 : 전류가 전압보다 θ만큼 앞선다.

해설
- $R-L$ 병렬회로, $R-L$ 직렬회로 : 전압이 전류보다 θ만큼 앞선다.
- $R-C$ 병렬회로, $R-C$ 직렬회로 : 전류가 전압보다 θ만큼 앞선다.

핵심
예제

14 **$R = 10[\Omega]$, $\omega L = 20[\Omega]$인 직렬회로에 220[V]의 전압을 가하는 경우 전류와 전압과 전류의 위상각은 각각 어떻게 되는가?** [18년 1회]

① 24.5[A], 26.5°

② 9.8[A], 63.4°

③ 12.2[A], 13.2°

④ 73.6[A], 79.6°

해설 전류 : $I = \dfrac{V}{Z} = \dfrac{V}{\sqrt{R^2 + X_L^2}} = \dfrac{220}{\sqrt{10^2 + 20^2}} = 9.8[A]$

위상 : $\theta = \tan^{-1}\dfrac{X_L}{R} = \tan^{-1}\dfrac{20}{10} = 63.4°$

정답 12 ① 13 ① 14 ②

안심Touch

15 **$R-L$ 직렬회로의 설명으로 옳은 것은?** [18년 2회]

① v, i는 각 다른 주파수를 가지는 정현파이다.

② v는 i보다 위상이 $\theta = \tan^{-1}\left(\frac{\omega L}{R}\right)$만큼 앞선다.

③ v와 i의 최댓값과 실횻값의 비는 $\sqrt{R^2+\left(\frac{1}{X_L}\right)^2}$ 이다.

④ 용량성 회로이다.

해설 $R-L$ 직렬회로

위상 : $\theta = \tan^{-1}\frac{X_L}{R} = \tan^{-1}\frac{\omega L}{R}$

전압(v)의 위상이 전류(i)보다 $\theta = \tan^{-1}\left(\frac{\omega L}{R}\right)$만큼 앞선다.

16 **$R=10[\Omega]$, $\omega L=20[\Omega]$ 인 직렬회로에 220∠0°[V]의 교류 전압을 가하는 경우 이 회로에 흐르는 전류는 약 몇 [A]인가?** [20년 1회]

① 24.5 ∠ -26.5°

② 9.8 ∠ -63.4°

③ 12.2 ∠ -13.2°

④ 73.6 ∠ -79.6°

해설
- 임피던스 : $Z = \sqrt{R^2+(\omega L)^2}$
  $= \sqrt{10^2+20^2} = \sqrt{500} \fallingdotseq 22.36[\Omega]$
- 위상 : $\theta = \tan^{-1}\frac{\omega L}{R} = \tan^{-1}\frac{20}{10} \fallingdotseq 63.4°$
- 전류 : $I = \frac{V}{Z} = \frac{220\angle 0°}{22.36\angle 63.4°}$
  $= \frac{220}{22.36}\angle 0° - 63.4° \fallingdotseq 9.84\angle -63.4°$

15 ② 16 ② 정답

17 **직류전원이 연결된 코일에 10[A]의 전류가 흐르고 있다. 이 코일에 연결된 전원을 제거하는 즉시 저항을 연결하여 폐회로를 구성하였을 때 저항에서 소비된 열량이 24[cal]이었다. 이 코일의 인덕턴스는 약 몇 [H]인가?** [21년 2회]

① 0.1　　② 0.5
③ 2.0　　④ 24

해설 $H[\text{cal}] = 0.24\,W[\text{J}]$

$W = \frac{1}{2}LI^2$을 대입하면

$H = 0.24 \times \frac{1}{2}LI^2$

$L = \frac{2H}{0.24I^2} = \frac{2\times 24}{0.24\times 10^2} = 2[\text{H}]$

18 **그림과 같은 회로에 전압 $v = \sqrt{2}\,V\sin\omega t[\text{V}]$를 인가하였을 때 옳은 것은?** [17년 2회]

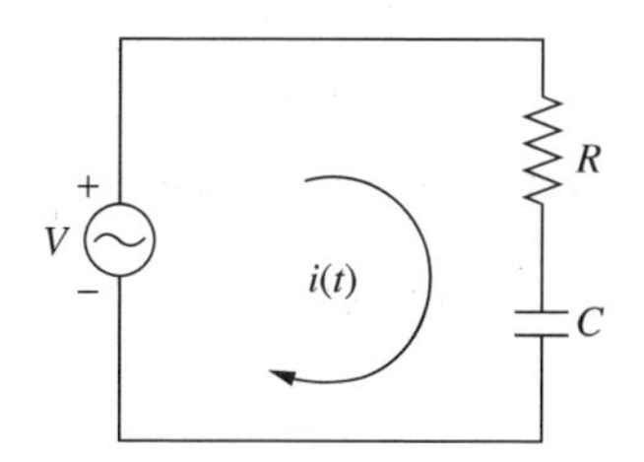

① 역률 : $\cos\theta = \frac{R}{\sqrt{R^2 + \omega C^2}}$

② i의 실횻값 : $I = \frac{V}{\sqrt{R^2 + \omega C^2}}$

③ 전압과 전류의 위상차 : $\theta = \tan^{-1}\frac{R}{\omega C}$

④ 전압평형방정식 : $Ri + \frac{1}{C}\int i dt = \sqrt{2}\,V\sin\omega t$

해설 역률 : $\cos\theta = \frac{R}{Z} = \frac{R}{\sqrt{R^2 + X_C^2}} = \frac{R}{\sqrt{R^2 + \left(\frac{1}{\omega C}\right)^2}}$

i의 실횻값 : $I = \frac{V}{\sqrt{R^2 + \left(\frac{1}{\omega C}\right)^2}}$

전압과 전류의 위상차 : $\theta = \tan^{-1}\frac{X_C}{R} = \tan^{-1}\frac{1}{\omega CR}$

정답 17 ③　18 ④

19

$R-C$ 직렬회로에서 저항 R을 고정시키고 X_C를 0에서 ∞까지 변화시킬 때 어드미턴스 궤적은? [18년 2회]

① 1사분면 내의 반원이다.
② 1사분면 내의 직선이다.
③ 4사분면 내의 반원이다.
④ 4사분면 내의 직선이다.

해설 저항 R을 일정하게 고정시키고 리액턴스 X_C를 0~∞까지 변화 시 어드미턴스 궤적 : 1사분면 내의 반원

핵심 예제

20

그림과 같은 회로에서 단자 a, b 사이에 주파수 f[Hz]의 정현파 전압을 가했을 때 전류계 A_1, A_2의 값이 같았다. 이 경우 f, L, C 사이의 관계로 옳은 것은? [17년 1회]

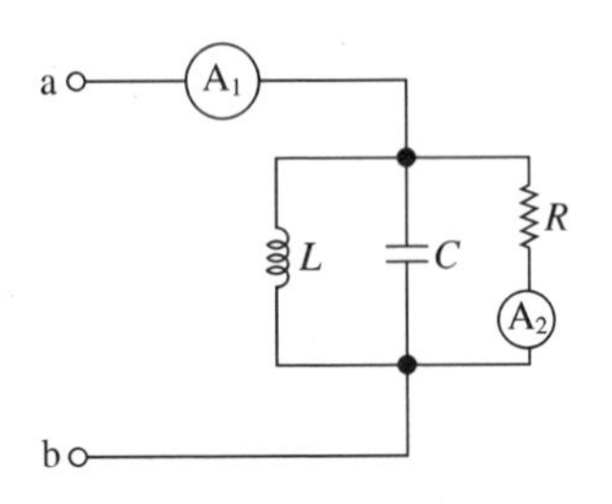

① $f = \dfrac{1}{2\pi^2 LC}$

② $f = \dfrac{1}{4\pi\sqrt{LC}}$

③ $f = \dfrac{1}{\sqrt{2\pi^2 LC}}$

④ $f = \dfrac{1}{2\pi\sqrt{LC}}$

해설
- 직렬공진 $f = \dfrac{1}{2\pi\sqrt{LC}}$
- 병렬공진 $f = \dfrac{1}{2\pi\sqrt{LC}}$

19 ① 20 ④ 정답

21 인덕턴스가 1[H]인 코일과 정전용량이 0.2[μF]인 콘덴서를 직렬로 접속할 때 이 회로의 공진주파수는 약 몇 [Hz]인가? [19년 2회]

① 89
② 178
③ 267
④ 356

해설 공진주파수

$$f_0 = \frac{1}{2\pi\sqrt{LC}} = \frac{1}{2\pi\sqrt{1\times 0.2\times 10^{-6}}} = 356[\text{Hz}]$$

22 $R=10[\Omega]$, $C=33[\mu\text{F}]$, $L=20[\text{mH}]$인 RLC 직렬회로의 공진주파수는 약 몇 [Hz]인가? [19년 1회]

① 169
② 176
③ 196
④ 206

해설 공진주파수

$$f = \frac{1}{2\pi\sqrt{LC}} = \frac{1}{2\pi\sqrt{20\times 10^{-3}\times 33\times 10^{-6}}} = 196[\text{Hz}]$$

정답 21 ④ 22 ③

23 그림과 같은 회로에서 a, b단자에 흐르는 전류 I가 인가전압 E와 동위상이 되었다. 이때 L의 값은? [17년 1회]

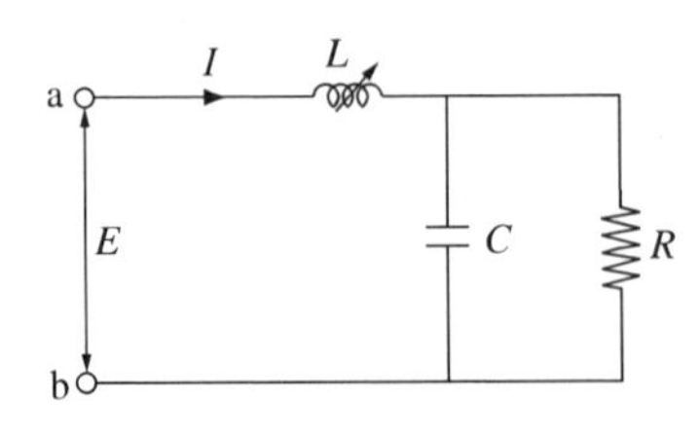

① $\dfrac{R}{1+\omega CR}$

② $\dfrac{R^2}{1+(\omega CR)^2}$

③ $\dfrac{CR^2}{1+\omega CR}$

④ $\dfrac{CR^2}{1+(\omega CR)^2}$

해설

$$Z = j\omega L + \dfrac{\dfrac{R}{j\omega C}}{R+\dfrac{1}{j\omega C}} = j\omega L + \dfrac{\dfrac{R}{j\omega C}}{\dfrac{1+j\omega CR}{j\omega C}} = j\omega L + \dfrac{R}{1+j\omega CR}$$

$$= j\omega L + \dfrac{R(1-j\omega CR)}{(1+j\omega CR)(1-j\omega CR)} = j\omega L + \dfrac{R-j\omega CR^2}{1+(\omega CR)^2}$$

$$= \dfrac{R}{1+(\omega CR)^2} - \dfrac{j\omega CR^2}{1+(\omega CR)^2} + j\omega L$$

$$= \dfrac{R}{1+(\omega CR)^2} + j\omega\left(L - \dfrac{CR^2}{1+(\omega CR)^2}\right)$$

I 인가전압 E와 동위상이므로 공진상태, 무효분 = 0이므로

$$L = \dfrac{CR^2}{1+(\omega CR)^2}$$

핵심예제

24 공진작용과 관계가 없는 것은? [17년 1회]

① C급 증폭회로

② 발진회로

③ LC 병렬회로

④ 변조회로

해설

- C급 증폭회로 : 출력은 입력과 같은 주파수의 정현파와 비슷한 파형이 되는 인덕터와 커패시터의 공진회로를 통과시켜 얻는다.
- 발진회로 : 발진회로는 특정한 주파수의 전류만이 회로에 흐르게 한 것이므로, 특정한 주파수의 전류에 공진하는 회로와 공진전류를 지속적으로 공급하는 증폭회로로 이루어지는 것이 보통이다.
- LC 병렬회로 : LC 회로에서 인덕터와 캐패시터가 전기장과 자기장으로 에너지를 축적하고 방출하면서 에너지를 주거니 받거니 하는 과정이 정확히 평형을 이룬 상태. 이것을 공진이라고 한다. 즉, LC 공진이다.
- 변조회로 : 고주파의 교류신호를 저주파의 교류 신호에 따라 변화시키는 일. 신호의 전송을 위하여 반송파라고 하는 비교적 높은 주파수에 비교적 낮은 주파수를 포함시키는 과정이다.

23 ④ 24 ④ 정답

25 다음 그림과 같은 브리지 회로의 평형조건은? [18년 2회]

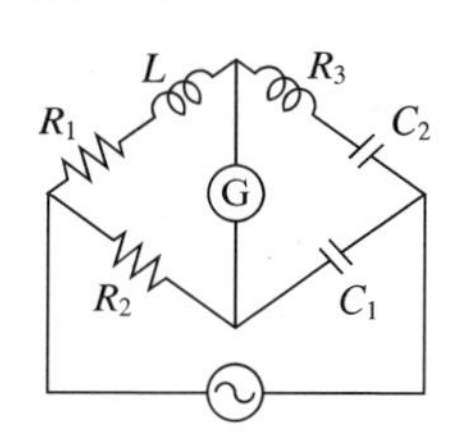

① $R_1C_1 = R_2C_2$, $R_2R_3 = C_1L$

② $R_1C_1 = R_2C_2$, $R_2R_3C_1 = L$

③ $R_1C_2 = R_2C_1$, $R_2R_3 = C_1L$

④ $R_1C_2 = R_2C_1$, $L = R_2R_3C_1$

해설

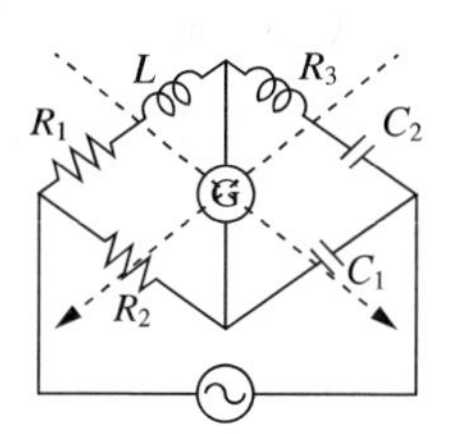

브리지 회로의 평형조건 교차곱은 같다.

$$[R_1 + j\omega L] \cdot \frac{1}{j\omega C_1} = \left[R_3 + \frac{1}{j\omega C_2}\right] \cdot R_2$$

$$\frac{R_1}{j\omega C_1} + \frac{L}{C_1} = R_2R_3 + \frac{R_2}{j\omega C_2}$$

양변에서 실수부와 허수부는 같다.

허수부 : $\frac{R_1}{\omega C_1} = \frac{R_2}{\omega C_2}$, 실수부 : $\frac{L}{C_1} = R_2R_3$

허수부 : $R_1C_2 = R_2C_1$, 실수부 : $L = R_2R_3C_1$

핵심예제

정답 25 ④

안심Touch

26 그림과 같이 접속된 회로에서 a, b 사이의 합성저항은 몇 [Ω]인가? [21년 2회]

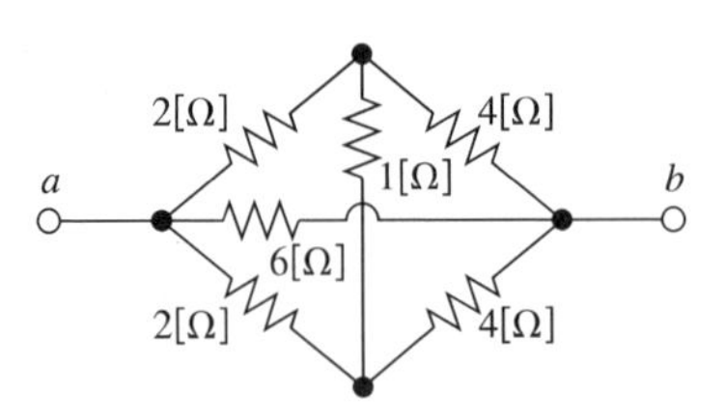

① 1

② 2

③ 3

④ 4

해설 브리지회로이므로 c, d 사이에는 전류가 흐르지 않으므로 개방으로 해석

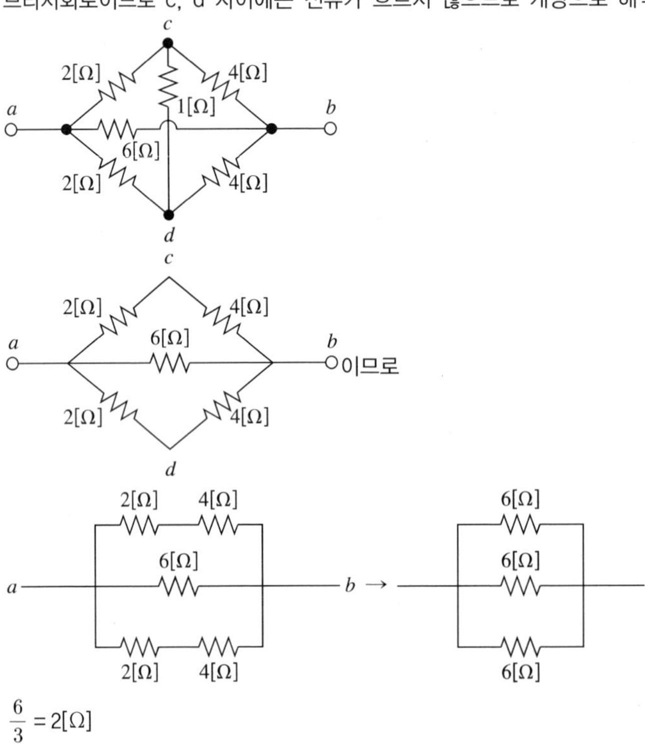

$\frac{6}{3} = 2[\Omega]$

27 그림과 같은 교류브리지의 평형조건으로 옳은 것은? [17년 1회]

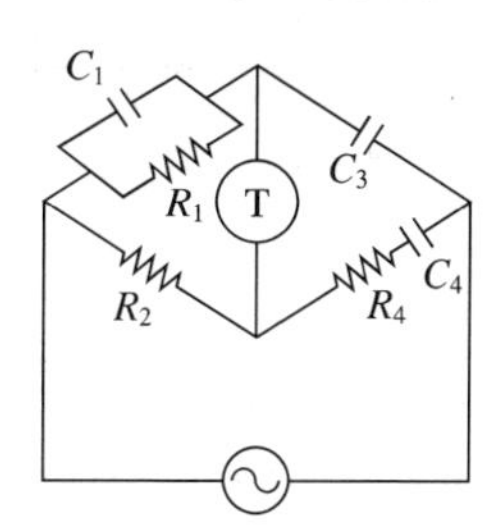

① $R_2C_4 = R_1C_3$, $R_2C_1 = R_4C_3$

② $R_1C_1 = R_4C_4$, $R_2C_3 = R_1C_1$

③ $R_2C_4 = R_4C_3$, $R_1R_3 = R_2C_1$

④ $R_1C_1 = R_4C_4$, $R_2C_3 = R_1C_4$

해설 **브리지 방법**

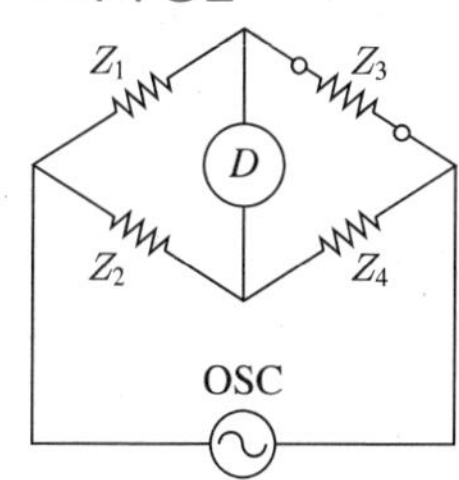

$$Z_1 = \frac{1}{Y} = \frac{1}{\frac{1}{R_1} + j\omega C_1}$$

$$Z_2 = R_2$$

$$Z_3 = \frac{1}{j\omega C_3}$$

$$Z_4 = R_4 - j\frac{1}{\omega C_4}$$

$$Z_1Z_4 = Z_2Z_3$$

$$\frac{1}{\frac{1}{R_1} + j\omega C_1} \times \left(R_4 - j\frac{1}{\omega C_4}\right) = \frac{R_2}{j\omega C_3}$$

$$j\omega C_3\left(R_4 - j\frac{1}{\omega C_4}\right) = R_2\left(\frac{1}{R_1} + j\omega C_1\right)$$

$$j\omega C_3R_4 + \frac{C_3}{C_4} = \frac{R_2}{R_1} + j\omega C_1R_2$$

유효분 $\frac{C_3}{C_4} = \frac{R_2}{R_1}$에서 $R_1C_3 = R_2C_4$

무효분 $R_4C_3 = R_2C_1$과 같다.

정답 27 ①

제3절 교류전력

1 단상교류전력

(1) 피상전력(Apparent Power)

교류의 부하 또는 전원의 용량을 표시하는 전력, 전원에서 공급되는 전력[VA]

$$P_a = VI = I^2 Z = \frac{V^2}{Z} = \overline{V}I = P \pm jP_r \ (+jP_r \ : \text{용량성}, \ -jP_r \ : \text{유도성})$$

$$= \sqrt{P^2 + P_r^2} \ [\text{VA}]$$

(2) 유효전력(Active Power)

전원에서 공급되어 부하에서 유효하게 이용되는 전력, 전원에서 부하로 실제 소비되는 전력[W](소비전력, 부하전력, 평균전력)

$$P = P_a \cos\theta = VI\cos\theta = \frac{1}{2} V_m I_m \cos\theta$$

$$= I^2 R = \frac{V^2 R}{R^2 + X^2}$$

$$= \sqrt{P_a^2 - P_r^2} \ [\text{W}]$$

(3) 무효전력(Reactive Power)

실제로는 일을 하지 않아 부하에서 전력으로 이용할 수 없는 전력[Var]

$$P_r = P_a \sin\theta = VI\sin\theta = \frac{1}{2} V_m I_m \sin\theta$$

$$= I^2 X = \frac{V^2 X}{R^2 + X^2}$$

$$= \sqrt{P_a^2 - P^2} \ [\text{Var}]$$

(4) 역률(Power Factor)

피상전력 중에서 유효전력으로 사용되는 비율

$\cos\theta = \frac{P}{P_a} = \frac{VI\cos\theta}{VI}$

① 역률 개선 : 부하의 역률을 1(100[%])에 가깝게 높이는 것

② 콘덴서의 용량

$Q_c = P(\tan\theta_1 - \tan\theta_2) = P\left(\frac{\sin\theta_1}{\cos\theta_1} - \frac{\sin\theta_2}{\cos\theta_2}\right)[\text{kVA}]$

여기서, $\cos\theta_1$: 개선 전의 역률

$\cos\theta_2$: 개선 후의 역률

P : 유효전력[kW]

2 최대전력 전송전력

(1) 내부저항 r이 있는 직류회로

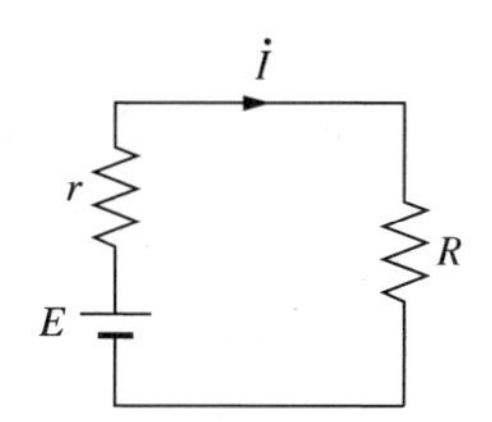

① 조 건

$r = R$

② 최대전력

$P_{\max} = \frac{E^2}{4R} = \frac{E^2}{4r}[\text{W}]$

3 교류전력 측정

(1) 3전압계법

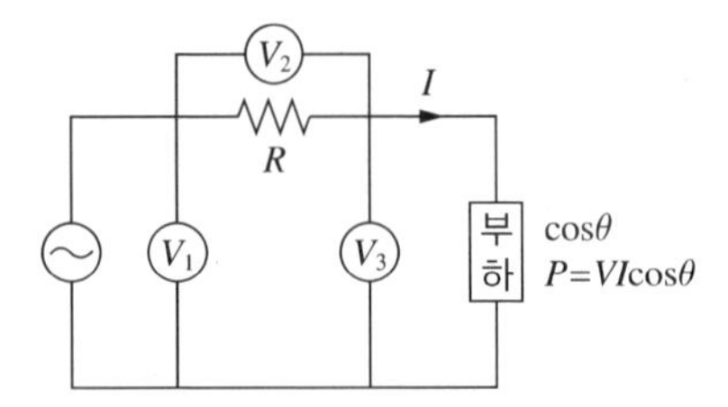

$$V_1^2 = V_2^2 + V_3^2 + 2V_2V_3\cos\theta$$

$$V_1^2 - V_2^2 - V_3^2 = 2V_2V_3\cos\theta$$

$$\therefore\ \cos\theta = \frac{V_1^2 - V_2^2 - V_3^2}{2V_2V_3}$$

$$\therefore\ P = VI\cos\theta = V_3 \times \frac{V_2}{R} \times \frac{V_1^2 - V_2^2 - V_3^2}{2V_3V_2} = \frac{1}{2R}(V_1^2 - V_2^2 - V_3^2)$$

(2) 3전류계법

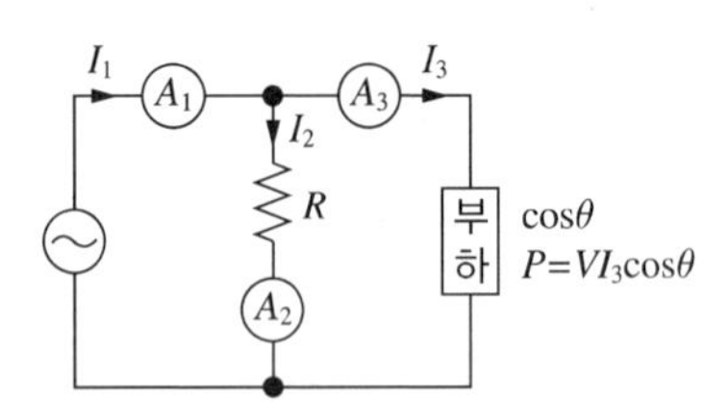

$$I_1^2 = I_2^2 + I_3^2 + 2I_2I_3\cos\theta$$

$$I_2^2 - I_2^2 - I_3^2 = 2I_2I_3\cos\theta$$

$$\therefore\ \cos\theta = \frac{I_1^2 - I_2^2 - I_3^2}{2I_2I_3}$$

$$\therefore\ P = VI\cos\theta = RI_2 \times I_3 \times \frac{I_1^2 - I_2^2 - I_3^2}{2I_2I_3} = \frac{R}{2}(I_1^2 - I_2^2 - I_3^2)$$

제4절 3ϕ 교류

1 3상 교류

(1) Y결선(스타결선, 성형결선)

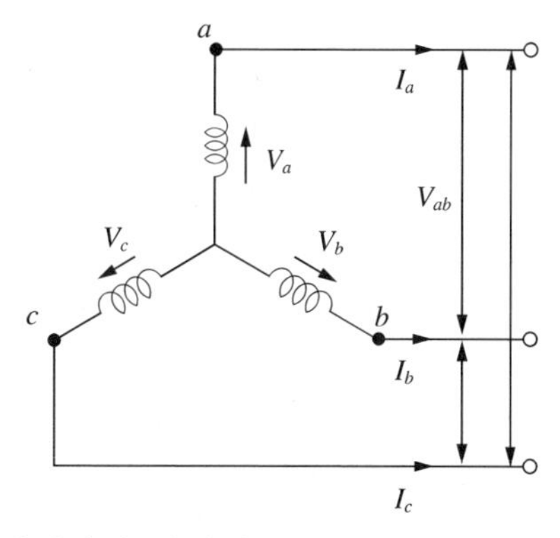

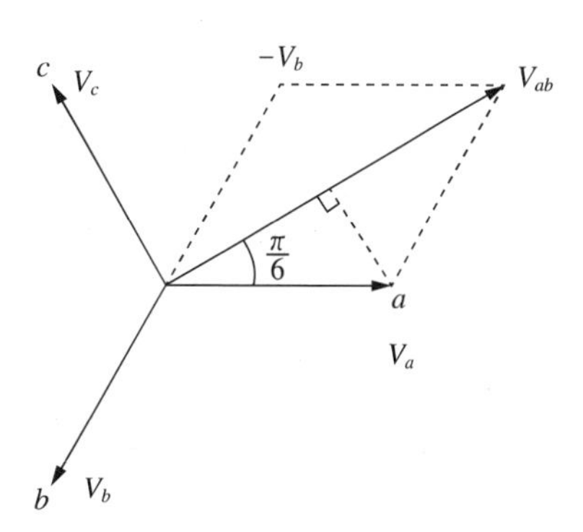

① 선간전압과 상전압

$V_L = \sqrt{3}\, V_P \angle 30°$[V]

② 선전류와 상전류

$I_L = I_P \angle 0$[A]

③ 선전류

$$I_Y = \frac{V_L}{\sqrt{3}\, Z},\ I = \frac{P}{\sqrt{3}\, V_L \cos\theta \cdot \eta} \times (\cos\theta - j\sin\theta)$$

④ 전 력

㉠ 소비전력

$$P = \sqrt{3}\, V_L I_L \cos\theta = 3 I_P^2 R = \frac{V_L^2 R}{R^2 + X^2}\ [\mathrm{W}]$$

㉡ 무효전력

$P_r = 3 I_P^2 X = \sqrt{3}\, VI \sin\theta$[Var]

㉢ 피상전력

$P_a = 3 I_P^2 Z = \sqrt{3}\, VI$[VA]

(2) △결선(삼각결선, 환상결선)

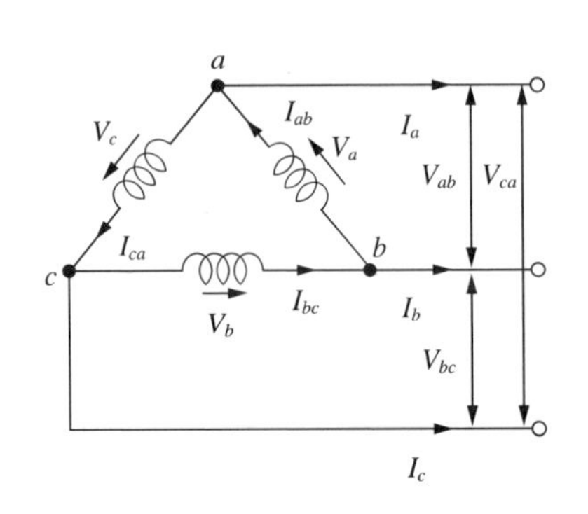

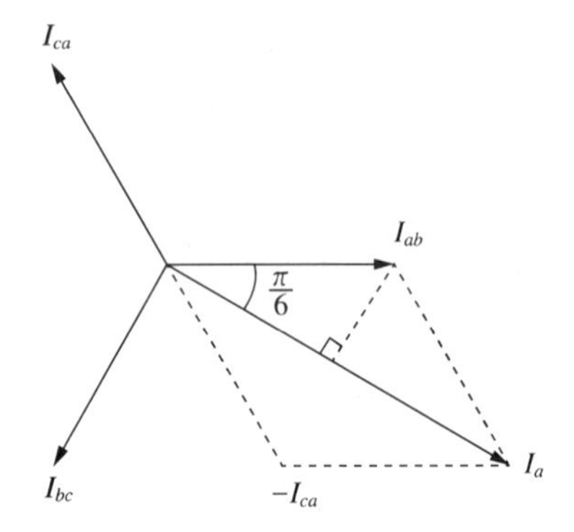

① 선간전압과 상전압

$V_L = V_P \angle 0° [V]$

② 선전류와 상전류

$I_L = \sqrt{3}\, I_P \angle -30° [A]$

③ 선전류

$$I_\triangle = \frac{\sqrt{3}\, V_L}{Z}, \quad I = \frac{P}{\sqrt{3}\, V_L \cos\theta \cdot \eta} \times (\cos\theta - j\sin\theta)$$

$\therefore\ I_\triangle = 3 I_Y$

④ 전 력

㉠ 소비전력

$$P = \sqrt{3}\, V_L I_L \cos\theta = 3 I_P^2 R = \frac{3 V_L^2 R}{R^2 + X^2} [W]$$

$\therefore\ P_\triangle = 3 P_Y$

㉡ 무효전력

$P_r = 3 I_P^2 X = \sqrt{3}\, VI \sin\theta [Var]$

㉢ 피상전력

$P_a = 3 I_p^2 Z = \sqrt{3}\, VI [VA]$

(3) V결선

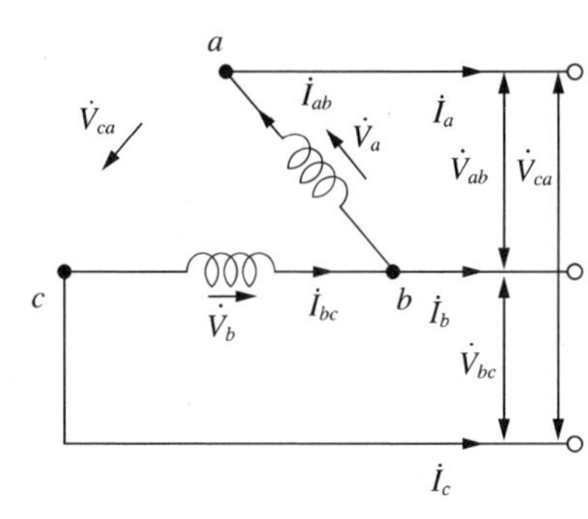

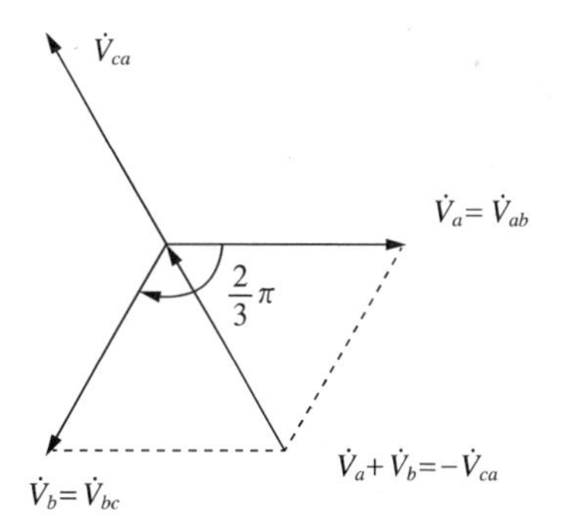

① V결선 방법

3상 회로에서 전원 변압기의 1상을 제거한 상태인 2대의 단상 변압기로 3상의 전원을 공급하여 운전하는 결선방법

② V결선 출력

$P_V = \sqrt{3}\,P_{\triangle 1}$($P_{\triangle 1}$: △결선 1대의 용량)

$= \sqrt{3}\,V_p I_p \cos\theta\,[\mathrm{kVA}]$

③ 출력비

$$\frac{\text{V결선 시 출력}}{\text{고장 전 3대의 출력}} = \frac{\sqrt{3}\,P_{\triangle 1}}{3 \times P_{\triangle 1}} = \frac{1}{\sqrt{3}} = 0.577(57[\%])$$

④ 이용률

$$\frac{\text{V결선 시 출력}}{\text{고장 후 2대의 출력}} = \frac{\sqrt{3}\,P_{\triangle 1}}{2 \times P_{\triangle 1}} = \frac{\sqrt{3}}{2} = 0.866(86[\%])$$

2 평형 3상회로

전원부와의 조합방식에 따라 Y-Y, Y-△, △-Y, △-△형 등이 있다.

(1) Y-Y회로

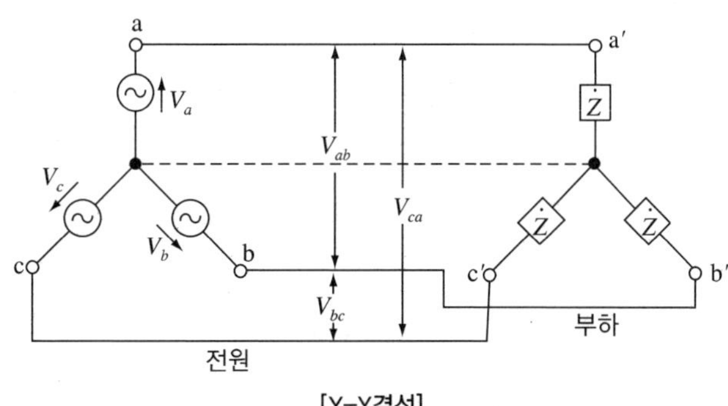

[Y-Y결선]

- 선간전압 = $\sqrt{3}$ × 상전압, $V_l = \sqrt{3}\, V_P \angle \frac{\pi}{6}$
- 선전류 = 상전류, $I_l = I_P$

① 특 징

㉠ 1차와 2차 전류 사이에 위상차가 없다(동위상).
㉡ 중성점을 접지할 수 있으므로 이상전압이 방지된다.
㉢ 제3고조파 전류에 의해 통신선 유도장해 발생
㉣ 보호계전기 동작을 확실히 한다.

(2) △ – △ 회로

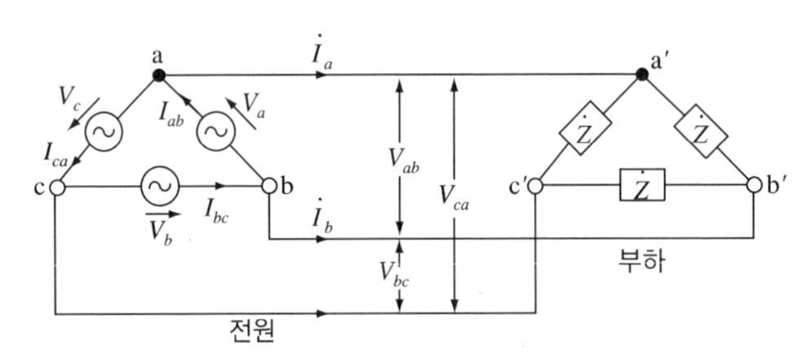

- 선간전압 = 상전압, $V_l = V_P$
- 선전류 = $\sqrt{3}$ × 상전류, $I_l = \sqrt{3}\, I_P \angle -\frac{\pi}{6}$

① 특 징

㉠ 1차와 2차 전압 사이에 위상차가 없다(동위상).
㉡ 1대 소손 시 나머지 그대로 V결선하여 계속 3상 전원공급 가능
㉢ 제3고조파 순환전류가 △결선 내에서 순환하므로 정현파 전압을 유기할 수 있다.
㉣ 중성점을 접지할 수 없으므로 사고발생 시 이상전압이 크다.

(3) Y ⇄ △회로의 변환

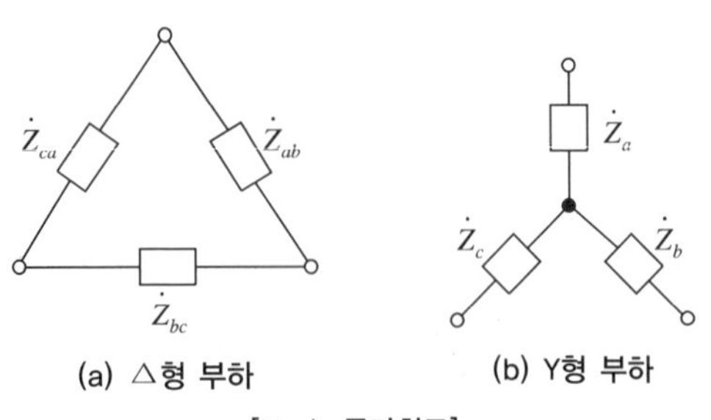

[Y–△ 등가회로]

△ ⇄ Y 임피던스 변환

① △ → Y 임피던스 변환

$$Z_a = \frac{Z_{ca} \cdot Z_{ab}}{Z_{ab} + Z_{bc} + Z_{ca}}$$

$$Z_b = \frac{Z_{ab} \cdot Z_{bc}}{Z_{ab} + Z_{bc} + Z_{ca}}$$

$$Z_c = \frac{Z_{bc} \cdot Z_{ca}}{Z_{ab} + Z_{bc} + Z_{ca}}$$

② Y → △ 임피던스 변환

$$Z_{ab} = \frac{Z_a \cdot Z_b + Z_b \cdot Z_c + Z_c \cdot Z_a}{Z_c}$$

$$Z_{bc} = \frac{Z_a \cdot Z_b + Z_b \cdot Z_c + Z_c \cdot Z_a}{Z_a}$$

$$Z_{ca} = \frac{Z_a \cdot Z_b + Z_b \cdot Z_c + Z_c \cdot Z_a}{Z_b}$$

$\therefore\ Z_{\triangle} = 3Z_Y$(동일 부하인 경우)

3 n상 교류

(1) Y결선

① $V_L = 2\sin\frac{\pi}{n} V_P \angle \frac{\pi}{2}\left(1 - \frac{2}{n}\right)$

② $I_L = I_P$

(2) △결선

① $V_L = V_P$

② $I_L = 2\sin\frac{\pi}{n} I_P \angle -\frac{\pi}{2}\left(1 - \frac{2}{n}\right)$

(3) 전 력

$$P = \frac{n}{2\sin\frac{\pi}{n}} V_L I_L \cos\theta\,[\mathrm{W}]$$

※ 비대칭 다상교류가 만드는 회전자계 : 타원형 회전자계

※ 대칭 다상교류가 만드는 회전자계 : 원형 회전자계

(4) 전력계법에 의한 전력측정

① 2전력계법

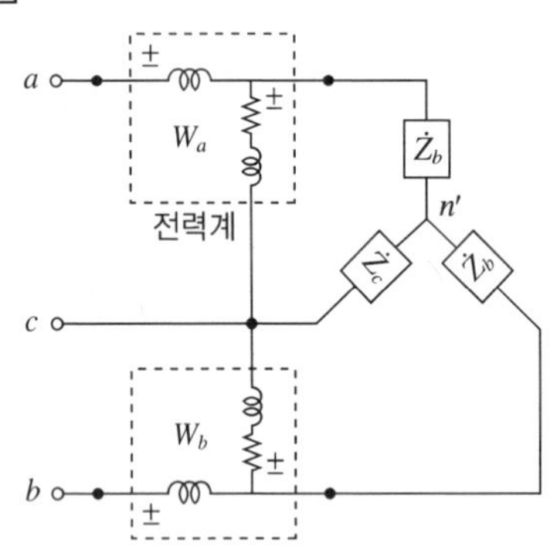

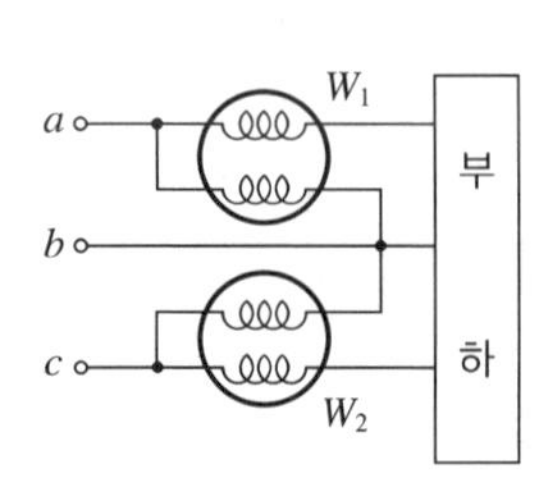

㉠ 유효전력 : $P = W_1 + W_2$[W]

㉡ 무효전력 : $P_r = \sqrt{3}(W_1 - W_2)$[Var]

㉢ 피상전력 : $P_a = 2\sqrt{W_1^2 + W_2^2 - W_1 W_2}$ [VA]

㉣ 역률 : $\cos\theta = \dfrac{W_1 + W_2}{2\sqrt{W_1^2 + W_2^2 - W_1 W_2}}$

※ 한쪽의 지시값이 다른 쪽의 2배일 때 : $\cos\theta = 86.6$[%]
3배일 때 : $\cos\theta = 75$[%]
0일 때 : $\cos\theta = 50$[%]

② 1전력계법

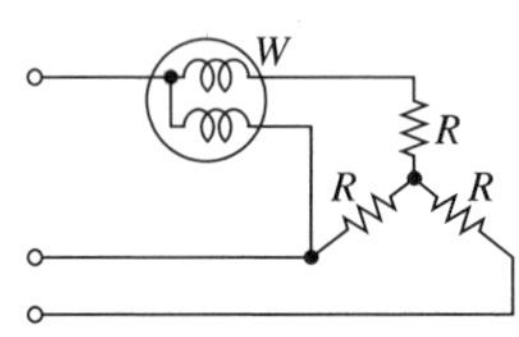

㉠ 유효전력 : $P = 2 \times W$[W]

㉡ 무효전력 : $P_r = 0$[Var]

㉢ 피상전력 : $P_a = 2 \times W$[VA]

㉣ 역률 : $\cos\theta = 1$

핵/심/예/제

01 **교류회로에 연결되어 있는 부하의 역률을 측정하는 경우 필요한 계측기의 구성은?** [20년 1회]

① 전압계, 전력계, 회전계
② 상순계, 전력계, 전류계
③ 전압계, 전류계, 전력계
④ 전류계, 전압계, 주파수계

해설 **역률을 측정할 때 필요한 계측기** : 전압계, 전류계, 전력계

역률 : $\cos\theta = \frac{P}{P_a} = \frac{P}{VI}$

02 **1개의 용량이 25[W]인 객석유도등 10개가 연결되어 있다. 이 회로에 흐르는 전류는 약 몇 [A]인가?(단, 전원 전압은 220[V]이고, 기타 선로손실 등은 무시한다)** [18년 2회]

① 0.88[A] ② 1.14[A]
③ 1.25[A] ④ 1.36[A]

해설 전력 : $P = VI$ 에서

전류 : $I = \frac{P}{V} = \frac{25\times10}{220} \fallingdotseq 1.14$[A]

03 **역률 0.8인 전동기에 200[V]의 교류전압을 가하였더니 10[A]의 전류가 흘렀다. 피상전력은 몇 [VA]인가?** [20년 3회]

① 1,000 ② 1,200
③ 1,600 ④ 2,000

해설
- 피상전력 : $P_a = VI = 200\times10 = 2{,}000$[VA]
- 유효전력 : $P = VI\cos\theta = 200\times10\times0.8 = 1{,}600$[W]

정답 1 ③ 2 ② 3 ④

04 5[Ω]의 저항과 2[Ω]의 유도성 리액턴스를 직렬로 접속한 회로에 5[A]의 전류를 흘렸을 때 이 회로의 복소전력[VA]은? [20년 3회]

① $25+j10$　　② $10+j25$

③ $125+j50$　　④ $50+j125$

해설
- 임피던스 : $Z=R+jX=5+j2[\Omega]$
- 복소전력 : $P=I^2Z=5^2\times(5+j2)=125+j50$[VA]

05 저항이 4[Ω], 인덕턴스가 8[mH]인 코일을 직렬로 연결하고 100[V], 60[Hz]인 전압을 공급할 때 유효전력은 약 몇 [kW]인가? [19년 2회]

① 0.8　　② 1.2

③ 1.6　　④ 2.0

해설
- 리액턴스 : $X_L=2\pi fL=2\pi\times60\times8\times10^{-3}=3[\Omega]$
- 임피던스 : $Z=\sqrt{4^2+3^2}=5[\Omega]$
- 전류 : $I=\frac{V}{Z}=\frac{100}{5}=20$[A]
- 전력 : $P=I^2R=20^2\times4\times10^{-3}=1.6$[kW]

06 그림과 같은 RL 직렬회로에서 소비되는 전력은 몇 [W]인가? [19년 2회]

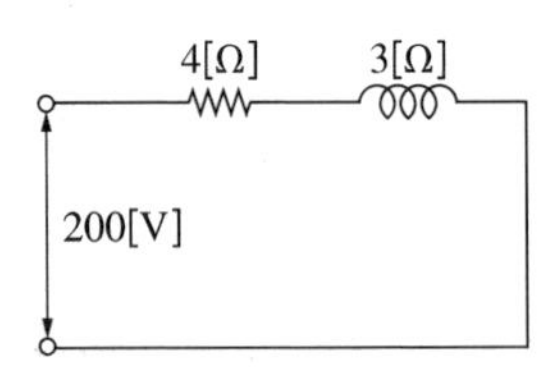

① 6,400　　② 8,800

③ 10,000　　④ 12,000

해설
- 임피던스 : $Z=\sqrt{4^2+3^2}=5[\Omega]$
- 전류 : $I=\frac{V}{Z}=\frac{200}{5}=40$[A]
- 소비전력 : $P=I^2R=40^2\times4=6,400$[W]

4 ③　5 ③　6 ①　정답

07 어떤 회로에 $v(t)=150\sin\omega t[\mathrm{V}]$의 전압을 가하니 $i(t)=6\sin(\omega t-30°)[\mathrm{A}]$의 전류가 흘렀다. 이 회로의 소비전력(유효전력)은 약 몇 [W]인가? [19년 1회]

① 390　② 450
③ 780　④ 900

해설

- 실효전압 : $V=\dfrac{150}{\sqrt{2}}$ [V]
- 실효전류 : $I=\dfrac{6}{\sqrt{2}}$ [A]
- 위상차 : $\theta=\theta_1-\theta_2=0-(-30)=30°$
- 유효(소비)전력 : $P=VI\cos\theta=\dfrac{150}{\sqrt{2}}\times\dfrac{6}{\sqrt{2}}\times\cos 30°=390$[W]

08 어떤 회로에 $v(t)=150\sin\omega t[\mathrm{V}]$의 전압을 가하니 $i(t)=12\sin(\omega t-30°)[\mathrm{A}]$의 전류가 흘렀다. 이 회로의 소비전력(유효전력)은 약 몇 [W]인가? [21년 1회]

① 390　② 450
③ 780　④ 900

해설 교류전력

- 순시전류 $i(t)=I_m\sin(\omega t-\theta)$, 순시전압 $v=V_m\sin\omega t$에서
  실효전류 $I=\dfrac{12}{\sqrt{2}}$[A], 실효전압 $V=\dfrac{150}{\sqrt{2}}$[V]
- 위상차 $\theta=\theta_1-\theta_2$에서 $\theta=30°-0°=30°$
- 역률 $\cos 30°=0.866$

∴ 유효전력(소비전력) $P=IV\cos\theta$에서

$P=\dfrac{12}{\sqrt{2}}[\mathrm{A}]\times\dfrac{150}{\sqrt{2}}[\mathrm{V}]\times 0.866=779.4[\mathrm{W}]$

09 역률 80[%], 유효전력 80[kW]일 때, 무효전력[kVar]은? [19년 1회]

① 10　② 16
③ 60　④ 64

해설 무효전력

$P_r=P_a\sin\theta=P\tan\theta=P\dfrac{\sin\theta}{\cos\theta}$

$P_r=80\times\dfrac{0.6}{0.8}=60[\mathrm{kVar}]$

핵심예제

정답 7 ① 8 ③ 9 ③

10 그림과 같은 회로에서 각 계기의 지시값이 Ⓥ는 180[V], Ⓐ는 5[A], W는 720[W]라면 이 회로의 무효전력[Var]은? [19년 2회]

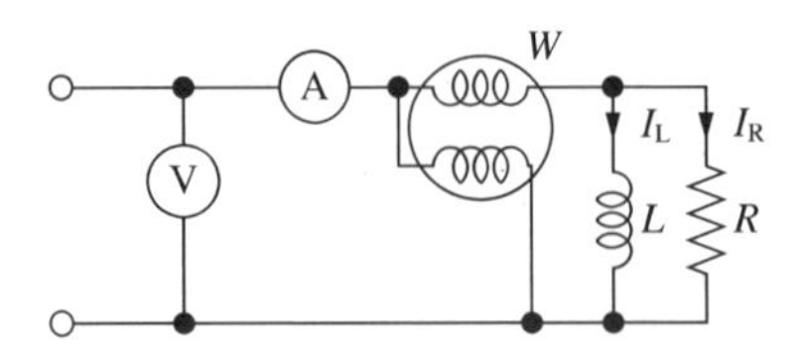

① 480
② 540
③ 960
④ 1,200

해설
- 피상전력 : $P_a = VI = 180 \times 5 = 900[VA]$이므로
- 무효전력 : $P_r = \sqrt{P_a^2 - P^2} = \sqrt{900^2 - 720^2} = 540[Var]$

11 200[V]의 교류전압에서 30[A]의 전류가 흐르는 부하가 4.8[kW]의 유효전력을 소비하고 있을 때 이 부하의 리액턴스[Ω]는? [21년 1회]

① 6.6
② 5.3
③ 4.0
④ 3.3

해설 교류전력
- 피상전력 $P_a = IV$에서 $P_a = 30[A] \times 200[V] = 6,000[W]$
- 무효전력 $P_r = \sqrt{P_a^2 - P^2}$ 에서

$P_r = \sqrt{(6,000[VA])^2 - (4,800[W])^2} = 3,600[Var]$

∴ 무효전력 $P_r = I^2 X$에서

리액턴스 $X = \frac{P_r}{I^2} = \frac{3,600[Var]}{(30[A])^2} = 4[\Omega]$

10 ② 11 ③ 정답

12 어떤 코일의 임피던스를 측정하고자 직류전압 30[V]를 가했더니 300[W]가 소비되고, 교류전압 100[V]를 가했더니 2,000[W]가 소비되었다. 이 코일의 리액턴스는 몇 [Ω]인가?

[18년 2회]

① 2　　② 4

③ 6　　④ 8

해설

- 저항(직류) : $R = \frac{V^2}{P} = \frac{30^2}{300} = 3[\Omega]$
- 임피던스(교류) : $Z = \frac{V^2}{P} = \frac{100^2}{2,000} = 5[\Omega]$
- 리액턴스 : $X = \sqrt{Z^2 - R^2} = \sqrt{5^2 - 3^2} = 4[\Omega]$

핵심 예제

13 그림과 같은 회로에서 전압계 3개로 단상전력을 측정하고자 할 때의 유효전력은?

[18년 1회, 19년 2회]

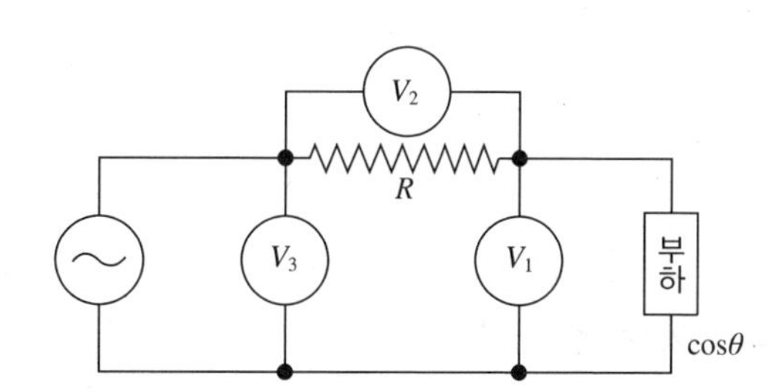

① $P = \frac{R}{2}(V_3^2 - V_1^2 - V_2^2)$

② $P = \frac{1}{2R}(V_3^2 - V_1^2 - V_2^2)$

③ $P = \frac{R}{2}(V_3^2 + V_1^2 + V_2^2)$

④ $P = \frac{1}{2R}(V_3^2 + V_1^2 + V_2^2)$

해설

- 3전압계법 : $P = \frac{1}{2R}(V_3^{\ 2} - V_1^{\ 2} - V_2^{\ 2})$[W]
- 3전류계법 : $P = \frac{R}{2}(I_1^{\ 2} - I_2^{\ 2} - I_3^{\ 2})$

정답　12 ②　13 ②

14 그림과 같이 전압계 V_1, V_2, V_3와 5[Ω]의 저항 R을 접속하였다. 전압계의 지시가 $V_1 = 20[\mathrm{V}]$, $V_2 = 40[\mathrm{V}]$, $V_3 = 50[\mathrm{V}]$라면 부하전력은 몇 [W]인가? [18년 1회]

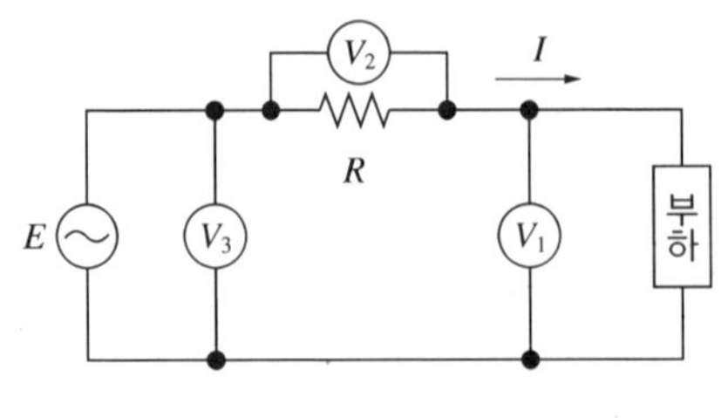

① 50
② 100
③ 150
④ 200

해설
- 3전압계법

$P = \frac{1}{2R}(V_3^2 - V_1^2 - V_2^2) = \frac{1}{2 \times 5} \times (50^2 - 20^2 - 40^2) = 50[\mathrm{W}]$

- 3전류계법

$P = \frac{R}{2}(I_1^{\ 2} - I_2^{\ 2} - I_3^{\ 2})$

핵심 예제

15 $\mathrm{Y} - \triangle$ 기동방식으로 운전하는 3상 농형유도전동기의 Y 결선의 기동전류(I_Y)와 △결선의 기동전류($I_\triangle$)의 관계로 옳은 것은? [17년 2회, 20년 3회]

① $I_Y = \frac{1}{3} I_\triangle$

② $I_Y = \sqrt{3}\, I_\triangle$

③ $I_Y = \frac{1}{\sqrt{3}} I_\triangle$

④ $I_Y = \frac{\sqrt{3}}{2} I_\triangle$

해설

$\mathrm{Y} - \triangle$ 기동 시 : 기동전류 $\frac{1}{3}$ 감소

$I_Y = \frac{1}{3} I_\triangle$

※ $Z_\triangle = 3Z_Y$, $P_\triangle = 3P_Y$, $I_\triangle = 3I_Y$

14 ① 15 ① 정답

16 대칭 3상 Y부하에서 각 상의 임피던스는 20[Ω]이고, 부하전류가 8[A]일 때 부하의 선간전압은 약 몇 [V]인가? [18년 1회]

① 160
② 226
③ 277
④ 480

해설
• Y결선 : $I_l = I_p$, $V_l = \sqrt{3}\,V_p$
• 상전압 : $V_p = I_p Z = 8 \times 20 = 160$[V]
• 선간전압 : $V_l = \sqrt{3}\,V_p = \sqrt{3} \times 160 = 277$[V]

17 한 상의 임피던스가 $Z = 16 + j12[\Omega]$인 Y결선 부하에 대칭 3상 선간전압 380[V]를 가할 때 유효전력은 약 몇 [kW]인가? [18년 4회]

① 5.8
② 7.2
③ 17.3
④ 21.6

해설
• 임피던스 : $Z = \sqrt{R^2 + X^2} = \sqrt{16^2 + 12^2} = 20[\Omega]$
• 상전류 : $I_P = \dfrac{V_P}{Z} = \dfrac{\frac{380}{\sqrt{3}}}{20} = 11$[A](Y결선 : $I_l = I_P$)
$\cos\theta = \dfrac{R}{Z} = \dfrac{16}{20} = 0.8$
$P = \sqrt{3}\,V_l I_l \cos\theta = \sqrt{3} \times 380 \times 11 \times 0.8 \times 10^{-3} = 5.8$[kW]

정답 16 ③ 17 ①

핵심예제

18 3상 유도 전동기의 출력이 25[HP], 전압이 220[V], 효율이 85[%], 역률이 85[%]일 때, 이 전동기로 흐르는 전류는 약 몇 [A]인가?(단 1[HP] = 0.746[kW]) [20년 4회]

① 40　② 45
③ 68　④ 70

해설 3상 유도 전동기 전류

$$I = \frac{P}{\sqrt{3}\ V\cos\theta\ \eta} = \frac{25\times746}{\sqrt{3}\times220\times0.85\times0.85}$$

≒ 67.74[A]

19 평형 3상 부하의 선간전압이 200[V], 전류가 10[A], 역률이 70.7[%]일 때 무효전력은 약 몇 [Var]인가? [20년 1·2회]

① 2,880　② 2,450
③ 2,000　④ 1,410

해설

$$P_r = \sqrt{3}\ VI\sin\theta$$
$$= \sqrt{3}\ VI\sqrt{1-\cos\theta^2}$$
$$= \sqrt{3}\times200\times10\times\sqrt{1-0.707^2}$$
$$= 2,449.86[\text{Var}]$$

20 평형 3상 회로에서 측정된 선간전압과 전류의 실횻값이 각각 28.87[V], 10[A]이고, 역률이 0.8일 때 3상 무효전력의 크기는 약 몇 [Var]인가? [20년 4회]

① 400　② 300
③ 231　④ 173

해설

$$P_r = \sqrt{3}\ VI\sin\theta$$
$$= \sqrt{3}\times28.87\times10\times0.6$$
≒ 300[Var]

∵ $\cos\theta = 0.8$이면 $\sin\theta = 0.6$

정답 18 ③ 19 ② 20 ②

21 회로에서 a, b 간의 합성저항[Ω]은?(단, $R_1 = 3[\Omega]$, $R_2 = 9[\Omega]$이다) [21년 1회]

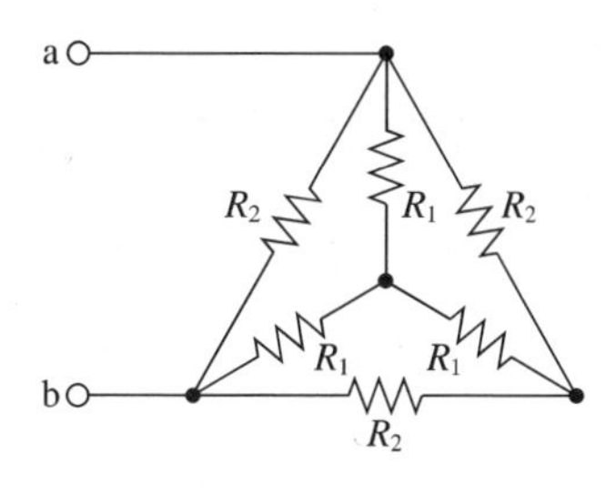

① 3 ② 4
③ 5 ④ 6

해설 **합성저항**

• 먼저 내측에 있는 Y결선을 △결선으로 변환한다.

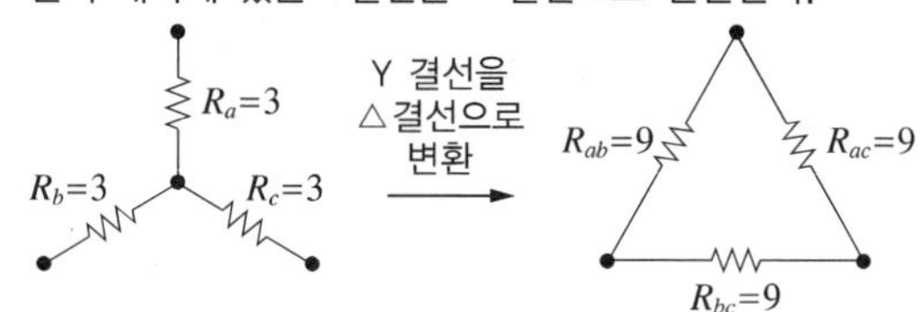

Y결선은 3상 평형부하이므로 △결선의 각 상의 저항은

$R_{ab} = R_{bc} = R_{ca}$ 이다.

$$R_{ab} = \frac{R_aR_b + R_bR_c + R_cR_a}{R_c} = \frac{(3\times3)+(3\times3)+(3\times3)}{3} = 9[\Omega]$$

$\therefore\ R_{ab} = R_{bc} = R_{ca} = 9[\Omega]$

• 내측의 △결선의 각 상의 저항과 외측의 △결선의 각 상의 저항은 병렬로 연결되므로 각 상의 합성저항을 구한다.

병렬회로의 합성저항 $R_{ab} = \frac{9\times9}{9+9} = 4.5[\Omega]$

$R_{ab} = R_{bc} = R_{ca} = 4.5[\Omega]$

• a, b 간은 △결선이므로 R_{ac}와 R_{bc}는 직렬로 연결되어 있고 R_{ab}와는 병렬로 연결되어 있다.

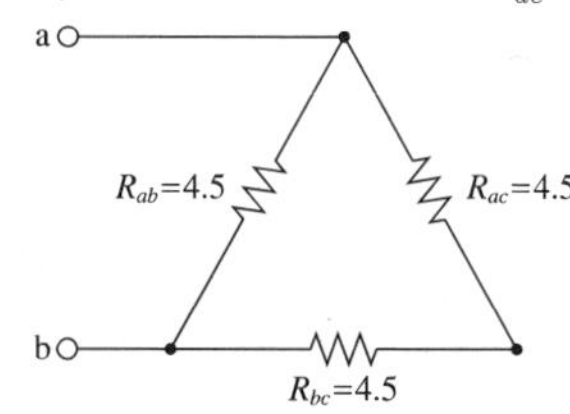

$\therefore$ a–b 간의 합성저항

$$R = \frac{R_{ab}\times(R_{bc}+R_{ca})}{R_{ab}+(R_{bc}+R_{ca})} = \frac{4.5\times(4.5+4.5)}{4.5+(4.5+4.5)} = 3[\Omega]$$

정답 21 ①

22 그림과 같은 회로에 평형 3상 전압 200[V]를 인가한 경우 소비된 유효전력[kW]은?(단, $R=20[\Omega]$, $X=10[\Omega]$) [21년 2회]

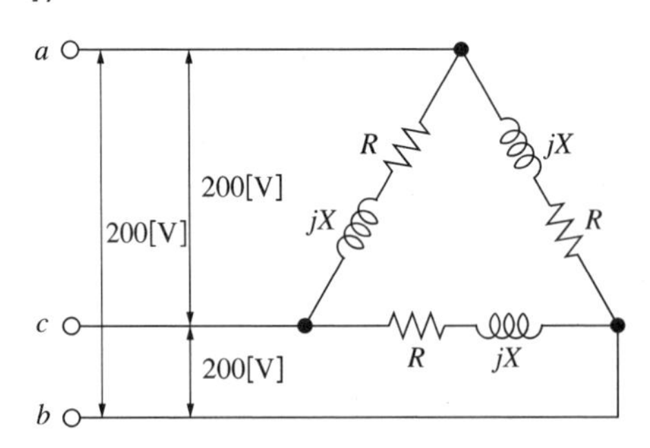

① 1.6

② 2.4

③ 2.8

④ 4.8

해설

△결선 시 $P=\dfrac{3V^2R}{R^2+X_L^2}$

$=\dfrac{3\times200^2\times20}{20^2+10^2}\times10^{-3}$

$=4.8[\text{kW}]$

23 단상변압기 3대를 △결선하여 부하에 전력을 공급하고 있는 중 변압기 1대가 고장 나서 V결선으로 바꾼 경우에 고장 전과 비교하여 몇 [%] 출력을 낼 수 있는가? [20년 3회]

① 50

② 57.7

③ 70.7

④ 86.6

해설

V결선 출력 : $P_V=\sqrt{3}P$

- 이용률 $=\dfrac{\sqrt{3}}{2}=0.866(86.6[\%])$
- 출력비(전력비) $=\dfrac{1}{\sqrt{3}}=0.577(57.7[\%])$

22 ④ 23 ② 정답

24 대칭 n상의 환상결선에서 선전류와 상전류(환상전류) 사이의 위상차는? [20년 3회]

① $\frac{n}{2}\left(1-\frac{2}{\pi}\right)$

② $\frac{n}{2}\left(1-\frac{\pi}{2}\right)$

③ $\frac{\pi}{2}\left(1-\frac{2}{n}\right)$

④ $\frac{\pi}{2}\left(1-\frac{n}{2}\right)$

해설 대칭 n상 환상결선 선전류와 상전류 위상차

$\frac{\pi}{2}\left(1-\frac{2}{n}\right)$

25 선간전압 E[V]의 3상 평형전원에 대칭 3상 저항부하 $R[\Omega]$이 그림과 같이 접속되었을 때, a, b 두 상 간에 접속된 전력계의 지시값이 W[W]라면 c상의 전류는? [19년 2회]

핵심예제

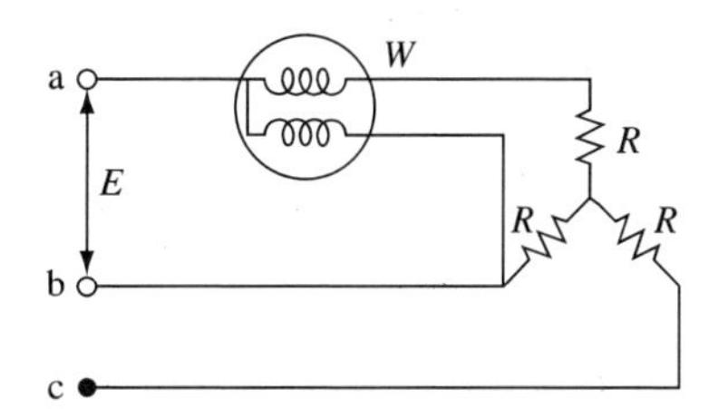

① $\frac{2W}{\sqrt{3}E}$

② $\frac{3W}{\sqrt{3}E}$

③ $\frac{W}{\sqrt{3}E}$

④ $\frac{\sqrt{3}W}{E}$

해설 3상 전력 : $P=2W=\sqrt{3}EI$이므로

전류 : $I=\frac{2W}{\sqrt{3}E}$[A]

※ 1전력계법은 $\cos\theta=1$일 때, $P=P_a$

정답 24 ③ 25 ①

제5절 비정현파

1 비정현파 교류

(1) 비정현파

정현파로부터 일그러진 파형을 총칭하여 비정현파(Non-sinusoidal Wave)라 한다.

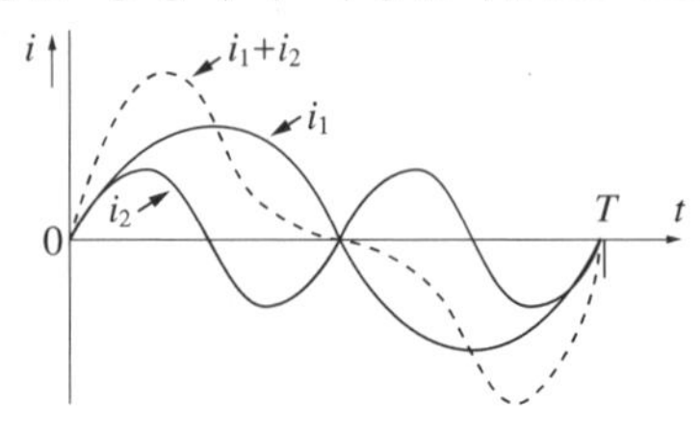

(2) 비정현파의 발생원인

① 교류 발전기에서의 전기자 반작용에 의한 일그러짐
② 변압기에서의 철심의 자기포화
③ 변압기에서의 히스테리시스 현상에 의한 여자전류의 일그러짐
④ 다이오드의 비직선성에 의한 전류의 일그러짐

2 푸리에 급수(Fourier Series)

(1) 푸리에 급수의 정의

푸리에 급수는 주파수와 진폭을 달리하는 무수히 많은 성분을 갖는 비정현파를 무수히 많은 삼각함수의 합으로 표현하는 것을 의미한다.

(2) 급수 표현식

$$f(t) = a_0 + a_1\cos\omega t + a_2\cos 2\omega t + a_3\cos 3\omega t + \cdots + a_n\cos n\omega t + b_1\sin\omega t + b_2\sin 2\omega t + b_3\sin 3\omega t + \cdots + b_n\sin n\omega t$$

$$= a_0 + \sum_{n=1}^{\infty} a_n\cos n\omega t + \sum_{n=1}^{\infty} b_n\sin n\omega t$$

※ 비정현파 교류 = 직류분 + 기본파 + 고조파

3 비정현파의 계산

(1) 비정현파의 실횻값 : 각 파의 실횻값의 제곱의 합의 제곱근

$$v = V_0 + V_{m1}\sin\omega t + V_{m2}\sin 2\omega t + V_{m3}\sin 3\omega t \cdots$$

$$V = \sqrt{{V_0}^2 + \left(\frac{V_{m1}}{\sqrt{2}}\right)^2 + \left(\frac{V_{m2}}{\sqrt{2}}\right)^2 \cdots}$$

$$i = I_0 + I_{m1}\sin\omega t + I_{m2}\sin 2\omega t + I_{m3}\sin 3\omega t \cdots$$

$$I = \sqrt{{I_0}^2 + \left(\frac{I_{m1}}{\sqrt{2}}\right)^2 + \left(\frac{I_{m2}}{\sqrt{2}}\right)^2 \cdots}$$

(2) 왜형률(Distortion Factor)

기본파에 대해 고조파 성분이 어느 정도 포함되었는가를 나타내는 지표(정현파를 기준으로 일그러짐률)

$$\text{왜형률} = \frac{\text{전 고조파의 실횻값}}{\text{기본파의 실횻값}} \times 100$$

$$= \sqrt{\left(\frac{V_2}{V_1}\right)^2 + \left(\frac{V_3}{V_1}\right)^2 + \left(\frac{V_4}{V_1}\right)^2 \cdots} \times 100$$

$$= \frac{\sqrt{V_2^2 + V_3^2 + V_4^2 \cdots}}{V_1} \times 100$$

4 비정현파의 전력

(1) 평균전력(소비전력 = 유효전력) : 직류분과 각 고조파 전력의 합으로 나타내며(주파수가 다르면 전력은 존재하지 않는다) 같은 고조파 성분으로 구한다.

$$P = V_0 I_0 + \sum_{n=1}^{\infty} V_n I_n \cos\theta_n = V_0 I_0 + V_1 I_1 \cos\theta_1 + V_2 I_2 \cos\theta_2 + \cdots$$

$$= \frac{V_0^2}{R} + \frac{V_1^2 R}{R^2 + X_1^2} + \frac{V_2^2 R}{R^2 + X_2^2} + \cdots$$

$$= \frac{V_n^2 R}{R^2 + (n\omega L)^2} = \frac{V_n^2 R}{R^2 + \left(\frac{1}{n\omega C}\right)^2}$$

(2) **무효전력** : 같은 고조파 성분으로 구한다.

$$P_r = \sum_{n=1}^{\infty} V_n I_n \sin\theta_n = V_1 I_1 \sin\theta_1 + V_2 I_2 \sin\theta_2 + \cdots = \frac{V_1^2 X_1}{R^2 + X_1^2} + \frac{V_2^2 X_2}{R^2 + X_2^2} + \cdots$$

(3) **피상전력** : 전전압 실횻값과 전전류 실횻값의 곱으로 구한다.

$$P_a = VI = \sqrt{V_0^2 + V_1^2 + V_2^2 + \cdots} \times \sqrt{I_0^2 + I_1^2 + I_2^2 + \cdots}$$

(4) **역 률**

$$\cos\theta = \frac{P}{P_a} = \frac{V_0 I_0 + V_1 I_1 \cos\theta_1 + V_2 I_2 \cos\theta_2 + \cdots}{\sqrt{V_0^2 + V_1^2 + V_2^2 + \cdots} \times \sqrt{I_0^2 + I_1^2 + I_2^2 + \cdots}}$$

5 직렬임피던스

(1) 유도리액턴스

$$Z_n = R + jn\omega L = \sqrt{R^2 + (n\omega L)^2}$$

$$I_n = \frac{V_n}{\sqrt{R^2 + (n\omega L)^2}}$$

(2) 용량리액턴스

$$Z_n = R - j\frac{1}{n\omega C} = \sqrt{R^2 + \left(\frac{1}{n\omega C}\right)^2}$$

$$I_n = \frac{V_n}{\sqrt{R^2 + \left(\frac{1}{n\omega C}\right)^2}}$$

6 공진조건

$n\omega L = \dfrac{1}{n\omega C}$ 에서 $\omega^2 = \dfrac{1}{n^2 LC}$, $\omega = \dfrac{1}{n\sqrt{LC}}$

$$\therefore f = \frac{1}{2\pi n\sqrt{LC}} \text{[Hz]}$$

제6절 회로망의 정리

1 전압원

① 이상적인 전압원

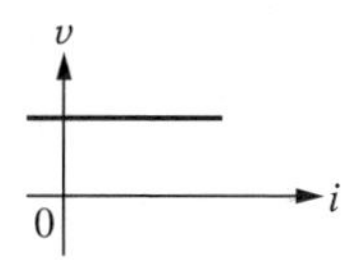

내부임피던스 : $Z_g = 0$

② 실제 전압원

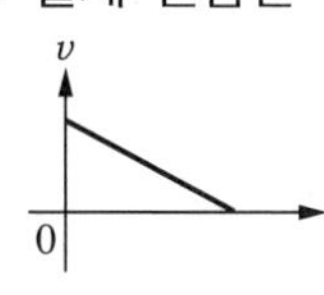

내부임피던스 : $Z_g \neq 0$

2 중첩의 원리

① 정의 : 다수의 전원을 포함하는 선형회로망에 있어서 회로 내의 임의의 점의 전류의 크기 또는 임의의 두 점 간의 전압의 크기는 개개의 전원이 단독으로 존재할 때에 그 점을 흐르는 전류 또는 그 두 점 간의 전압을 합한 것과 같다는 원리

② 단독 해석방법(전원 소거방법)

전압원은 단락(Short), 전류원은 개방(Open)하여 해석한다.

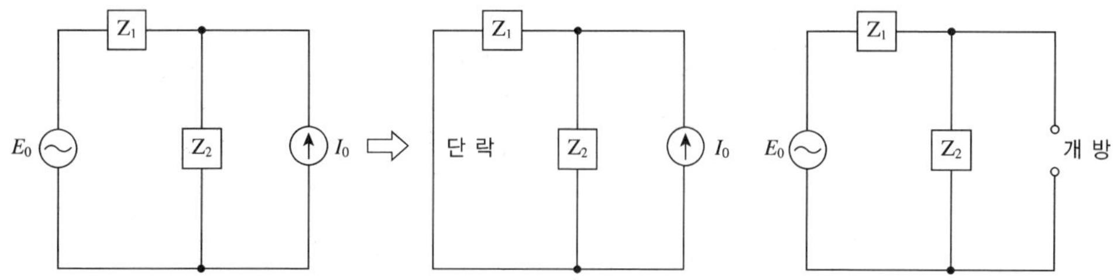

③ 적용범위 : 선형회로에서만 적용 가능

④ 각각 단독으로 존재 시 흐르는 전류를 합친 것으로 하며 선형회로망에서만 적용 가능

㉠ 전류원 개방 시 : $I_1 = \dfrac{100}{50} = 2[A]$

㉡ 전압원 단락 시 : $I_2 = 0$

- 전류 : $I = I_1 + I_2 = 2 + 0 = 2[A]$
- 전압 : $V_{ab} = IR = 2 \times 50 = 100[V]$

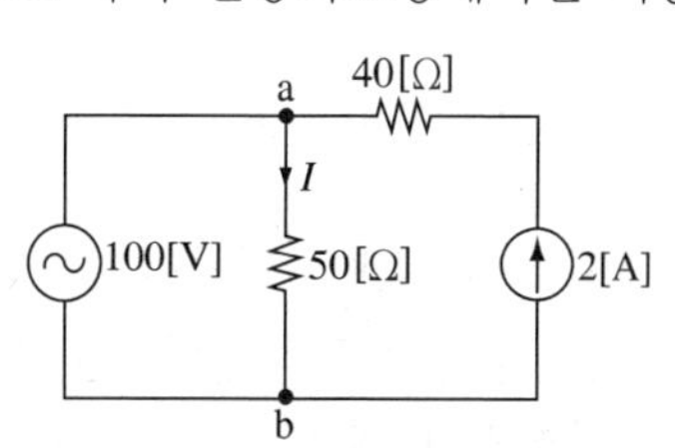

3 테브난의 정리(Thevenin's Theorem) : 등가 전압원 원리

① **정의** : 임의의 회로망에 대한 부하 측의 개방단자에서 회로망 쪽으로 본 내부합성 임피던스(전압원 단락, 전류원 개방 상태에서 구한 임피던스)의 회로는 개방단자 전압에 내부합성 임피던스와 직렬로 연결된 회로와 같다는 원리

② **해석방법** : 전압원은 단락(Short), 전류원은 개방(Open)하여 해석한다.

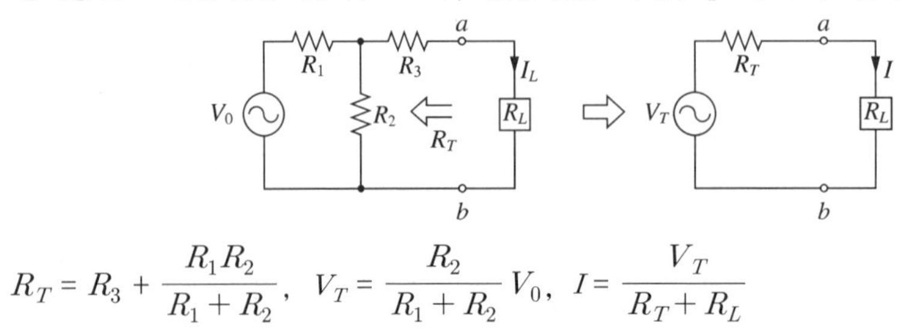

$$R_T = R_3 + \frac{R_1 R_2}{R_1 + R_2}, \quad V_T = \frac{R_2}{R_1 + R_2} V_0, \quad I = \frac{V_T}{R_T + R_L}$$

4 노턴의 정리(Norton's Theorem) : 등가 전류원 원리

① **정의** : 전원을 포함한 회로망에서 임의의 단자를 단락했을 때 흐르는 단락전류와 부하측 개방단자에서 회로망 쪽으로 본 내부합성 임피던스(전압원 단락, 전류원 개방 상태에서 구한 임피던스)의 회로는 단락전류와 내부임피던스가 병렬로 연결된 회로와 같다는 원리

② **해석방법** : 전압원은 단락(Short), 전류원은 개방(Open)하여 해석한다.

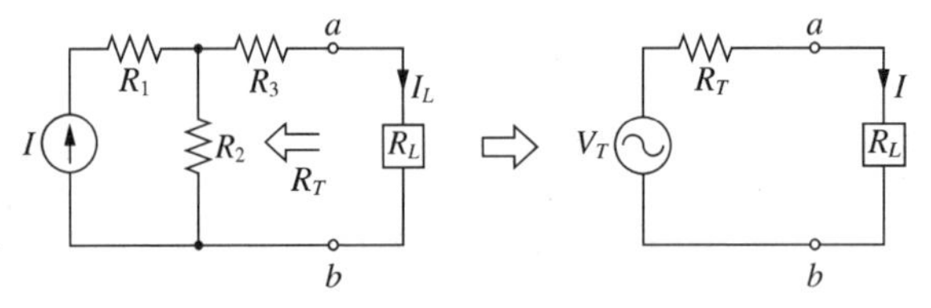

$$R_T = R_2 + R_3, \quad V_T = I \times R_2, \quad I = \frac{V_T}{R_T + R_L}$$

※ 테브난과 노턴의 정리는 쌍대관계

5 밀만의 정리(Millman's Theorem)

① **정의** : 여러 개의 전압원이 병렬로 접속되어 있는 회로에서 그 병렬 접속점에 나타나는 합성전압은 각각의 전압원을 단락했을 때 흐르는 전류의 대수합을 각각의 전원의 내부어드미턴스의 대수합으로 나눈 것과 같다는 원리

② 해석방법

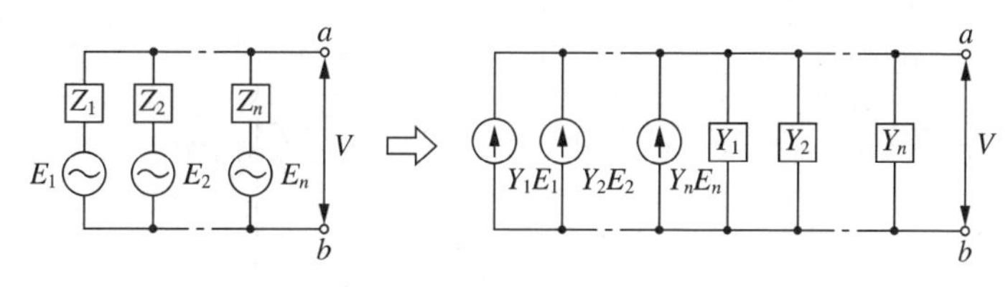

$$V_{ab} = \frac{I_0}{Y_0} = \frac{I_1 + I_2 + I_3 + \cdots I_n}{Y_1 + Y_2 + Y_3 + \cdots Y_n} = \frac{\frac{E_1}{Z_1} + \frac{E_2}{Z_2} + \frac{E_3}{Z_3} + \cdots\cdots + \frac{E_n}{Z_n}}{\frac{1}{Z_1} + \frac{1}{Z_2} + \frac{1}{Z_3} + \cdots\cdots + \frac{1}{Z_n}}$$

제7절 과도현상

1 $R-L$ 직렬회로

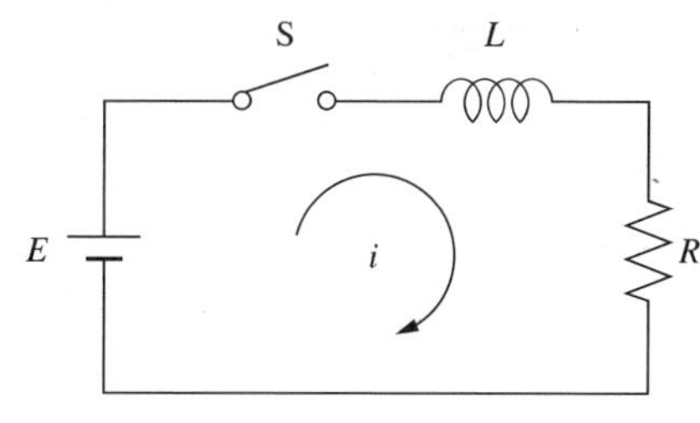

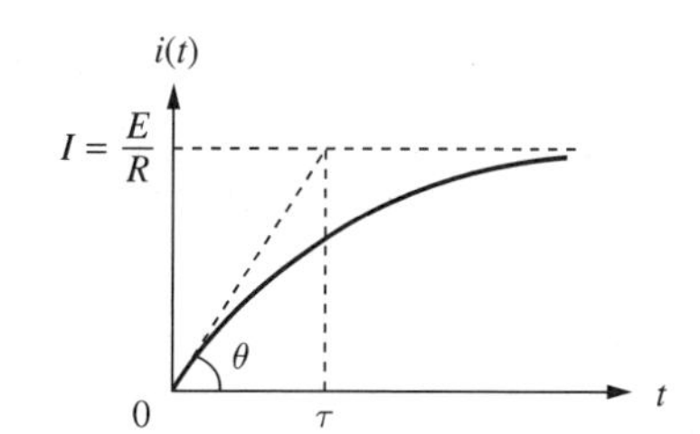

① 전 류

$$i_{on} = \frac{E}{R}\left(1 - e^{-\frac{R}{L}t}\right)$$

$$i_{off} = \frac{E}{R}e^{-\frac{R}{L}t}$$

※ 특성근(ρ) = $-\frac{R}{L}$, 시정수(τ) = $\frac{L}{R}$

② 초기전류와 정상전류

㉠ 초기전류

$i_{on}(0) = 0$

㉡ 정상전류

$i_{on}(\infty) = \frac{E}{R}$

2 $R-C$ 직렬회로

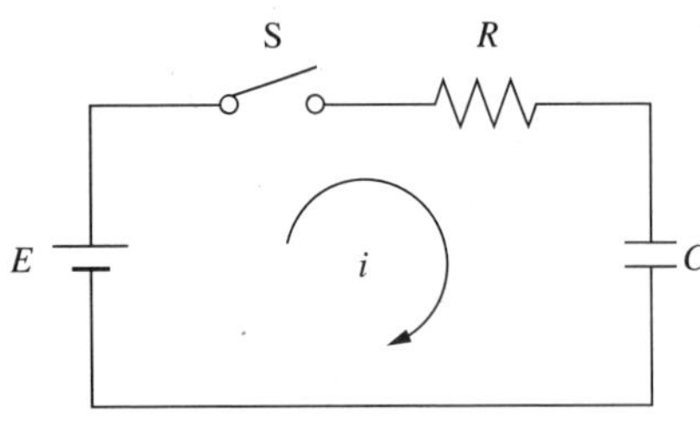

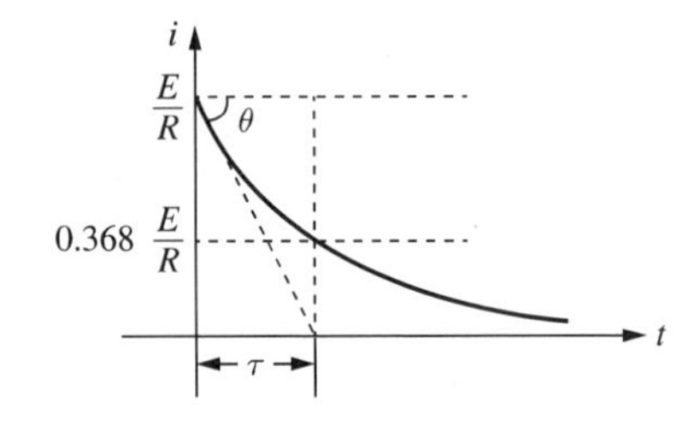

① 전 류

$$i(t)=\frac{E}{R}e^{-\frac{1}{RC}t}=\frac{Q}{RC}e^{-\frac{1}{RC}t}$$

※ 초기전류 : $i(0)=\frac{E}{R}$, 특성근(ρ) = $-\frac{1}{RC}$, 시정수(τ) = RC

3 $L-C$ 직렬회로

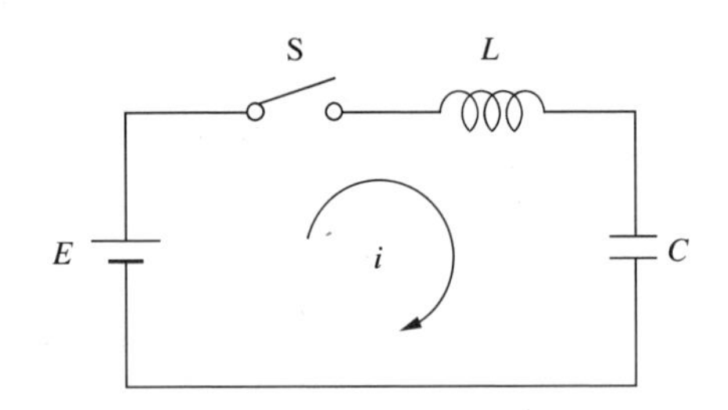

① 전 류

$$i(t)=\frac{E}{\sqrt{\frac{L}{C}}}\sin\frac{1}{\sqrt{LC}}t$$ → 불변하는 진동전류

핵/심/예/제

01 $R=4[\Omega]$, $\frac{1}{\omega C}=9[\Omega]$인 RC 직렬회로에 전압 $e(t)$를 인가할 때, 제3고조파 전류의 실횻값 크기는 몇 [A]인가?(단, $e(t)=50+10\sqrt{2}\sin\omega t+120\sqrt{2}\sin 3\omega t[\text{V}]$) [20년 4회]

① 4.4

② 12.2

③ 24

④ 34

해설

$$I_3=\frac{V_3}{Z_3}=\frac{120}{5}=24[\text{A}]$$

$$\because\ Z_3=\sqrt{4^2+\left(\frac{9}{3}\right)^2}=5$$

핵심
예제

02 상순이 a, b, c인 경우 V_a, V_b, V_c를 3상 불평형 전압이라 하면 정상분 전압은?
(단, $\alpha=e^{j2\pi/3}=1\angle 120°$) [19년 4회]

① $\frac{1}{3}(V_a+V_b+V_c)$

② $\frac{1}{3}(V_a+\alpha V_b+\alpha^2 V_c)$

③ $\frac{1}{3}(V_a+\alpha^2 V_b+\alpha V_c)$

④ $\frac{1}{3}(V_a+\alpha V_b+\alpha V_c)$

해설 대칭 3상 불평형 시 영상분(V_0), 정상분(V_1), 역상분(V_2)

- 영상분 : $V_0=\frac{1}{3}(V_a+V_b+V_c)$
- 정상분 : $V_1=\frac{1}{3}(V_a+\alpha V_b+\alpha^2 V_c)$
- 역상분 : $V_2=\frac{1}{3}(V_a+\alpha^2 V_b+\alpha V_c)$

정답 1 ③ 2 ②

핵심예제

03 RLC 직렬공진회로에서 제n고조파의 공진 주파수(f_n)는? [18년 1회]

① $\frac{1}{2\pi n\sqrt{LC}}$

② $\frac{1}{\pi n\sqrt{LC}}$

③ $\frac{1}{2\pi\sqrt{nLC}}$

④ $\frac{n}{2\pi\sqrt{LC}}$

해설
- 공진주파수 : $f = \frac{1}{2\pi\sqrt{LC}}$[Hz]
- n고조파의 공진주파수 : $f_n = \frac{1}{2\pi n\sqrt{LC}}$[Hz]

04 각 전류의 대칭분 I_0, I_1, I_2가 모두 같게 되는 고장의 종류는? [18년 4회]

① 1선 지락

② 2선 지락

③ 2선 단락

④ 3선 단락

해설 1선 지락사고 : $I_0 = I_1 = I_2$

여기서, I_0 : 영상전류

I_1 : 정상전류

I_2 : 역상전류

3 ① 4 ① 정답

05 회로에서 저항 5[Ω]의 양단 전압 V_R[V]은?

[21년 2회]

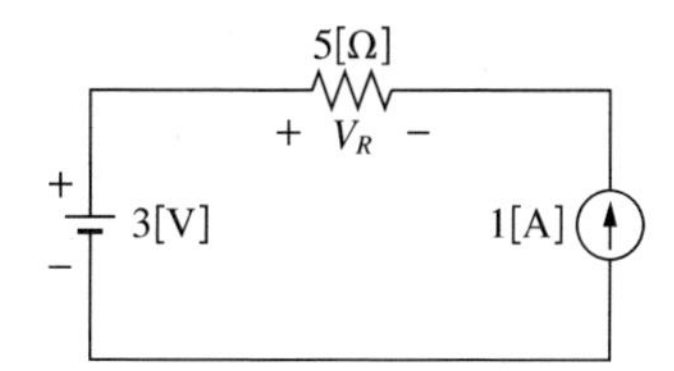

① −5

② −2

③ 3

④ 8

해설 **중첩의 원리를 이용**

• 전류원 개방 시

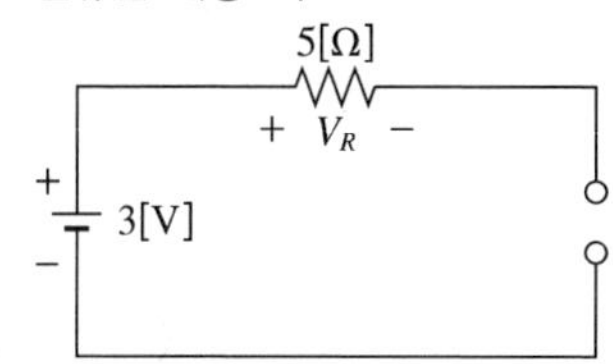

회로가 개방이므로 V_R 전압은 0[V]이다.

• 전압원 단락 시

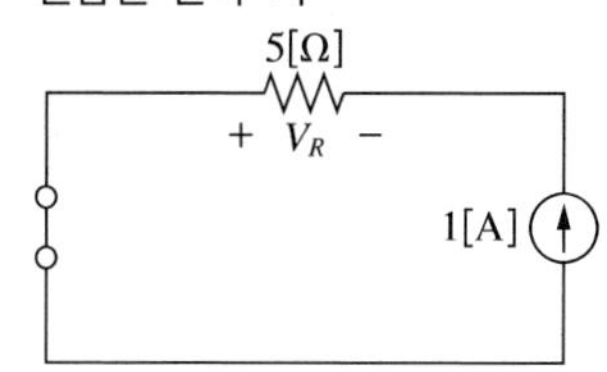

$V_R = IR = 1 \times 5 = 5$[V]

전류의 방향이 반대 방향이므로 $V_R = -5$[V]이다.

핵심예제

정답 5 ①

06 테브난의 정리를 이용하여 그림 (a)의 회로를 그림 (b)와 같은 등가회로로 만들고자 할 때 V_{th}[V]와 R_{th}[Ω]은?

[21년 1회]

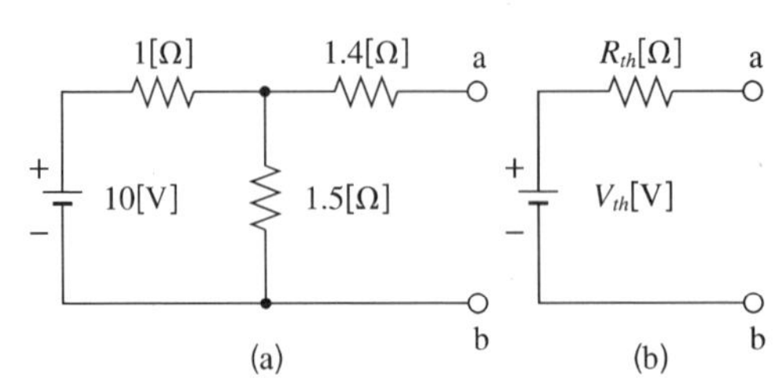

① 5[V], 2[Ω]
② 5[V], 3[Ω]
③ 6[V], 2[Ω]
④ 6[V], 3[Ω]

해설 테브난의 정리

• 전압 $V_{th} = \dfrac{1.5[\Omega]}{1.5[\Omega]+1[\Omega]} \times 10[V] = 6[V]$

• 저항 $R_{th} = 1.4[\Omega] + \dfrac{1.5[\Omega] \times 1[\Omega]}{1.5[\Omega]+1[\Omega]} = 2[\Omega]$

핵심
예제

07 회로에서 a와 b 사이에 나타나는 전압 V_{ab}[V]는?

[21년 2회]

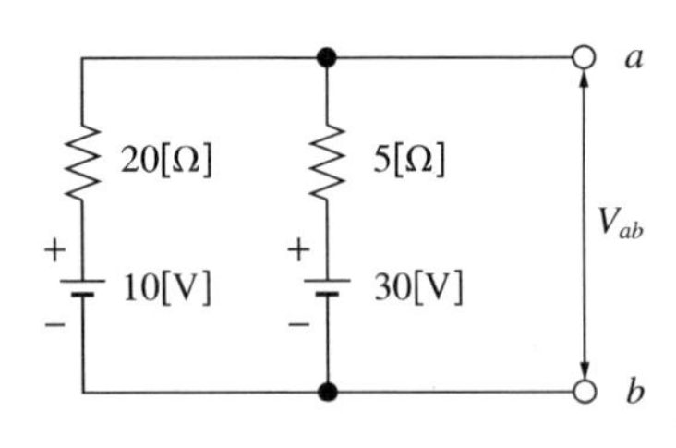

① 20 ② 23
③ 26 ④ 28

해설 밀만의 정리를 이용

$$V_{ab} = \frac{\frac{V_1}{R_1}+\frac{V_2}{R_2}}{\frac{1}{R_1}+\frac{1}{R_2}} = \frac{\frac{10}{20}+\frac{30}{5}}{\frac{1}{20}+\frac{1}{5}} = 26[V]$$

6 ③ 7 ③ 정답

08 **저항 $R_1[\Omega]$, 저항 $R_2[\Omega]$, 인덕턴스 L[H]의 직렬회로가 있다. 이 회로의 시정수[s]는?**

[17년 2회, 21년 1회]

① $-\dfrac{R_1+R_2}{L}$

② $\dfrac{R_1+R_2}{L}$

③ $-\dfrac{L}{R_1+R_2}$

④ $\dfrac{L}{R_1+R_2}$

해설 **$R-L$ 직렬회로의 시정수**

- 직렬로 접속된 저항의 합성저항 $R=R_1+R_2[\Omega]$
- $R-L$ 직렬회로의 시정수 $\tau=\dfrac{L}{R}$에서 $\tau=\dfrac{L}{R_1+R_2}$[s]

09 **$L-C$ 직렬 회로에서 직류전압 E를 $t=0$에서 인가할 때 흐르는 전류는?**

[18년 2회, 21년 1회]

① $\dfrac{E}{\sqrt{L/C}}\cos\dfrac{1}{\sqrt{LC}}t$

② $\dfrac{E}{\sqrt{L/C}}\sin\dfrac{1}{\sqrt{LC}}t$

③ $\dfrac{E}{\sqrt{C/L}}\cos\dfrac{1}{\sqrt{LC}}t$

④ $\dfrac{E}{\sqrt{C/L}}\sin\dfrac{1}{\sqrt{LC}}t$

해설 $L-C$ 직렬 회로에서 $t=0$에서

$$I=\frac{E}{Z_0}\sin\omega t$$

$$=\frac{E}{\sqrt{\frac{L}{C}}}\sin\frac{1}{\sqrt{LC}}t$$

정답 8 ④ 9 ②

CHAPTER 03 정전계와 정자계

제1절 정전계

1 정전계 용어

① 대전 : 물체가 전기를 띠게 되는 현상
② 전하 : 대전된 전기의 양
③ 정전력 : 대전된 두 전하 사이에 작용하는 힘
㉠ 같은 종류의 전하끼리는 반발력이 작용한다.
㉡ 다른 종류의 전하끼리는 흡입력이 작용한다.
④ 정전유도 : 대전체 근처에 대전되지 않은 도체를 가져오면 대전체 가까운 쪽에는 다른 종류의 전하, 먼 쪽은 같은 종류의 전하가 나타나는 현상

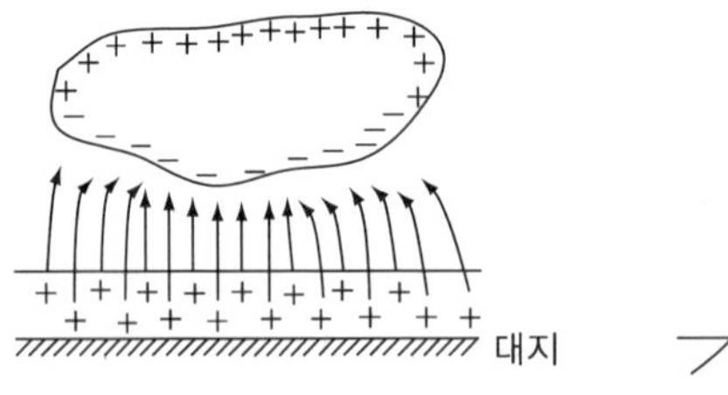

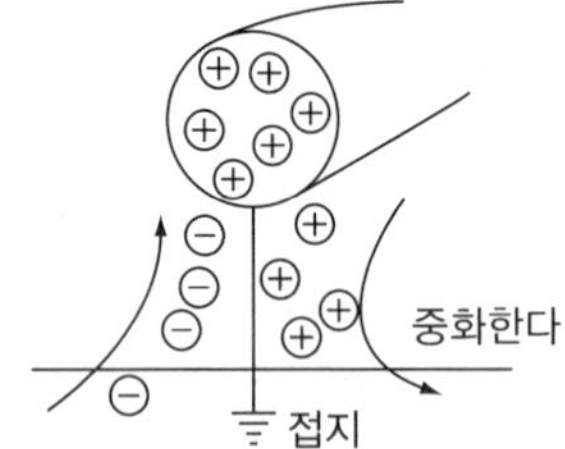

[정전유도]

2 정전용량과 콘덴서

(1) 콘덴서 : C[F, 패럿]

① 평행판 콘덴서

$$C = \frac{\varepsilon S}{d} = \frac{\varepsilon_0 \varepsilon_s S}{d}[\text{F}]$$

여기서, ε_0 : 진공(공기) 중의 유전율 → $\varepsilon_0 = 8.855 \times 10^{-12}$[F/m]
ε_s : 비유전율(진공, 공기 : $\varepsilon_s \fallingdotseq 1$)
ε : 유전율 → $\varepsilon = \varepsilon_0 \varepsilon_s$[F/m]
d : 극판 간의 간격[m]
S : 극판의 면적[m^2]

(2) 합성 정전용량

① 직렬연결 : Q가 일정

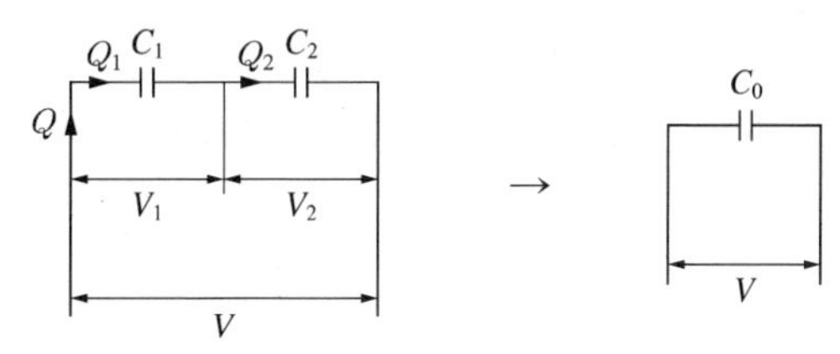

- $Q = Q_1 = Q_2$[C]
- $V_1 = \dfrac{Q}{C_1}$[V], $V_2 = \dfrac{Q}{C_2}$[V]
- $V = V_1 + V_2 = \left(\dfrac{1}{C_1} + \dfrac{1}{C_2}\right)Q$[V], $Q = \dfrac{V}{\left(\dfrac{1}{C_1} + \dfrac{1}{C_2}\right)} = \left(\dfrac{C_1 C_2}{C_1 + C_2}\right) \cdot V$

㉠ 합성정전용량 : $C_0 = \dfrac{C_1 C_2}{C_1 + C_2}$

※ 같은 정전용량 C를 n개 연결 시 합성정전용량 $C_0 = \dfrac{C}{n}$

㉡ 전체 전하량 $Q = C_0 V = \left(\dfrac{C_1 C_2}{C_1 + C_2}\right)V$

㉢ 분배된 전압

- $V_1 = \dfrac{Q}{C_1} = \dfrac{1}{C_1} \times \left(\dfrac{C_1 C_2}{C_1 + C_2}\right)V = \left(\dfrac{C_2}{C_1 + C_2}\right)V$[V]
- $V_2 = \dfrac{Q}{C_2} = \dfrac{1}{C_2} \times \left(\dfrac{C_1 C_2}{C_1 + C_2}\right)V = \left(\dfrac{C_1}{C_1 + C_2}\right)V$[V]

㉣ 콘덴서 파괴전압 : C가 가장 작은 콘덴서가 먼저 파괴

② 병렬연결 : V가 일정

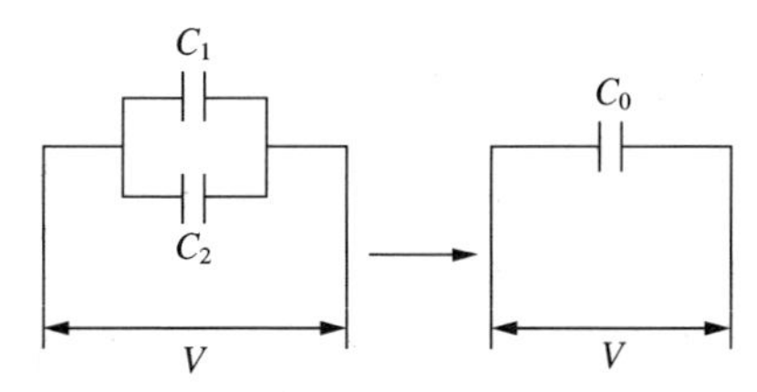

$Q = Q_1 + Q_2 = C_1 V + C_2 V = (C_1 + C_2)V$[C]

㉠ 합성정전용량 : $C_0 = \dfrac{Q}{V} = C_1 + C_2$[F]

※ 같은 정전용량 C를 n개 연결 시 합성정전용량 $C_0 = nC$

㉡ 전체 전압 : $V = \dfrac{Q}{C_0} = \dfrac{Q}{C_1 + C_2}$[V]

㉢ 분배된 전하량

- $Q_1 = C_1 V = C_1 \times \dfrac{Q}{C_1 + C_2} = \left(\dfrac{C_1}{C_1 + C_2}\right) Q$[C]
- $Q_2 = C_2 V = C_2 \times \dfrac{Q}{C_1 + C_2} = \left(\dfrac{C_2}{C_1 + C_2}\right) Q$[C]

3 쿨롱의 법칙

(1) 두 전하 사이에 작용하는 힘 : 두 전하의 곱에 비례하고 두 전하의 거리 제곱에 반비례한다.

Q_1[C] Q_2[C]

(X_1, Y_1, Z_1) r[m] (X_2, Y_2, Z_2)

$$F = k\frac{Q_1 Q_2}{r^2} = \frac{1}{4\pi\varepsilon_0} \times \frac{Q_1 Q_2}{r^2} \fallingdotseq 9 \times 10^9 \times \frac{Q_1 Q_2}{r^2} \text{[N]}$$

여기서, F : 쿨롱의 힘[N]
Q : 전하량[C]
r : 두 전하 간의 거리[m]

① 유전율 : $\varepsilon = \varepsilon_0 \varepsilon_s$[F/m]

- ε_0 : 진공 중의 유전율 = 8.855×10^{-12}[F/m]
- ε_s : 비유전율(공기나 진공에서 그 값은 1이다)

② 진공의 빛 속도

$C_0 = 3 \times 10^8$[m/s]

③ 투자율 $\mu_0 = 4\pi \times 10^{-7}$[H/m]

(2) 쿨롱의 법칙의 성질

① 같은 종류의 전하 사이에는 반발력 작용
② 다른 종류의 전하 사이에는 흡입력 작용
③ 힘의 크기는 두 전하량의 곱에 비례, 떨어진 거리의 제곱에 반비례
④ 힘의 방향은 두 전하 사이의 일직선상으로 존재
⑤ 힘의 크기는 두 전하 사이에 존재하는 매질에 따라 달라진다.
※ 쿨롱의 법칙은 정전 고압 전압계, 콘덴서 스피커, 고압 집진기 등에 응용

4 전계(전장)의 세기 : E[V/m]

전계 내의 한 점에 단위 정전하(1[C])를 놓았을 때 이 단위 정전하에 작용하는 힘

(1) 전계의 세기

$$E = K \cdot \frac{Q}{r^2} = \frac{1}{4\pi\varepsilon_0} \times \frac{Q}{r^2} = 9 \times 10^9 \times \frac{Q}{r^2}[\text{V/m}]\left(E = \frac{F}{Q},\ F = EQ\right)$$

(2) 평행극판 사이의 전계의 세기

$$E = \frac{V}{d}[\text{V/m}]$$

여기서, V : 전압[V]

$d(=r=l)$: 극판 간격[m]

5 전위와 전위차

(1) 단위 정전하(+1[C])를 전계로부터 무한 원점 떨어진 곳에서 전계 안에서의 임의의 점까지 전계와 반대 방향으로 이동시키는 데 필요한 일의 양

$$V = \frac{Q}{4\pi\varepsilon_0 r} = 9 \times 10^9 \times \frac{Q}{r}[\text{V}]$$

(2) 전위의 관계식

$$V = Er = El = Ed = Ea[\text{V}]$$

※ $r = l = d = a$ 표현은 다르지만 의미는 같다. Q[C]의 전하에서 떨어진 거리[m]

6 전기력선

전계 내에서 +1[C] 전하가 전기력에 따라 이동할 때 그려지는 가상의 선

① 전기력선의 방향은 그 점에서 전기장의 방향과 같다.
② 전기력선의 밀도는 그 점에서 전기장의 크기와 같게 정의한다.
③ 전기력선은 양전하(+)에서 시작하여 음전하(−)에서 끝난다.
④ 전하가 없는 곳에서는 전기력선의 발생, 소멸이 없다. 즉, 연속적이다.

⑤ 전기력선의 총수는 $\frac{Q}{\varepsilon}$개이다.

⑥ 전기력선은 전위가 높은 점에서 낮은 점으로 향한다.

⑦ 전기력선은 도체 표면(등전위면)에 수직으로 출입한다.

⑧ 도체 내부에서는 전기력선이 존재하지 않는다.

⑨ 전기력선은 당기고 있는 고무줄과 같이 언제나 수축하려고 하며, 전기장이 0이 아닌 곳에서 2개의 전기력선이 교차하지 않는다.

7 전속수 및 전속밀도

(1) 전 속

전하의 존재를 흐르는 선속으로 표시한 가상적인 선이며 Q[C]에서는 Q개의 전속선이 발생하고 1[C]에서는 1개의 전속선이 발생하며, 항상 전하와 같은 양의 전속이 발생하며 매질상수와 관계없다.

$\phi = Q$

(2) 전속밀도 : 단위 면적당 전속의 수

$$D = \frac{\text{전속}}{S} = \frac{Q}{S} = \frac{Q}{4\pi r^2} = \rho_s[\text{C/m}^2]$$

$$E = \frac{Q}{4\pi\varepsilon_0 r^2}[\text{V/m}],\ D = \frac{Q}{4\pi r^2}[\text{C/m}^2]\text{이므로 } D = \varepsilon_0 E[\text{C/m}^2]\text{이다.}$$

8 정전에너지

$$W = \frac{1}{2}CV^2 = \frac{1}{2}QV = \frac{Q^2}{2C}[\text{J}]$$

여기서, C : 정전용량[F]

Q : 전기량[C]

V : 전압[V]

제2절 정자계

1 쿨롱의 법칙

(1) 두 자하 사이에 작용하는 힘

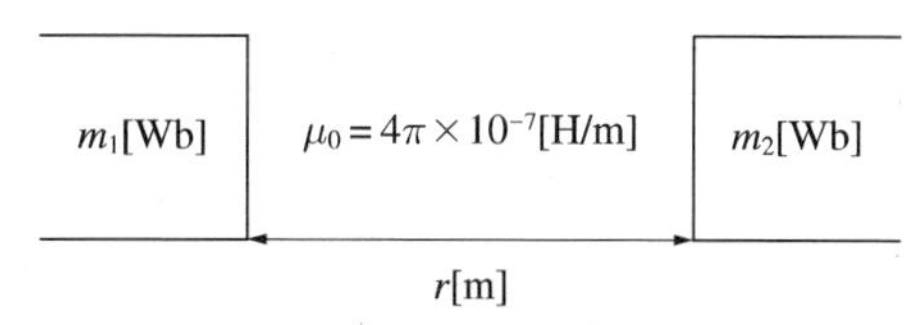

① 진공 중에서의 쿨롱의 힘

$$F = \frac{m_1 m_2}{4\pi\mu_0 r^2} = 6.33 \times 10^4 \times \frac{m_1 m_2}{r^2}\text{[N]}$$

여기서, $\mu_0 = 4\pi \times 10^{-7}$[H/m] : 진공 중의 투자율

② 매질에서의 쿨롱의 힘

$$F = \frac{m_1 m_2}{4\pi\mu_0\mu_s r^2} = 6.33 \times 10^4 \times \frac{m_1 m_2}{\mu_s r^2}\text{[N]}$$ (μ_s : 비투자율)

(2) 자계에서의 쿨롱의 법칙의 성질

① 서로 같은 극끼리는 반발력, 서로 다른 극끼리는 흡입력이 작용한다.
② 힘의 크기는 두 자하량의 곱에 비례하고 떨어진 거리의 제곱에 반비례한다.
③ 힘의 방향은 두 자하의 일직선상에 존재한다.
④ 힘의 크기는 매질과 관계가 있다.

2 자 계

(1) 자계의 세기의 정의

① 자장 안에 단위 점자극 1[Wb]를 놓았을 때의 힘의 세기
② 자기력선의 밀도가 그 점의 자계의 세기와 같다.
③ 자계에너지가 최소인 자하 분포

$$H = \frac{m}{4\pi\mu_0 r^2} = 6.33 \times 10^4 \times \frac{m}{r^2}\text{[AT/m]}$$

(2) 자계에 의해 작용하는 힘

$F = mH$[N], $H = \dfrac{F}{m}$[AT/m]

여기서, F : 힘[N]

m : 자극(자하)[Wb]

H : 자장의 세기[AT/m]

(3) 자기모멘트(M)

자극 m[Wb]와 다른 자극 간의 거리 l[m]와의 곱

$M = ml$[Wb·m]

(4) 막대자석의 회전력(T)

$T = mlH\sin\theta$[N·m] $= MH\sin\theta$

여기서, T : 토크[N·m]

m : 자하[Wb]

l : 거리[m]

H : 자장의 세기[AT/m]

M : 자기모멘트[Wb·m]

3 전류에 의한 자계의 세기

(1) 무한장 직선전류

직선 도체에 전류 I가 흐를 때 거리 r인 점 P의 자기장의 세기는

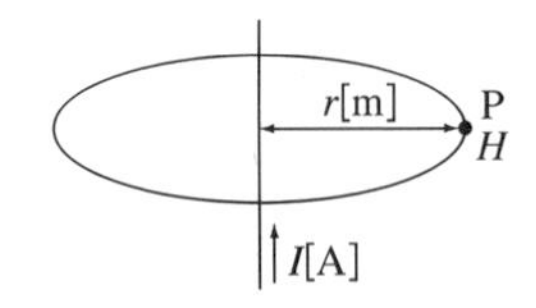

[무한장 직선장 전류에 의한 자기장]

$H = \dfrac{I}{l} = \dfrac{I}{2\pi r}$[AT/m]

여기서, I : 전류[A]

r : 거리[m]

(2) 원형 코일 중심

$H = \frac{NI}{2r}$ [AT/m]

여기서, r : 반지름[m]

(3) 환상 솔레노이드 내부의 자기장

권수가 N, 평균 반지름이 r[m], 전류 I가 흐를 때 내부의 자기장 H

내부자계 $H = \frac{NI}{l} = \frac{NI}{2\pi r}$ [AT/m]

외부자계 $H = 0$

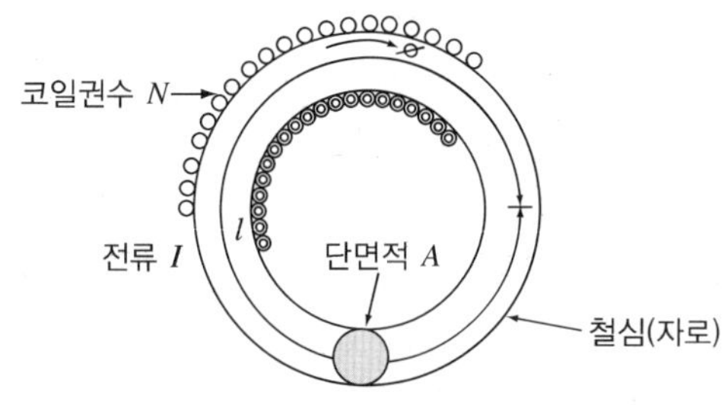

[환상 솔레노이드 내부의 자기장]

(4) 무한장 솔레노이드

내부자계 $H_I = NI$[AT/m](m : 단위 길이당 권수[회/m], [T/m])

외부자계 $H_0 = 0$

4 자력선의 성질

① 자기장의 상태를 표시하는 선을 가상하여 자기장의 크기와 방향을 표시한다.
② 자력선은 잡아당긴 고무줄과 같이 그 자신이 줄어들려고 하는 장력이 있으며, 같은 방향으로 향하는 자력선은 서로 반발한다.
③ 자력선은 서로 교차하지 않는다.
④ 자석의 N극에서 시작하여 S극에서 끝난다.

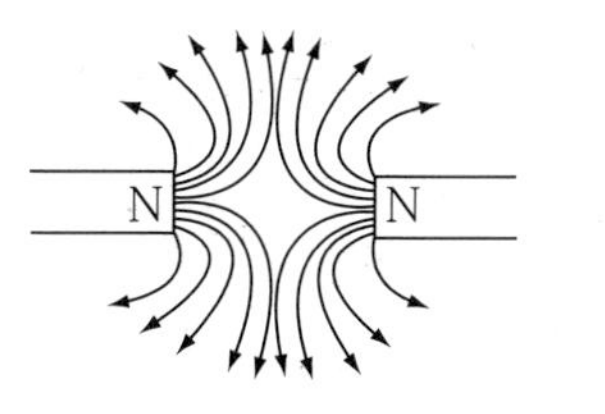

(a) 같은 극성의 자석

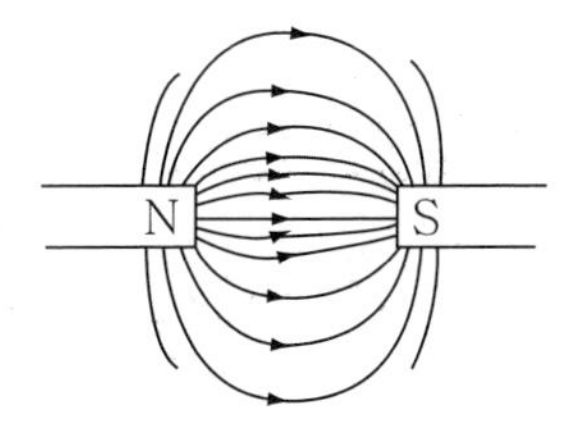

(b) 다른 극성의 자석

[자력선의 성질]

5 자속수 및 자속밀도

(1) 자 속

자극의 존재를 흐르는 자속으로 표시한 가상의 선으로 내부자하량 m[Wb]만큼 나오며 자극의 세기와 같고 매질상수와 관계없다.

$\phi = m$[Wb]

(2) 자속밀도

단위 면적당 자속의 수

$$B = \frac{\phi}{S} = \frac{m}{4\pi r^2} = \mu H = \mu_0 \mu_s H[\text{Wb/m}^2]$$

(3) 자기유도와 자성체

① 자기유도 : 자성체를 자석 가까이 놓으면 그 양단에 자극이 생긴다. 이때 그 물질이 자화되었다면 이 현상을 자기유도라 한다.

② 자화 : 쇳조각 등 자성체를 자석으로 만드는 것

③ 자성체의 종류

㉠ 강자성체 : $\mu_s \gg 1$인 물체 ⇒ 니켈(Ni), 코발트(Co), 망간(Mn), 철(Fe), 실리콘(Si) 등

㉡ 상자성체 : $\mu_s > 1$인 물체 ⇒ 알루미늄(Al), 백금(Pt), 산소(O), 공기

㉢ 반자성체 : $\mu_s < 1$인 물체 ⇒ 금(Au), 은(Ag), 구리(Cu), 아연(Zn)

6 자기회로의 옴 법칙

(1) 기자력(F[AT])

자속을 만드는 원동력으로 전기회로의 기전력에 대응된다.

$F = NI = \phi R_m$[AT]

여기서, N : 코일 감은 횟수(권선수)[T]

I : 전류[A]

ϕ : 자속[Wb]

R_m : 자기저항[AT/Wb]

(2) 자기저항(R_m[AT/Wb]) : 자속의 발생을 방해하는 성질의 정도

자기회로를 통하는 자속 ϕ는 NI[AT]에 비례하고 R_m에 반비례한다. 이런 관계를 자기회로의 옴의 법칙이라 한다.

$$R_m = \frac{l}{\mu A} = \frac{F}{\phi}\,[\mathrm{AT/Wb}]$$

여기서, μ : 투자율($\mu = \mu_0\mu_s$)

A : 면적[m^2]

l : 길이[m]

F : 기자력[AT]

7 앙페르의 오른나사법칙(전류와 자계의 방향)

전류에 의해서 생기는 자기장의 방향은 전류 방향에 따라 결정되며,

① **전류의 방향** : 오른나사의 진행 방향

② **자장의 방향** : 오른나사의 회전 방향이 된다.

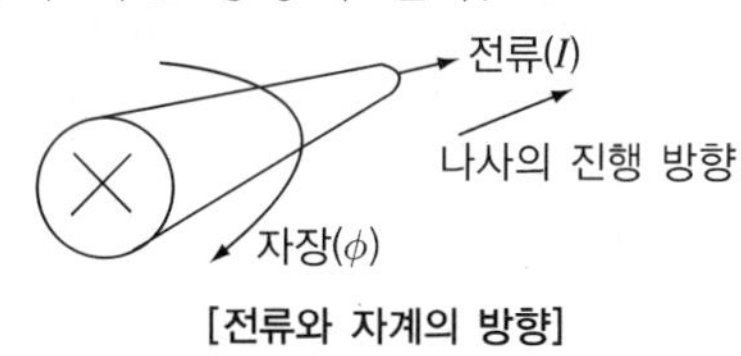

[전류와 자계의 방향]

8 비오-사바르의 법칙(전류에 의한 자계의 세기, Biot-Savart's Law)

I[A]의 전류가 흐르고 있는 도체의 미소 부분 Δl의 전류에 의해 이 부분에서 r[m] 떨어진 P점의 자기장 ΔH[AT/m]는 다음과 같다.

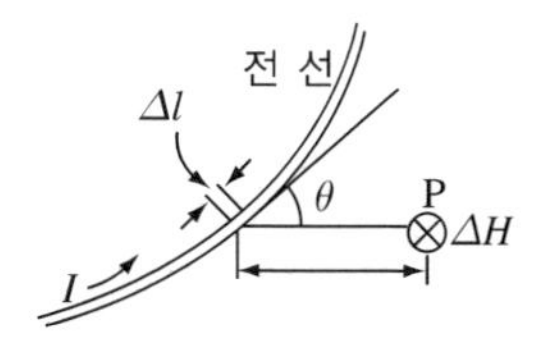

[전류에 의한 자계의 세기]

$$\Delta H = \frac{I\Delta l}{4\pi r^2}\sin\theta\,[\mathrm{AT/m}]$$

여기서, ΔH : P점의 자계의 세기[AT/m]

I : 도체의 전류[A]

Δl : 도체의 미소 부분[m]

r : 거리[m]

제 3 절 결합회로

1 자기인덕턴스와 상호인덕턴스

① 자기인덕턴스(Self Inductance)

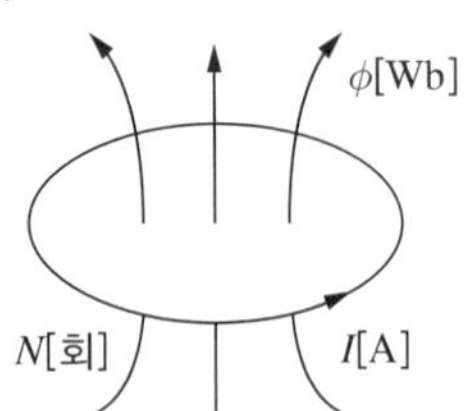

$\phi = LI$

$N\phi = LI$

㉠ 자기인덕턴스

역기전력이 자기 자신의 회로에 흐르는 전류의 변화로 유도될 때의 인덕턴스

$$L = \frac{N\phi}{I}[\text{H}] = \frac{N}{I} \times \frac{\mu ANI}{l} = \frac{\mu AN^2}{l}[\text{H}]$$

㉡ 자기인덕턴스에 의해 유기되는 기전력(패러데이 렌츠법칙)

$$e = -N\frac{d\phi}{dt} = -L\frac{di}{dt}[\text{V}]$$

※ 크기는 패러데이법칙, 방향은 렌츠의 법칙

2 상호인덕턴스 : M[H]

(1) 상호인덕턴스

$$M = K\sqrt{L_1 L_2}[\text{H}]$$

여기서, K : 결합계수

L_1, L_2 : 자기 인덕턴스[H]

(2) 결합계수

$$K = \frac{M}{\sqrt{L_1 L_2}}$$

① 인덕턴스의 직렬접속

㉠ 가동결합

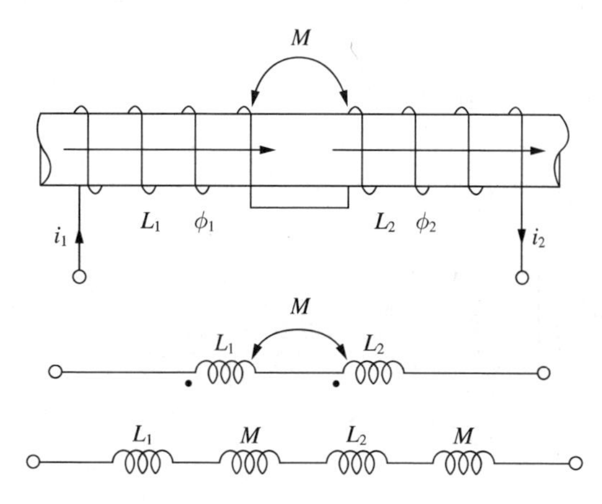

- 가극성 결합
- 자속의 방향이 같다.
- $L_0 = L_1 + L_2 + 2M$

㉡ 차동결합

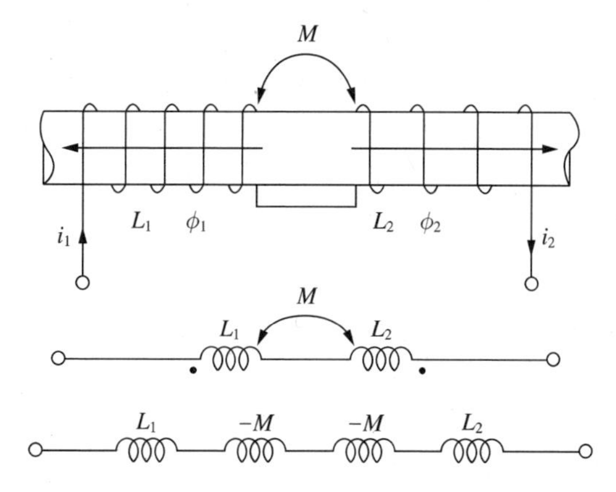

- 감극성 결합
- 자속의 방향이 반대
- $L_0 = L_1 + L_2 - 2M$

제4절 전자력

1 플레밍의 오른손법칙(발전기 원리)

$e = Blv\sin\theta$[V]

여기서, B : 자속밀도[Wb/m²]

l : 도체의 길이[m]

v : 도체의 속도[m/s]

θ : 도체의 방향과 자계의 각

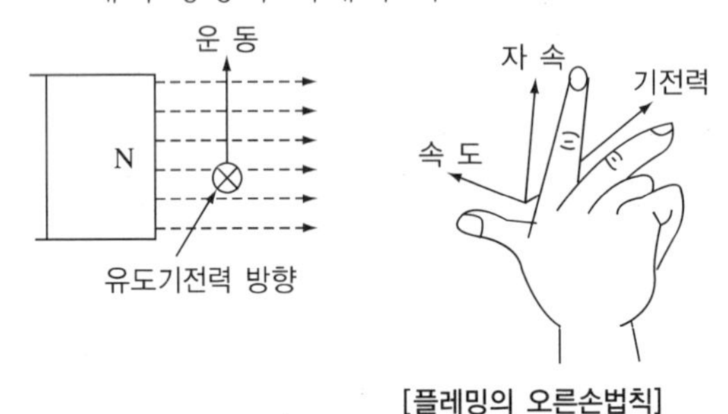

엄지 : 운동의 방향
검지 : 자속의 방향
중지 : 기전력의 방향

[플레밍의 오른손법칙]

2 플레밍의 왼손법칙(전동기 원리)

자기장 내에 있는 도체에 전류를 흘리면 힘이 작용하며, 이 힘을 전자력이라 한다.

(1) 전자력의 크기

$F = BIl\sin\theta$[N]

여기서, F : 전자력[N]

B : 자속밀도[Wb/m²]

I : 도체에 흐르는 전류[A]

l : 자장 중에 놓여 있는 도체의 길이[m]

θ : 자장과 도체에 이루는 각

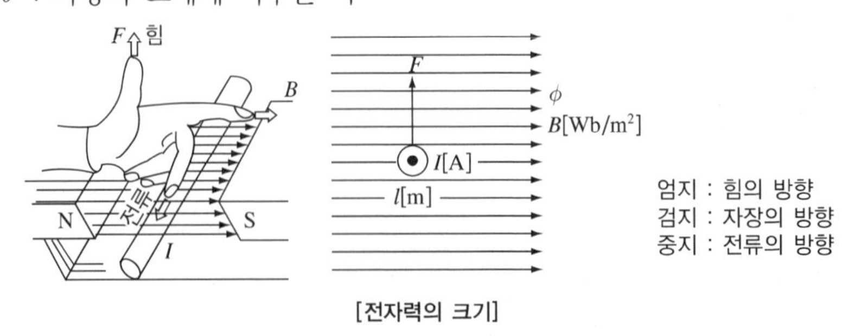

엄지 : 힘의 방향
검지 : 자장의 방향
중지 : 전류의 방향

[전자력의 크기]

자속밀도가 B[Wb/m^2]인 평등자장 중에서 길이가 l[m]인 도체와 자계가 이루는 각이 θ일 때 도체에 I[A]의 전류가 흐를 때 전자력(F)이 발생한다.

3 평행도체 사이에 작용하는 힘

$$F = \frac{\mu_0 I_1 I_2}{2\pi r} = \frac{2 I_1 I_2}{r} \times 10^{-7} [\mathrm{N}]$$

여기서, F : 평행도체 사이의 작용하는 힘[N]

μ_0 : 진공 중의 투자율[H/m]

$I_1 I_2$: 양도체 전류[A]

r : 거리[m]

① 반대 방향 전류일 때 : 반발력
② 같은 방향 전류일 때 : 흡인력

4 히스테리시스 곡선(Hysteresis Loop, 자기이력 곡선)

자기력 H의 변화에 지연되는 자속밀도 B를 나타낸 그래프

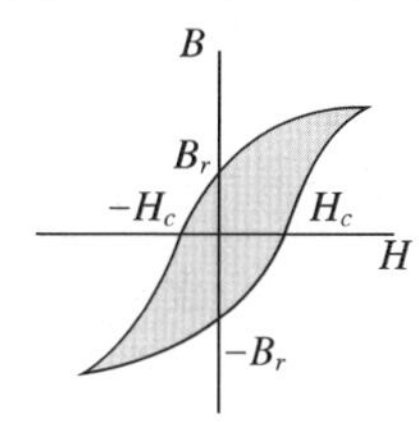

① 잔류자기와 보자력
㉠ 잔류자기(B_r) : 자장을 작용시켜 자화된 물체에 자장을 제거하여도 자력이 남아 있는 것
㉡ 보자력(H_c) : 자화된 자성체의 자화도를 0으로 만들기 위해 걸어주는 역자기장의 세기

② 영구자석과 전자석의 특징
㉠ 영구자석 : 보자력과 잔류자기가 크고 히스테리시스 곡선의 면적이 크다.
㉡ 전자석 : 잔류자기는 크고 보자력과 히스테리시스 곡선의 면적은 작다.

5 자계 에너지

(1) 에너지

① 코일에 축적되는 에너지

$$W = \frac{1}{2}LI^2[\mathrm{J}]$$

② 단위 체적당 축적 에너지

$$W = \int_0^B HdB = \int_0^B \frac{B}{\mu}dB = \frac{B^2}{2\mu} = \frac{1}{2}\mu H^2 = \frac{1}{2}BH[\mathrm{J/m^3}]$$

핵/심/예/제

01 **50[F]의 콘덴서 2개를 직렬로 연결하면 합성 정전용량은 몇 [F]인가?** [19년 1회]

① 25

② 50

③ 100

④ 1,000

해설 콘덴서 2개 직렬연결 시 합성 정전용량

$C_0 = \frac{C}{2} = \frac{50}{2} = 25$[F]

병렬 2개 연결 시

50[F] × 2 = 100[F]

핵심 예제

02 **두 콘덴서 C_1, C_2를 병렬로 접속하고 전압을 인가하였더니, 전체 전하량이 Q[C]이었다. C_2에 충전된 전하량은?** [19년 1회]

① $\frac{C_1}{C_1 + C_2}Q$

② $\frac{C_1 + C_2}{C_1}Q$

③ $\frac{C_1 + C_2}{C_2}Q$

④ $\frac{C_2}{C_1 + C_2}Q$

해설

- C_1에 충전된 전하량 : $Q_1 = \frac{C_1}{C_1 + C_2}Q$
- C_2에 충전된 전하량 : $Q = \frac{C_2}{C_1 + C_2}Q$

정답 1 ① 2 ④

핵심예제

03 **그림과 같은 회로 A, B 양단에 전압을 인가하여 서서히 상승시킬 때 제일 먼저 파괴되는 콘덴서는?(단, 유전체의 재질 및 두께는 동일한 것으로 한다)** [17년 2회]

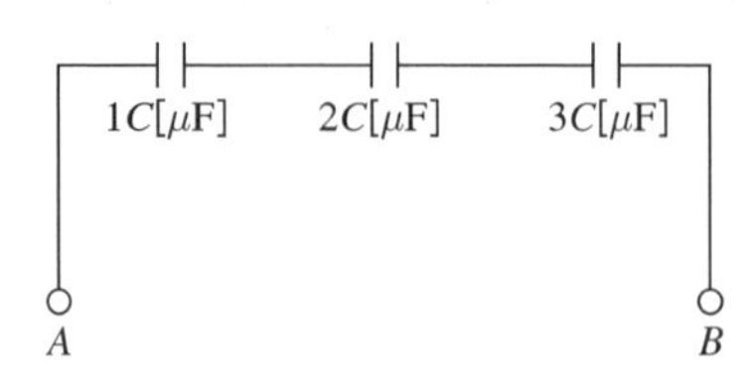

① $1C$

② $2C$

③ $3C$

④ 모 두

해설 정전용량(C)은 전하(Q)를 얼마나 저장할 수 있는가를 나타내기 때문에 정전용량이 작은 것은 전하를 담아둘 수 있는 한계가 빠르다. 그러므로 $1C$가 가장 빠르게 파괴되고, 다음에 $2C$, $3C$의 순서가 된다.

04 **정전용량이 0.02[μF]인 커패시터 2개와 정전용량이 0.01[μF]인 커패시터 1개를 모두 병렬로 접속하여 24[V]의 전압을 가하였다. 이 병렬회로의 합성 정전용량[μF]과 0.01[μF]의 커패시터에 축적되는 전하량[C]은?** [18년 1회, 21년 1회]

① $0.05,\ 0.12 \times 10^{-6}$

② $0.05,\ 0.24 \times 10^{-6}$

③ $0.03,\ 0.12 \times 10^{-6}$

④ $0.03,\ 0.24 \times 10^{-6}$

해설 **콘덴서의 병렬접속**

- 병렬로 접속된 콘덴서의 합성 정전용량($C = C_1 + C_2 + C_3$)을 먼저 계산한다.
  C = (2개 × 0.02[μF]) + 0.01[μF] = 0.05[μF]
- 전하량 $Q = CV$에서 $Q = (0.05 \times 10^{-6}[\text{F}]) \times 24[\text{V}] = 1.2 \times 10^{-6}[\text{C}]$
- 콘덴서가 병렬로 접속되어 있으므로 전압($V = V_1 = V_2 = V_3$)이 일정하다.

∴ 전압 $V = \dfrac{Q}{C}$에서 $\dfrac{Q}{C} = \dfrac{Q_1}{C_1}$이므로 정전용량 0.01[$\mu$F]에 가해지는 전기량이 Q_1일 때

$Q_1 = \dfrac{C_1}{C} \times Q$에서

$Q_1 = \dfrac{0.01[\mu\text{F}]}{0.05[\mu\text{F}]} \times 1.2 \times 10^{-6}[\text{C}] = 0.24 \times 10^{-6}[\text{C}]$

3 ① 4 ② 정답

05 내압이 1.0[kV]이고 정전용량이 각각 0.01[μF], 0.02[μF], 0.02[μF], 0.04[μF]인 3개의 커패시터를 직렬로 연결했을 때 전체 내압은 몇 [V]인가? [21년 2회]

① 1,500　　② 1,750
③ 2,000　　④ 2,200

해설　콘덴서 직렬 시 Q는 같다.

$C_1V_1 + C_2V_2 + C_3V_3 = Q$

$V_1 = \frac{Q}{C_1}$, $V_2 = \frac{Q}{C_2}$, $V_3 = \frac{Q}{C_3}$

내압이 같은 경우 각 콘덴서 양단에 걸리는 전압은 용량에 반비례하므로 용량이 제일 작은 0.01[μF]이 최초로 파괴되므로 0.01[μF]을 기준으로 한다.

$V_1 = V_2 = V_3 = \frac{1}{0.01} = \frac{1}{0.02} = \frac{1}{0.04} = 4:2:1$

$V_1 = \frac{4}{7}V$에서 $V = \frac{7}{4}V_1 = \frac{7}{4} \times 1{,}000 = 1{,}750$[V]

06 공기 중에 10[μC]과 20[μC]인 두 개의 점전하를 1[m] 간격으로 놓았을 때 발생되는 정전기력은 몇 [N]인가? [20년 4회]

① 1.2　　② 1.8
③ 2.4　　④ 3.0

해설　정전기력(힘)

$F = 9 \times 10^9 \times \frac{Q_1Q_2}{r^2} = 9 \times 10^9 \times \frac{10 \times 10^{-6} \times 20 \times 10^{-6}}{1^2} = 1.8$[N]

07 공기 중에 2[m]의 거리에 10[μC], 20[μC]의 두 점전하가 존재할 때 이 두 전하 사이에 작용하는 정전력은 약 몇 [N]인가? [19년 1회]

① 0.45　　② 0.9
③ 1.8　　④ 3.6

해설

$F = 9 \times 10^9 \times \frac{Q_1Q_2}{r} = \frac{Q_1Q_2}{4\pi\varepsilon_0 r^2}$

$= 9 \times 10^9 \times \frac{10 \times 10^{-6} \times 20 \times 10^{-6}}{2^2} = 0.45$[N]

정답　5 ②　6 ②　7 ①

08 진공 중에 놓인 5[μC]의 점전하에서 2[m]되는 점의 전계는 몇 [V/m]인가?

[17년 1회, 20년 3회]

① 11.25×10^3　② 16.25×10^3
③ 22.25×10^3　④ 28.25×10^3

해설 전계의 세기 : $E = 9 \times 10^9 \times \frac{Q}{r^2}$

$= 9 \times 10^9 \times \frac{5 \times 10^{-6}}{2^2} = 11.25 \times 10^3$[V/m]

09 진공 중 대전된 도체의 표면에 면전하밀도 σ[C/m^2]가 균일하게 분포되어 있을 때, 이 도체 표면에서의 전계의 세기 E[V/m]는?(단, ε_0는 진공의 유전율이다)

[20년 1회]

① $E = \frac{\sigma}{\varepsilon_0}$　② $E = \frac{\sigma}{2\varepsilon_0}$
③ $E = \frac{\sigma}{2\pi\varepsilon_0}$　④ $E = \frac{\sigma}{4\pi\varepsilon_0}$

핵심예제

해설 전속밀도 : $D = \sigma = \varepsilon E$[C/m^2]
[전속밀도(D) = 면전하밀도(σ)]
전계의 세기 : $E = \frac{\sigma}{\varepsilon} = \frac{\sigma}{\varepsilon_0}$[V/m]

10 공기 중에서 50[kW]의 방사 전력이 안테나에서 사방으로 균일하게 방사될 때, 안테나에서 1[km] 거리에 있는 점에서의 전계의 실횻값은 약 몇 [V/m]인가?

[17년 1회, 20년 3회]

① 0.87　② 1.22
③ 1.73　④ 3.98

해설 $P = EH (\because E = 377H)$

$P = EH = 377H^2 = \frac{E^2}{377} = \frac{P}{S}$

면적(구) : $S = 4\pi r^2$

$E^2 = \frac{P}{S} \times 377$

$= \sqrt{\frac{P}{S} \times 377} = \sqrt{\frac{P}{4\pi r^2} \times 377} = \sqrt{\frac{50 \times 10^3}{4\pi \times 1{,}000^2} \times 377}$

$\fallingdotseq 1.22$[V/m]

8 ① 9 ① 10 ② 정답

11

반지름 20[cm], 권수 50회인 원형코일에 2[A]의 전류를 흘려주었을 때 코일 중심에서 자계(자기장)의 세기[AT/m]는? [20년 1·2회]

① 70
② 100
③ 125
④ 250

해설 원형코일 중심에서 자계의 세기

$H = \frac{NI}{2r} = \frac{50 \times 2}{2 \times 0.2} = 250$[AT/m]

12

그림과 같이 반지름 r[m]인 원의 원주상 임의의 2점 a, b 사이에 전류 I[A]가 흐른다. 원의 중심에서의 자계의 세기는 몇 [AT/m]인가? [21년 1회]

핵심예제

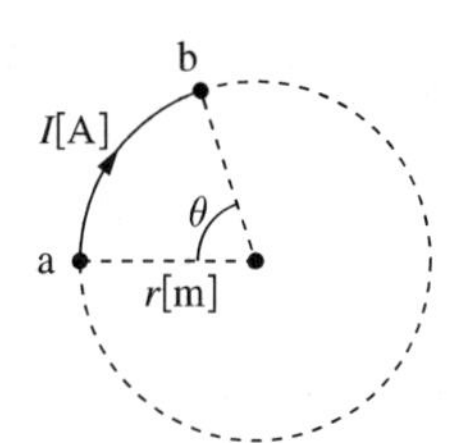

① $\frac{I\theta}{4\pi r}$
② $\frac{I\theta}{4\pi r^2}$
③ $\frac{I\theta}{2\pi r}$
④ $\frac{I\theta}{2\pi r^2}$

해설 원 중심에서 자계의 세기 $H = \frac{I}{2r}$[AT/m]

360°의 라디안 값은 2π[rad]이고, 원주상 θ[rad]만큼만 전류가 흐르고 있다.

∴ θ[rad]만큼만 전류가 흐를 때 원 중심에서 자계의 세기

$H_0 = H \times \frac{\theta}{2\pi} = \frac{I}{2r} \times \frac{\theta}{2\pi} = \frac{I\theta}{4\pi r}$[AT/m]

정답 11 ④ 12 ①

핵심예제

13 무한장 솔레노이드 자계의 세기에 대한 설명으로 틀린 것은? [18년 2회]

① 전류의 세기에 비례한다.
② 코일의 권수에 비례한다.
③ 솔레노이드 내부에서의 자계의 세기는 위치에 관계없이 일정한 평등자계이다.
④ 자계의 방향과 암페어 경로 간에 서로 수직인 경우 자계의 세기가 최고이다.

해설 무한장 솔레노이드 자계의 세기
솔레노이드 내부에서의 자계는 위치에 관계없이 평등자장이고, 누설자속이 없다.
- 내부자계 $H_I = NI$[AT/m]
  ([m] : 단위 길이당 권수[회/m], [T/m])
- 외부자계 $H_0 = 0$

14 길이가 1[cm]마다 감은 권선수가 50회인 무한장 솔레노이드에 500[mA]의 전류를 흘릴 때 솔레노이드 내부에서의 자계의 세기는 몇 [AT/m]인가? [21년 2회]

① 1,250　　② 2,500
③ 12,500　　④ 25,000

해설 무한장 솔레노이드
- 내부자계 : $H_i = NI$[AT/m]
- 외부자계 : $H_0 = 0$

$H_i = NI$에서(N은 1[m]당 감은 권수)
$= 50 \times 100 \times 500 \times 10^{-3} = 2{,}500$[AT/m]

15 다음 중 강자성체에 속하지 않는 것은? [20년 3회]

① 니 켈
② 알루미늄
③ 코발트
④ 철

해설
- 강자성체 : 철, 니켈, 코발트 등
- 상자성체 : 알루미늄, 백금, 산소 등

13 ④　14 ②　15 ② 정답

16 원형 단면적이 S[m^2], 평균 자로의 길이가 l[m], 1[m]당 권선수가 N회인 공심 환상솔레노이드에 I[A]의 전류를 흘릴 때 철심 내의 자속은? [18년 2회]

① $\dfrac{NI}{l}$

② $\dfrac{\mu_0 SNI}{l}$

③ $\mu_0 SNI$

④ $\dfrac{\mu_0 SN^2 I}{l}$

해설

자속 $\phi = \dfrac{F}{R_m} = \dfrac{NI}{\dfrac{l}{\mu_0 \mu_s S}} = \dfrac{\mu_0 \mu_s SNI}{l}$에서 μ_s 비투자율 = 1, $N = Nl$,

$\phi = \mu_0 SNI$

17 비투자율 $\mu_s = 500$, 평균 자로의 길이 1[m]의 환상 철심 자기회로에 2[mm]의 공극을 내면 전체의 자기저항은 공극이 없을 때의 약 몇 배가 되는가? [18년 2회]

① 5

② 2.5

③ 2

④ 0.5

해설

공극이 없을 때 $R_m = 1 + \dfrac{\mu_s A l_0}{l} = 1[\Omega]$($\because$ $l_0 = 0$)

공극 2[mm] $R_m = 1 + \dfrac{\mu_s A l}{l} = 1 + \dfrac{500 \times 2 \times 10^{-3}}{1} = 2[\Omega]$

∴ 2배(공극이 있을 때나 없을 때나 A는 같다)

정답 16 ③ 17 ③

18 길이 1[m]의 철심(비투자율 $\mu_s = 700$) 자기회로에 2[mm]의 공극이 생겼다면 자기저항은 몇 배 증가하는가?(단, 각 부의 단면적은 일정하다) [17년 1회]

① 1.4
② 1.7
③ 2.4
④ 2.7

해설

$$R = \frac{l}{\mu A}$$

• 공극이 없을 때 : $R_m = 1 + \frac{\mu_s A l_0}{l} = 1[\Omega]$ ($\because l_0 = 0$)

• 공극이 있을 때 : $R_m = 1 + \frac{\mu_s A l}{l} = 1 + \frac{700 \times 2 \times 10^{-3}}{1} = 2.4[\Omega]$

∴ 2.4배(공극이 있을 때나 없을 때나 A는 같다)

핵심예제

19 권선수가 100회인 코일을 200회로 늘리면 코일에 유기되는 유도기전력은 어떻게 변화하는가? [18년 1회]

① $\frac{1}{2}$로 감소
② $\frac{1}{4}$로 감소
③ 2배로 증가
④ 4배로 증가

해설

$$L = \frac{\mu A N^2}{l}$$

$$L \propto N^2 = \left(\frac{200}{100}\right)^2 = 4\text{배}$$

18 ③ 19 ④ 정답

20 전자유도현상에서 코일에 생기는 유도기전력의 방향을 정의한 법칙은? [18년 11회]

① 플레밍의 오른손법칙
② 플레밍의 왼손법칙
③ 렌츠의 법칙
④ 패러데이의 법칙

해설 **법칙 설명**

- 렌츠의 법칙 : 전자유도상 코일의 유도기전력의 방향은 자속의 변화를 방해하려는 방향으로 발생
- 패러데이의 법칙 : 전자유도에 의한 유도기전력의 크기를 결정하는 법칙

패러데이 렌츠 법칙 $e=-N\frac{d\phi}{dt}=-L\frac{di}{dt}$

21 다음과 같은 결합회로의 합성인덕턴스로 옳은 것은? [18년 1회]

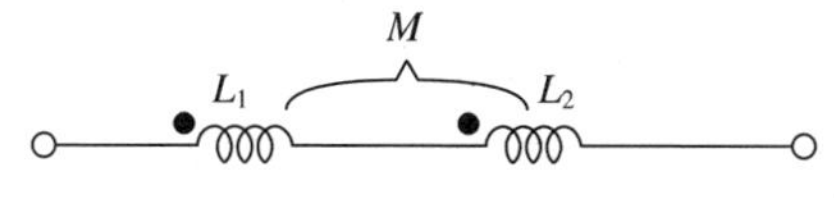

① L_1+L_2+2M
② L_1+L_2-2M
③ L_1+L_2-M
④ L_1+L_2+M

해설 가동접속 : $L=L_1+L_2+2M$
차동접속 : $L=L_1+L_2-2M$
$M=k\sqrt{L_1L_2}$

22 자기 인덕턴스 L_1, L_2가 각각 4[mH], 9[mH]인 두 코일이 이상적인 결합이 되었다면 상호 인덕턴스는 몇 [mH]인가?(단, 결합계수는 1이다) [21년 1회]

① 6
② 12
③ 24
④ 36

해설 결합계수 $k=\frac{M}{\sqrt{L_1L_2}}$
상호인덕턴스 $M=k\sqrt{L_1L_2}$ 에서
$M=1\times\sqrt{(4\times10^{-3}[\text{H}])\times(9\times10^{-3}[\text{H}])}=6\times10^{-3}[\text{H}]=6[\text{mH}]$

정답 20 ③ 21 ① 22 ①

23 두 개의 코일 L_1과 L_2를 동일방향으로 직렬 접속하였을 때 합성인덕턴스가 140[mH]이고, 반대방향으로 접속하였더니 합성 인덕턴스가 20[mH]이었다. 이때, $L_1 = 40$[mH]이면 결합계수 K는? [18년 2회]

① 0.38
② 0.5
③ 0.75
④ 1.3

해설

$$\begin{aligned} & L_1 + L_2 + 2M = 140 \\ - & \underline{L_1 + L_2 - 2M = 20} \\ & 4M = 120 \\ & M = 30[\text{mH}] \end{aligned}$$

$140 = 40 + L_2 + 2 \times 30$

$L_2 = 40[\text{mH}]$

$$K = \frac{M}{\sqrt{L_1 L_2}} = \frac{30}{\sqrt{40 \times 40}} = 0.75$$

핵심 예제

24 평행한 왕복 전선에 10[A]의 전류가 흐를 때 전선 사이에 작용하는 전자력[N/m]은?(단, 전선의 간격은 40[cm]이다) [20년 1·2회]

① 5×10^{-5}[N/m], 서로 반발하는 힘
② 5×10^{-5}[N/m], 서로 흡인하는 힘
③ 7×10^{-5}[N/m], 서로 반발하는 힘
④ 7×10^{-5}[N/m], 서로 흡인하는 힘

해설 평행 도선에 작용하는 힘

$$F = \frac{2I_1 I_2}{r} \times 10^{-7} = \frac{2 \times 10 \times 10}{0.4} \times 10^{-7} = 5 \times 10^{-5}[\text{N}]$$

왕복 도선(반대방향 전류)이므로 두 도체 간에는 반발력이 작용한다.

23 ③ 24 ① 정답

25 1[cm]의 간격을 둔 평행 왕복전선에 25[A]의 전류가 흐른다면 전선 사이에 작용하는 전자력은 몇 [N/m]이며, 이것은 어떤 힘인가? [18년 1회]

① 2.5×10^{-2}, 반발력
② 1.25×10^{-2}, 반발력
③ 2.5×10^{-2}, 흡인력
④ 1.25×10^{-2}, 흡인력

해설

전자력 : $F = 2 \times 10^{-7} \times \frac{I_1 I_2}{r}$

$= 2 \times 10^{-7} \times \frac{25 \times 25}{10^{-2}}$

$= 1.25 \times 10^{-2}$[N/m]

∴ 반발력

※ 같은 방향 : 흡인력, 반대 방향 : 반발력

핵심예제

26 평행한 두 도선 사이의 거리가 r이고, 각 도선에 흐르는 전류에 의해 두 도선 간의 작용력이 F_1일 때, 두 도선 사이의 거리를 $2r$로 하면 두 도선 간의 작용력 F_2는? [21년 1회]

① $F_2 = \frac{1}{4}F_1$
② $F_2 = \frac{1}{2}F_1$
③ $F_2 = 2F_1$
④ $F_2 = 4F_1$

해설

평행한 두 도선 사이에 작용하는 전자력(F)

전자력 $F = \frac{2I_1 I_2}{r} \times 10^{-7}$[N/m]

∴ 두 도선 간의 전자력 $F_1 \propto \frac{1}{r_1}$이므로 거리가 $r_2 = 2r_1$이 되면 전자력은 $F_2 = \frac{1}{2r_1}$에서

$\frac{F_2}{F_1} = \frac{\frac{1}{2r_1}}{\frac{1}{r_1}} = \frac{\frac{1}{2r_1} \times r_1}{\frac{1}{r_1} \times r_1} = \frac{1}{2}$이고 $F_2 = \frac{1}{2}F_1$이다.

정답 25 ② 26 ②

CHAPTER 04 자동제어

제1절 반도체 소자

1 반도체 소자의 특성

(1) 진성 반도체

4가의 원자를 말하며, 실리콘(Si)이나 게르마늄(Ge) 등과 같이 불순물이 섞이지 않은 순수한 반도체

① 정(+)저항 온도계수 : 온도가 올라가면 저항이 증가
② 부(−)저항 온도계수 : 온도가 올라가면 저항이 감소

(2) 불순물 반도체

① P형 반도체 : 3가 원자 인듐(In), 알루미늄(Al), 갈륨(Ga), 붕소(B)의 첨가 불순물 : 억셉터, 다수 캐리어를 정공이라 한다.
② N형 반도체 : 5가 원자 인(P), 비소(As), 안티몬(Sb)의 첨가 불순물 : 도너, 다수 캐리어를 전자라고 한다.
③ PN 접합 반도체의 정류작용 : 전압의 방향에 따라 전류를 흐르게 하거나 흐르지 못하게 하는 정류특성을 가진다.

2 다이오드 소자

(1) 다이오드

P형 반도체와 N형 반도체의 조합으로, 정류작용을 하는 대표적인 소자로서 애노드(A)에서 캐소드(K)방향으로만 도통시키는 단방향 소자이다.

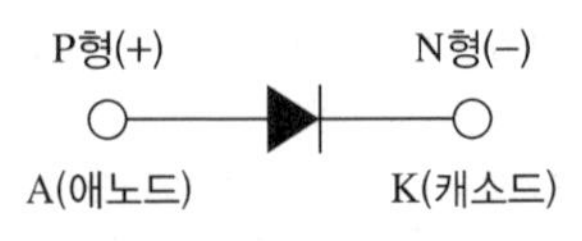

단방향(역저지) 2단자(극) 소자

① PN접합형 소자 : 정류작용
② 순방향 : A(애노드) → K(캐소드), 전류가 흐른다.
③ 역방향 : K(캐소드) → A(애노드), 전류가 흐르지 않는다.

(2) 제너 다이오드 : 정전압 다이오드

교류입력전압이 변하여도 직류측 출력전압은 항상 일정하게 유지하는 다이오드

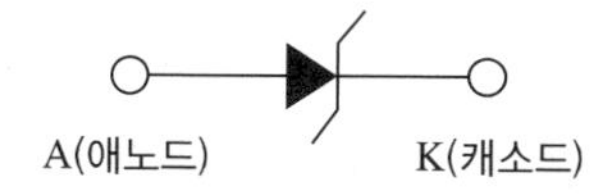

(3) 발광 다이오드(LED) : 전류를 빛으로 변환시키는 다이오드

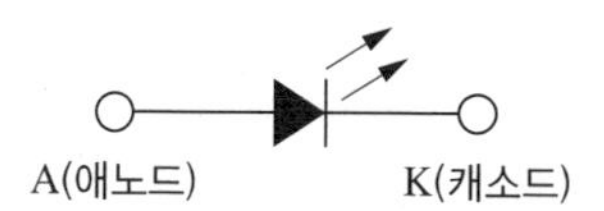

① 응답속도가 빠르다.
② 수명이 길고, 효율이 좋다.
③ 소비전력이 작고, 내구성이 우수하다.
④ 소형이며 발열량이 적고, 친환경적이다.

(4) 터널 다이오드 : 발진작용, 증폭작용, 스위치(개폐)작용을 하는 다이오드

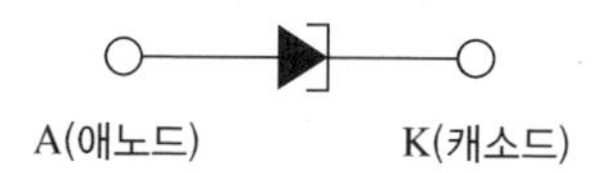

(5) 포토 다이오드(광다이오드) : 빛에너지를 전기에너지로 변환시키는 다이오드. 빛이 닿으면 전류가 발생

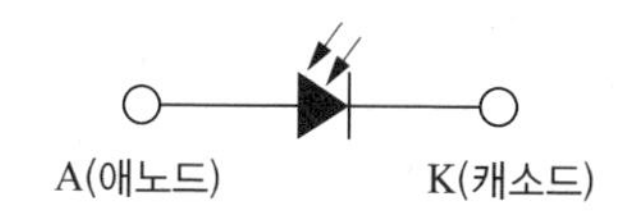

(6) 다이오드 보호

① **과전압으로부터 보호** : 다이오드를 추가 직렬접속
(직렬회로 : 전류일정, 전압분배)
② **과전류로부터 보호** : 다이오드를 추가 병렬접속
(병렬회로 : 전압일정, 전류분배)

3 트랜지스터(TR)

P형 반도체와 N형 반도체를 세 개의 층으로 접합하여 만들며 어떻게 접합하느냐에 따라 PNP형과 NPN형 트랜지스터로 구분된다.
트랜지스터의 전극은 가운데의 베이스(Base ; B)와 전자나 정공을 방출하는 이미터(Emitter ; E), 이미터에서 방출된 전자나 정공을 모으는 컬렉터(Collector ; C)로 구성된다.

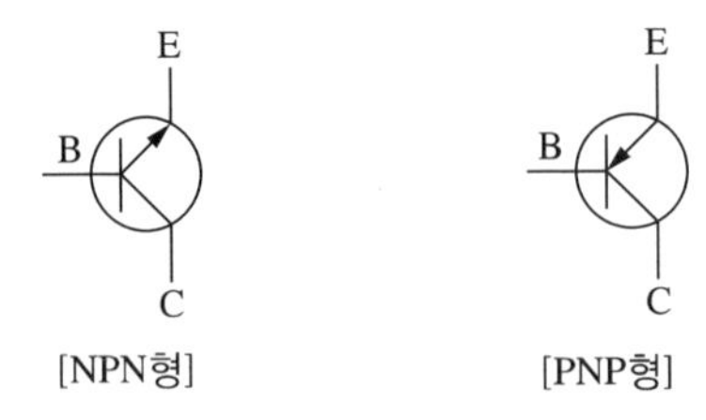

[NPN형] [PNP형]

(1) 트랜지스터 특징

① 전류나 전압 흐름을 조절하여 증폭, 스위치 역할을 한다.
② 접합형 트랜지스터와 전기장효과(전계효과) 트랜지스터로 구분된다.
③ E(이미터), B(베이스), C(컬렉터)로 3개의 단자를 갖는다.
④ 심벌에서 화살표는 전류의 방향을 나타낸다.

(2) MOSFET(금속 산화막 반도체 전계효과 트랜지스터)

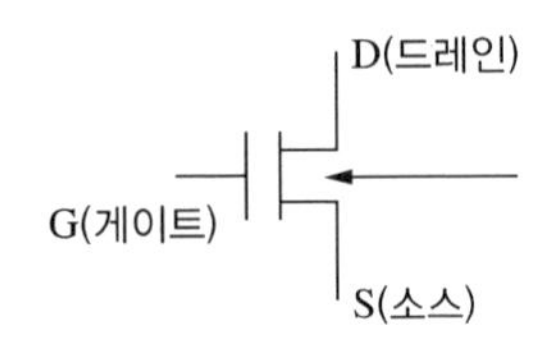

① 2차 항복전압이 없으며, 소전력으로 작동한다.
② 안정적이며, 집적도가 높다.
③ 큰 입력저항으로서 게이트전류가 거의 흐르지 않는다.

(3) 전류증폭률 : $\beta = \frac{I_C}{I_B} = \frac{I_C}{I_E - I_C}$

여기서, I_C : 컬렉터전류
I_E : 이미터전류
I_B : 베이스전류

(4) 전류증폭정수 : $\alpha = \frac{\beta}{1+\beta}$

(5) 이상적인 트랜지스터 : $\alpha = 1$

4 서미스터(Thermistor) : 감온저항기

열에 의해 민감하게 작용하는 저항체로서 온도보상용으로 사용된다.

(1) 종 류

① NTC : 부(-)저항 온도계수를 갖는 서미스터로서 온도가 올라가면 저항값이 낮아지는 특성을 갖는다.

② PTC : 정(+)저항 온도계수를 갖는 서미스터로서 온도가 올라가면 저항값이 높아지는 특성을 갖는다.

5 바리스터(Varistor) : 서지 보호기

전원 스위칭 회로에서 On/Off 시에 순간적으로 높은 전압(서지)이 발생하며 이를 차단시켜 준다.

(1) 특 징

① 서지전압(이상전압)에 대한 회로 보호용

② 2단자 소자로서 비직선적인 전압, 전류 특성을 갖는다.

③ 서지에 의한 접점의 불꽃 제거

제2절 반도체 정류

1 단상 반파 정류(다이오드 1개 이용)

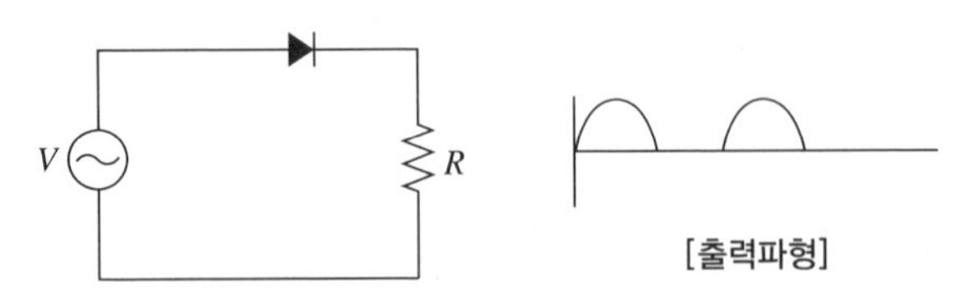

(1) 직류전압 : $V_d = \frac{\sqrt{2}}{\pi}V - e = 0.45V - e$[V]

(2) 직류전류 : $I_d = \frac{V_d}{R} = \frac{\frac{\sqrt{2}}{\pi}V}{R} = \frac{\sqrt{2}}{\pi} \cdot \frac{V}{R} = 0.45I$[A]

(3) 최대역전압(최대첨두전압)

역방향 반주기 동안 전원 전압이 다이오드에 인가되는 전압의 최댓값

$PIV = \sqrt{2}\,V$[V]

여기서, V_d : 직류전압(평균값)

V : 교류전압(실횻값), 변압기 2차 전압

I_d : 직류전류(평균값)

I : 교류전류(실횻값)

e : 전압강하(주어지지 않을 시 무시)

2 단상 전파 정류(다이오드 2개, 4개 이용)

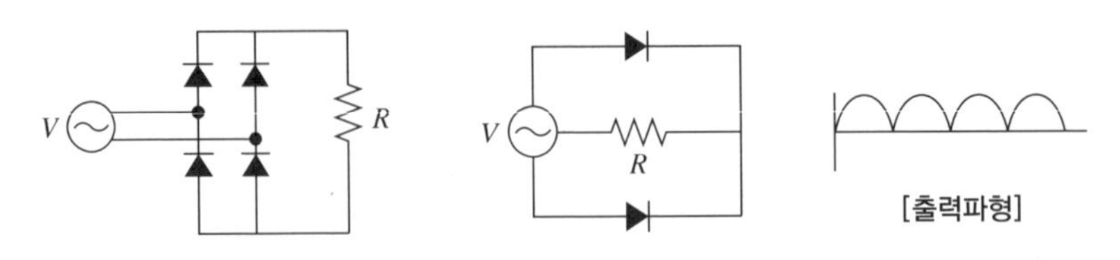

(1) 직류전압 : $V_d = \frac{2\sqrt{2}}{\pi}V - e = 0.9V - e$[V]

(2) 직류전류 : $I_d = \frac{V}{R} = \frac{\frac{2\sqrt{2}}{\pi}V}{R} = \frac{2\sqrt{2}}{\pi} \cdot \frac{V}{R} = 0.9I[\text{A}]$

(3) 최대역전압(최대첨두전압) : $PIV = 2\sqrt{2}\,V$

구 분	단상 반파	단상 전파	3상 반파	3상 전파
직류전압	$V_d = 0.45V$	$V_d = 0.9V$	$V_d = 1.17V$	$V_d = 1.35V$
직류전류	$I_d = 0.45I$	$I_d = 0.9I$	$I_d = 1.17I$	$I_d = 1.35I$
최대역전압	$PIV = \sqrt{2}\,V$	$PIV = 2\sqrt{2}\,V$	–	–
맥동률	121[%]	48[%]	17[%]	4[%]
맥동주파수	f(60[Hz])	$2f$(120[Hz])	$3f$(180[Hz])	$6f$(360[Hz])

3 맥동분

(1) 맥동률

$$맥동률 = \frac{교류분}{직류분} \times 100[\%]$$

(2) 맥동분 제거

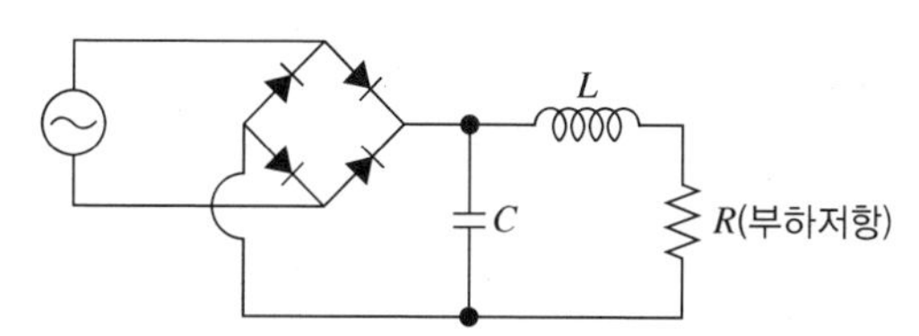

① 콘덴서(C) : 정류회로 출력 측에 병렬 설치(전압 맥동분 제거)

② 리액터(L) : 정류회로 출력 측에 직렬 설치(전류 맥동분 제거)

4 사이리스터(Thyristor)

실리콘 제어 정류 소자로서 사이리스터의 대표적인 소자는 SCR이다.

(1) SCR(실리콘 제어 정류 소자)

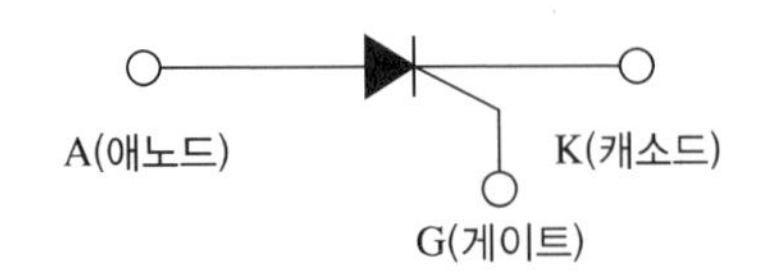

단방향(역저지) 3단자(극)

① 특 징
- ㉠ 위상제어소자, 정류작용
- ㉡ 게이트 작용 : 브레이크 오버작용
- ㉢ 구조 : PNPN 4층 구조
- ㉣ 직류, 교류 모두 사용 가능
- ㉤ 부(-)저항 특성을 갖는다.
- ㉥ 순방향 시 전압강하가 작다.
- ㉦ 사이라트론과 전압 전류 특성이 비슷하다.
- ㉧ 게이트 전류에 의하여 방전개시전압 제어
- ㉨ 소형이면서 대전력 계통에 사용
- ㉩ SCR 도통 후 게이트 전류를 차단하여도 도통상태 유지

② 턴온(Turn-on) 방법
- ㉠ 게이트에 래칭전류 이상의 전류 인가
- ㉡ 브레이크오버전압 이상의 전압 인가
- ㉢ 게이트에 일정량 이상의 빛을 비추어 도통(LA SCR)

③ 턴오프(Turn-off) 방법
- ㉠ 애노드(A)를 0 또는 음(-)으로 한다.
- ㉡ 유지전류 이하로 한다.
- ㉢ 전원차단 또는 역방향 전압 인가

④ GTO(Gate Turn Off Thyristor)
- ㉠ 게이트 단자로 ON, OFF 가능
- ㉡ 게이트에 (+)전원 인가 : Turn-on(도통)
- ㉢ 게이트에 (-)전원 인가 : Turn-off(소호)
- ㉣ 자기소호능력이 우수하다.

⑤ 유지전류

㉠ 래칭전류 : SCR이 OFF상태에서 ON상태로의 전환이 이루어지고, 트리거 신호가 제거된 직후에 SCR을 ON상태로 유지하는 데 필요한 최소 양극전류

㉡ 홀딩전류(유지전류) : SCR의 ON상태를 유지하기 위한 최소 양극전류

(2) SCS

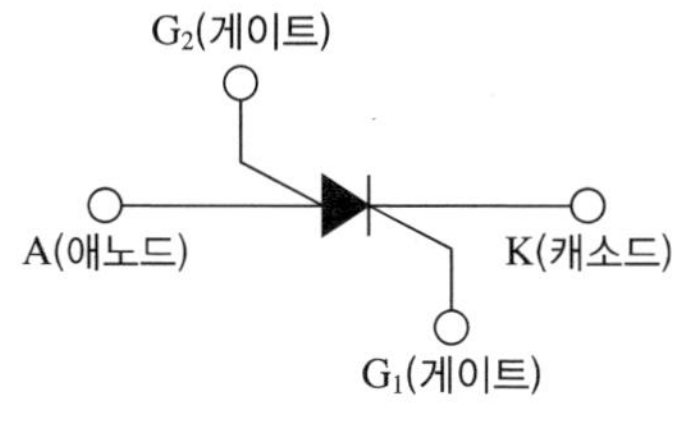

단방향(역저지) 4단자(극)

① 특 징

㉠ 게이트 단자가 2개이다.

㉡ 양쪽게이트 어느 쪽에서든 신호가 들어오면 도통

(3) SSS

양방향(쌍방향) 2단자(극)

① 특 징

㉠ 게이트단자가 없다.

㉡ 브레이크오버전압 이상의 전압으로 도통

㉢ 자기회복능력이 우수하다.

(4) DIAC

양방향(쌍방향) 2단자(극)

① 특 징

㉠ 게이트단자가 없다.

㉡ 교류(AC)제어 전용이다.

㉢ 직류는 사용할 수 없다.

(5) TRIAC

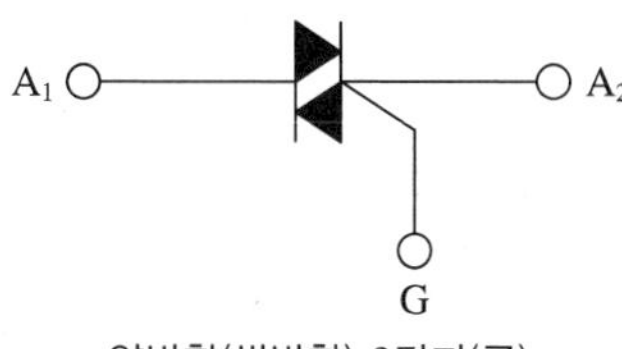

양방향(쌍방향) 3단자(극)

① 특 징

㉠ 과전압에 의해 파괴되지 않는다.

㉡ 교류(AC)제어 전용이다.

㉢ 직류는 사용할 수 없다.

핵/심/예/제

핵심 예제

01 P형 반도체에 첨가되는 불순물에 관한 설명으로 옳은 것은? [18년 2회]

① 5개의 가전자를 갖는다.
② 억셉터 불순물이라 한다.
③ 과잉전자를 만든다.
④ 게르마늄에는 첨가할 수 있으나 실리콘에는 첨가가 되지 않는다.

해설
- P형 반도체 (+) 양극
  - 3가불순물 → Ge(게르마늄), Si(실리콘) 첨가 (억셉터)
  - 다수캐리어 : 정공(홀)
- N형 반도체 불순물 : 도너

02 전원 전압을 일정하게 유지하기 위하여 사용하는 다이오드는? [20년 1·2회]

① 쇼트키 다이오드
② 터널 다이오드
③ 제너 다이오드
④ 버랙터 다이오드

해설 제너 다이오드 : 정전압 다이오드
교류입력전압이 변하여도 직류측 출력전압은 항상 일정하게 유지하는 다이오드

03 터널 다이오드를 사용하는 목적이 아닌 것은? [18년 1회]

① 스위칭작용
② 증폭작용
③ 발진작용
④ 정전압 정류작용

해설 터널 다이오드 : 발진작용, 증폭작용, 개폐(스위칭)작용
제너 다이오드 : 정전압 정류작용

1 ② 2 ③ 3 ④ 정답

04 반도체에 빛을 쬐이면 전자가 방출되는 현상은? [18년 1회]

① 홀효과
② 광전효과
③ 펠티에효과
④ 압전기효과

해설 **광전효과** : 조사되는 빛에 의해 전자가 방출되는 현상

05 빛이 닿으면 전류가 흐르는 다이오드로서 들어온 빛에 대해 직선적으로 전류가 증가하는 다이오드는? [17년 1회, 21년 2회]

① 제너 다이오드
② 터널 다이오드
③ 발광 다이오드
④ 포토 다이오드

해설 **포토 다이오드** : 빛이 닿으면 전류가 발생하는 다이오드

06 다이오드를 여러 개 병렬로 접속하는 경우에 대한 설명으로 옳은 것은? [17년 1회]

① 과전류로부터 보호할 수 있다.
② 과전압으로부터 보호할 수 있다.
③ 부하 측의 맥동률을 감소시킬 수 있다.
④ 정류기의 역방향 전류를 감소시킬 수 있다.

해설 **다이오드 접속**

- 직렬접속 : 전압이 분배되므로 과전압으로부터 보호
- 병렬접속 : 전류가 분류되므로 과전류로부터 보호

정답 4 ② 5 ④ 6 ①

07 다이오드를 사용한 정류회로에서 과전압 방지를 위한 대책으로 가장 알맞은 것은?

[19년 2회]

① 다이오드를 직렬로 추가한다.
② 다이오드를 병렬로 추가한다.
③ 다이오드의 양단에 적당한 값의 저항을 추가한다.
④ 다이오드의 양단에 적당한 값의 콘덴서를 추가한다.

해설 **다이오드 접속**
- 직렬접속 : 전압이 분배되므로 과전압으로부터 보호
- 병렬접속 : 전류가 분류되므로 과전류로부터 보호

08 MOSFET(금속-산화물 반도체 전계효과 트랜지스터)의 특성으로 틀린 것은? [17년 1회]

① 2차 항복이 없다.
② 집적도가 낮다.
③ 소전력으로 작동한다.
④ 큰 입력저항으로 게이트 전류가 거의 흐르지 않는다.

핵심예제

해설 **MOSFET의 특성**
- 2차 항복전압이 없으며, 큰 입력저항으로서 게이트전류가 거의 흐르지 않는다.
- 안정적이며, 집적도가 높다.
- 소전력으로 작동한다.

09 이미터 전류를 1[mA] 증가시켰더니 컬렉터 전류는 0.98[mA] 증가되었다. 이 트랜지스터의 증폭률 β는?

[19년 2회]

① 4.9
② 9.8
③ 49.0
④ 98.0

해설 **전류증폭률** : $\beta = \dfrac{I_C}{I_E - I_C} = \dfrac{0.98}{1-0.98} = 49$

7 ① 8 ② 9 ③ 정답

10 이상적인 트랜지스터의 α값은?(단, α는 베이스접지 증폭기의 전류증폭률이다) [17년 4회]

① 0

② 1

③ 100

④ ∞

해설 이상적인 트랜지스터 베이스접지 전류증폭률 $\alpha = 1$

11 열감지기의 온도감지용으로 사용하는 소자는? [17년 2회, 18년 4회, 19년 1회, 2회, 21년 1회]

① 서미스터

② 바리스터

③ 제너 다이오드

④ 발광 다이오드

해설 **서미스터 특징**

- 온도보상용
- 부(−)저항 온도계수 $\left(\text{온도} \propto \dfrac{1}{\text{저항}}\right)$

바리스터 : 이상전압 회로보호용, 서지에 의한 접점의 불꽃 소거

12 제어기기 및 전자회로에서 반도체 소자별 용도에 대한 설명 중 틀린 것은? [17년 2회]

① 서미스터 : 온도 보상용으로 사용

② 사이리스터 : 전기신호를 빛으로 변환

③ 제너 다이오드 : 정전압소자(전원전압을 일정하게 유지)

④ 바리스터 : 계전기 접점에서 발생하는 불꽃 소거에 사용

해설
- 사이리스터 : 실리콘 제어 정류소자
- 발광 다이오드(LED) : 전기신호를 빛으로 변환

정답 10 ② 11 ① 12 ②

13 바리스터(Varistor)의 용도는?

[19년 4회]

① 정전류 제어용
② 정전압 제어용
③ 과도한 전류로부터 회로보호
④ 과도한 전압으로부터 회로보호

해설 **바리스터 특징**
- 서지전압(이상전압)에 대한 회로보호용
- 서지에 의한 접점의 불꽃 소거

서미스터 특징
- 온도보상용
- 부(−)저항 온도계수$\left(\text{온도} \propto \dfrac{1}{\text{저항}}\right)$

14 단상 반파 정류회로에서 교류 실횻값 220[V]를 정류하면 직류 평균전압은 약 몇 [V]인가? (단, 정류기의 전압강하는 무시한다)

[19년 2회]

① 58
② 73
③ 88
④ 99

해설
- 단상 반파정류에서 직류전압
  $V_d = 0.45V = 0.45 \times 220 = 99$[V]
- 단상 전파전류
  $V_d = 0.9$[V]

15 단상변압기의 권수비가 $a = 8$이고, 1차 교류 전압의 실효치는 110[V]이다. 변압기 2차 전압을 단상 반파 정류회로를 이용하여 정류했을 때 발생하는 직류전압의 평균치는 약 몇 [V]인가?

[20년 1·2회]

① 6.19
② 6.29
③ 6.39
④ 6.88

해설 **단상 반파 정류에서 직류전압**
$V_d = 0.45V = 0.45 \times 13.75 ≒ 6.19$[V]
교류전압(변압기 2차 전압)
$V = \dfrac{V_1}{a} = \dfrac{110}{8} = 13.75$[V]

13 ④ 14 ④ 15 ① 정답

16 그림과 같은 반파 정류회로에 스위치 A를 사용하여 부하저항 R_L을 떼어 냈을 경우, 콘덴서 C의 충전전압[V]은? [17년 1회]

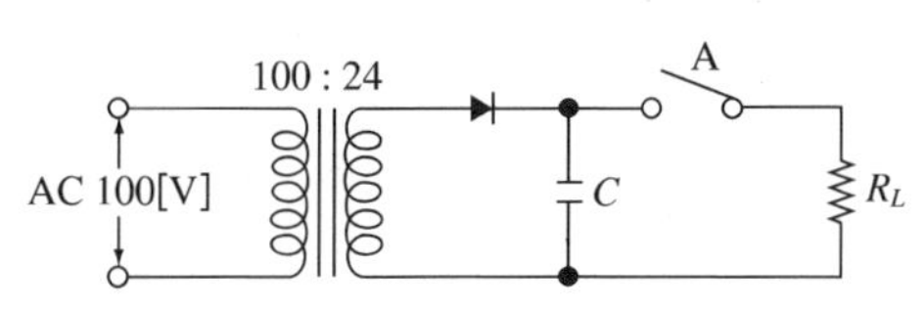

① 12π

② 24π

③ $12\sqrt{2}$

④ $24\sqrt{2}$

해설 스위치 A 개방 시 R_L이 없어지므로 C에 전압이 최댓값까지 충전된다.
$\therefore\ V_m = \sqrt{2}\,V = \sqrt{2} \times 24 = 24\sqrt{2}$

17 60[Hz]의 3상 전압을 전파 정류하였을 때 맥동주파수[Hz]는? [20년 4회]

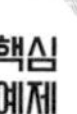

① 120

② 180

③ 360

④ 720

해설 3상 전파 정류 맥동주파수
$= 6f = 6 \times 60 = 360$[Hz]

18 50[Hz]의 3상 전압을 전파 정류하였을 때 리플(맥동)주파수[Hz]는? [20년 3회]

① 50

② 100

③ 150

④ 300

해설 3상 전파(6상 반파) 정류 맥동주파수
$= 6f = 6 \times 50 = 300$[Hz]

정답 16 ④ 17 ③ 18 ④

19 SCR의 양극 전류가 10[A]일 때 게이트 전류를 반으로 줄이면 양극 전류는 몇 [A]인가?

[19년 1회]

① 20
② 10
③ 5
④ 0.1

해설 게이트 단자는 SCR을 도통(ON)시키는 용도이며 도통 후 게이트전류를 변경시켜도 도통전류는 변하지 않고 10[A] 그대로 흐른다.

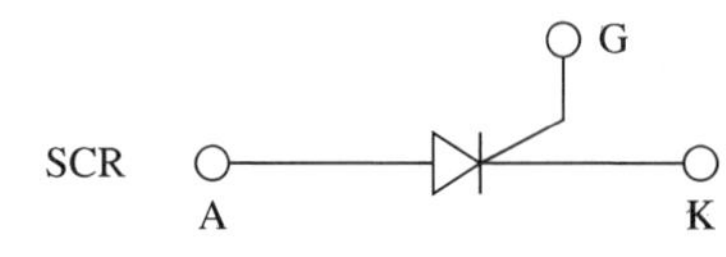

20 단방향 대전류의 전력용 스위칭 소자로서 교류의 위상 제어용으로 사용되는 정류소자는?

[21년 2회]

① 서미스터
② SCR
③ 제너 다이오드
④ UJT

해설
- 실리콘 제어 정류소자(SCR)
  - 단방향(역저지) 3단자 소자
  - 정류소자, 위상제어
  - PNPN 4층 구조
  - 직류제어, 교류제어에 모두 사용
- 서미스터 : 온도보상용으로 사용
- 제너 다이오드 : 정전압 다이오드
- UJT : 스위칭회로, 펄스회로, 발전기

19 ② 20 ② 정답

21 SCR(Silicon-Controlled Rectifier)에 대한 설명으로 틀린 것은? [19년 1회]

① PNPN 소자이다.
② 스위칭 반도체 소자이다.
③ 양방향 사이리스터이다.
④ 교류의 전력제어용으로 사용된다.

해설 **실리콘 제어 정류소자(SCR)**
- 정류소자, 위상제어
- PNPN 4층 구조
- 직류제어, 교류제어 모두 사용
- 단방향(역저지) 3단자 소자

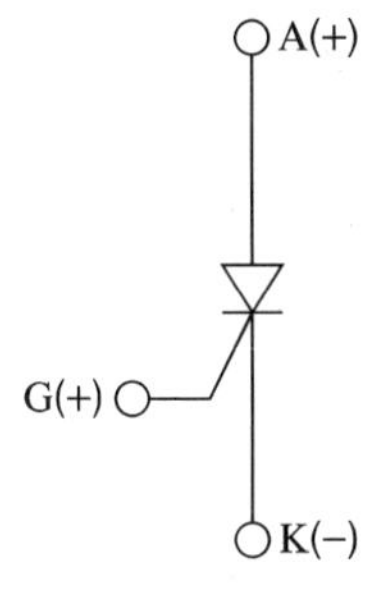

22 SCR를 턴온시킨 후 게이트 전류를 0으로 하여도 온(ON)상태를 유지하기 위한 최소의 애노드 전류를 무엇이라 하는가? [19년 2회]

① 래칭전류
② 스텐드온전류
③ 최대전류
④ 순시전류

해설 **래칭전류** : SCR이 OFF 상태에서 ON 상태로의 전환되고, 트리거 신호가 제거된 직후에 SCR을 ON 상태로 유지하는 데 필요로 하는 최소한의 양극전류

정답 21 ③ 22 ①

23 다음 중 쌍방향성 전력용 반도체 소자인 것은? [20년 4회]

① SCR

② IGBT

③ TRIAC

④ DIODE

해설 **쌍방향 소자**

- SSS, DIAC : 2단자
- TRIAC : 3단자

SCR 단방향 3단자	IGBT 단방향 3단자	TRIAC 쌍방향 3단자	DIODE 단방향 2단자

핵심예제

24 PNPN 4층 구조로 되어 있는 소자가 아닌 것은? [19년 1회]

① SCR

② TRIAC

③ Diode

④ GTO

해설
- PNPN 4층 구조 : 사이리스터(SCR, TRIAC, GTO)
- PN 접합 2층 구조 : 다이오드

25 자동화재탐지설비의 수신기에서 교류 220[V]를 직류 24[V]로 정류 시 필요한 구성요소가 아닌 것은? [18년 1회]

① 변압기

② 트랜지스터

③ 정류 다이오드

④ 평활 콘덴서

해설 **정류기 구성요소** : 변압기, 정류 다이오드, 평활 콘덴서

23 ③ 24 ③ 25 ② 정답

26 입력신호와 출력신호가 모두 직류(DC)로서 출력이 최대 5[kW]까지로 견고성이 좋고 토크가 에너지원이 되는 전기식 증폭기기는? [18년 1회]

① 계전기
② SCR
③ 자기증폭기
④ 앰플리다인

해설 **앰플리다인**
근소한 전력변화를 증폭시키는 직류발전기

27 집적회로(IC)의 특징으로 옳은 것은? [18년 1회]

① 시스템이 대형화된다.
② 신뢰성이 높으나, 부품의 교체가 어렵다.
③ 열에 강하다.
④ 마찰에 의한 정전기 영향에 주의해야 한다.

해설 **집적회로(IC)의 특징**
- 소형이고, 열에 약하다.
- 신뢰성이 높고, 교체가 용이하다.
- 정전기 등의 영향을 받는다.

정답 26 ④ 27 ③

제3절 자동제어계

1 폐회로 제어계의 구성

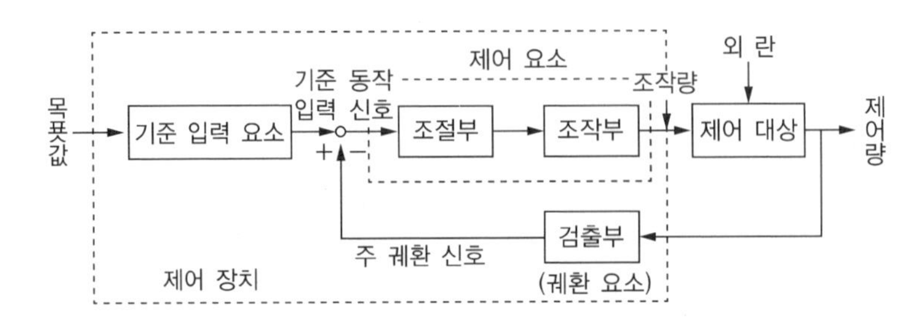

2 자동제어계의 분류

(1) 제어량의 성질에 따른 분류

① 서보기구 : 물체의 위치, 방위, 자세 등의 기계적인 변위를 제어량으로 하는 제어계
예 비행기, 선박 방향제어계, 추적용 레이더, 자동평형기록계

② 프로세서제어 : 온도, 유량, 압력, 밀도, 액위, 농도 등의 공업용 프로세서의 상태량을 제어량으로 하는 제어계

③ 자동조정 : 전압, 전류, 속도, 주파수 등을 제어량으로 하는 것
예 발전기의 조속기제어, 정전압 장치

(2) 목푯값의 종류에 따른 분류

① 정치제어 : 목푯값이 시간에 대하여 변화하지 않는 제어로서 프로세스제어 또는 자동조정이 이에 속한다.

② 추치제어

㉠ 프로그램제어 : 미리 정해진 프로그램에 따라 제어량을 변화시키는 것을 목적
예 열차의 무인운전, 엘리베이터

㉡ 추종제어 : 미지의 임의의 시간적 변화를 하는 목푯값에 제어량을 추종시키는 것을 목적
예 대공포의 포신제어, 자동아날로그 선반 등

㉢ 비율제어 : 목푯값이 다른 양과 일정한 비율관계를 가지고 변화하는 경우의 제어
예 보일러 자동연소제어, 암모니아 합성프로세스제어

(3) 조절부동작에 따른 분류

① ON-OFF동작 : 사이클링(Cycling), 오프셋(잔류편차)을 일으킨다. 불연속 제어

② 비례동작(P동작) : 사이클링은 없으나 오프셋(잔류편차)을 일으킨다.

③ 적분동작(I동작) : 오프셋(잔류편차)을 소멸시킨다.

④ 미분동작(D동작) : 오차가 커지는 것을 미연에 방지한다.

⑤ 비례적분동작(PI동작) : 제어결과가 진동하기 쉽다.

전달함수 $G(s) = K_p\left(1 + \frac{1}{T_i s}\right)$

⑥ 비례미분동작(PD동작) : 속응성을 개선한다.

전달함수 $G(s) = K_p(1 + T_d s)$

⑦ 비례적분미분동작(PID동작) : 정상특성과 응답 속응성을 동시에 개선한다.

전달함수 $G(s) = K_p\left(1 + T_d s + \frac{1}{T_i s}\right)$

여기서, K_p : 비례감도

T_d : 미분시간(= 레이트시간)

T_i : 적분시간

핵/심/예/제

01 제어요소의 구성으로 옳은 것은? [19년 4회]

① 조절부와 조작부
② 비교부와 검출부
③ 설정부와 검출부
④ 설정부와 비교부

해설 제어요소(Control Element)
• 조절부 + 조작부로 구성되어 있다.
• 동작신호를 조작량으로 변화시켜 제어대상에게 신호전달

02 서보전동기는 제어기기의 어디에 속하는가? [19년 1회]

① 검출부
② 조절부
③ 증폭부
④ 조작부

해설 • 조절부 : 동작신호를 만드는 부분
• 조작부 : 서보모터 기능을 하는 부분

03 제어요소는 동작신호를 무엇으로 변환하는 요소인가? [21년 2회]

① 제어량
② 비교량
③ 검출량
④ 조작량

해설 제어요소(Control Element)
• 조절부 + 조작부로 구성되어 있다.
• 동작신호를 조작량으로 변화시켜 제어대상에 신호전달

1 ① 2 ④ 3 ④ 정답

04 그림은 개루프 제어계의 신호전달 계통도이다. 다음 ( ) 안에 알맞은 제어계의 동작요소는? [17년 2회]

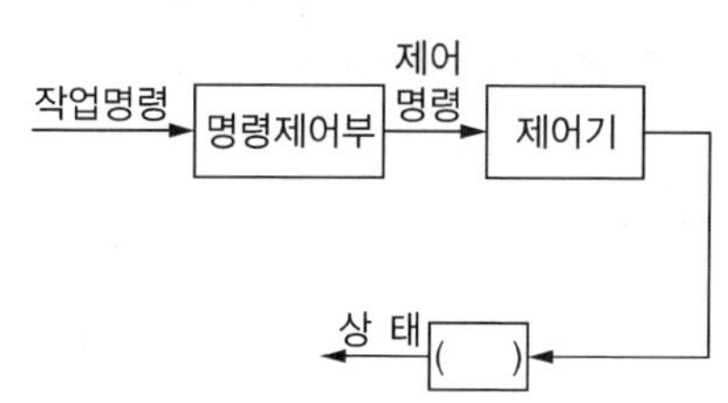

① 제어량
② 제어 대상
③ 제어 장치
④ 제어 요소

해설 회로가 개방회로이므로 시퀀스 제어계이고 상태 전 단계는 제어 대상이 된다.

05 제어 대상에서 제어량을 측정하고 검출하여 주 궤환 신호를 만드는 것은? [20년 1·2회]

① 조작부
② 출력부
③ 검출부
④ 제어부

해설 **검출부** : 제어 대상으로부터 제어에 필요한 신호를 검출하는 부분

06 제어 목표에 의한 분류 중 미지의 임의 시간적 변화를 하는 목푯값에 제어량을 추종시키는 것을 목적으로 하는 제어법은? [17년 1회]

① 정치제어
② 비율제어
③ 추종제어
④ 프로그램제어

해설 **추종제어** : 목푯값이 임의로 시간적 변화를 하는 경우 제어량을 그것에 추종시키기 위한 제어

정답 4 ② 5 ③ 6 ③

07 추종제어에 대한 설명으로 가장 옳은 것은?

[17년 1회]

① 제어량의 종류에 의하여 분류한 자동제어의 일종
② 목푯값이 시간에 따라 임의로 변하는 제어
③ 제어량이 공업 프로세스의 상태량일 경우의 제어
④ 정치제어의 일종으로 주로 유량, 위치, 주파수, 전압 등을 제어

해설 **추종제어** : 목푯값이 임의로 시간적 변화를 하는 경우 제어량을 그것에 추종시키기 위한 제어

08 프로세스제어의 제어량이 아닌 것은?

[20년 3회]

① 액 위 ② 유 량
③ 온 도 ④ 자 세

핵심 예제

해설 **제어량에 의한 분류**
- 서보기구 : 제어량이 물체의 자세, 위치, 방향 등의 기계적인 변위로 하는 제어
- 프로세스 제어 : 제어량이 유량, 온도, 액위면, 압력, 밀도, 농도 등으로 하는 제어
- 자동조정 : 전기적 또는 기계적인 양, 즉 전압, 전류, 힘, 주파수, 회전속도 등을 주로 제어

09 자동제어계를 제어목적에 의해 분류한 경우, 틀린 것은?

[19년 1회]

① 정치제어 : 제어량을 주어진 일정목표로 유지시키기 위한 제어
② 추종제어 : 목표치가 시간에 따라 변화하는 제어
③ 프로그램제어 : 목표치가 프로그램대로 변하는 제어
④ 서보제어 : 선박의 방향제어계인 서보제어는 정치제어와 같은 성질

해설 **서보제어** : 제어량이 물체의 자세, 위치, 방향 등의 기계적인 변위를 하는 제어계를 말하며 추종제어에 속한다.

7 ② 8 ④ 9 ④ 정답

10 제어량이 압력, 온도 및 유량 등과 같은 공업량일 경우의 제어는? [19년 2회]

① 시퀀스제어
② 프로세스제어
③ 추종제어
④ 프로그램제어

해설 **프로세스 제어** : 제어량이 유량, 온도, 액위면, 압력, 밀도, 농도 등으로 하는 제어계를 말하며, 석유공업, 화학공업, 식품공업 등 일용품 등을 만드는 곳

11 자동제어 중 플랜트나 생산공정 중의 상태량을 제어량으로 하는 제어방법은? [17년 2회]

① 정치제어
② 추종제어
③ 비율제어
④ 프로세스제어

해설 프로세스제어가 정치제어에 속하며 공업공정의 상태량을 제어량으로 하는 제어

핵심
예제

12 시퀀스제어에 관한 설명 중 틀린 것은? [18년 1회]

① 기계적 계전기접점이 사용된다.
② 논리회로가 조합 사용된다.
③ 시간 지연요소가 사용된다.
④ 전체시스템에 연결된 접점들이 일시에 동작할 수 있다.

해설 **시퀀스(개회로) 제어계**
- 미리 정해진 순서에 따라 제어의 각 단계를 순차적으로 제어
- 오차가 발생할 수 있으며 신뢰도가 떨어진다.
- 릴레이접점(유접점), 논리회로(무접점), 시간지연요소 등이 사용된다.

정답 10 ② 11 ④ 12 ④

핵심예제

13 개루프 제어와 비교하여 폐루프 제어에서 반드시 필요한 장치는? [20년 3회]

① 안정도를 좋게 하는 장치
② 제어대상을 조작하는 장치
③ 동작신호를 조절하는 장치
④ 기준입력신호와 주궤환신호를 비교하는 장치

해설 폐루프 제어에서 반드시 필요한 장치 : 입력과 출력(궤환신호)을 비교하는 장치

14 피드백제어계에서 제어요소에 대하여 설명 중 옳은 것은? [17년 1회]

① 조작부와 검출부로 구성되어 있다.
② 조절부와 변환부로 구성되어 있다.
③ 동작신호를 조작량으로 변화시키는 요소이다.
④ 목푯값에 비례하는 신호를 발생하는 요소이다.

해설 제어요소(Control Element)
- 조절부 + 조작부로 구성되어 있다.
- 동작신호를 조작량으로 변화시켜 제어대상에게 신호전달

15 피드백 제어계에 대한 설명 중 틀린 것은? [18년 2회]

① 감대역 폭이 증가한다.
② 정확성이 있다.
③ 비선형에 대한 효과가 증대된다.
④ 발진을 일으키는 경향이 있다.

해설 피드백(폐회로) 제어계
- 미리 정해진 순서에 따라 제어의 각 단계를 순차적으로 제어하며 입력과 출력이 일치해야 출력하는 제어
- 입력과 출력을 비교하는 장치필요(비교부)
- 전달함수 초깃값이 항상 "0"이다.
- 구조가 복잡하고, 시설비가 비싸다.
- 정확성, 감대폭, 대역폭이 증가한다.
- 계의 특성변화에 대한 입력 대 출력비의 감도가 감소된다.
- 비선형과 왜형에 대한 효과가 감소한다.

13 ④ 14 ③ 15 ③ 정답

16 폐루프 제어의 특징에 대한 설명으로 옳은 것은? [17년 1회]

① 외부의 변화에 대한 영향을 증가시킬 수 있다.

② 제어기 부품의 성능 차이에 따라 영향을 많이 받는다.

③ 대역폭이 증가한다.

④ 정확도와 전체 이득이 증가한다.

해설 **피드백(폐회로) 제어계**

- 미리 정해진 순서에 따라 제어의 각 단계를 순차적으로 제어하며 입력과 출력이 일치해야 출력하는 제어
- 입력과 출력을 비교하는 장치필요(비교부)
- 전달함수 초깃값이 항상 "0"이다
- 구조가 복잡하고, 시설비가 비싸다.
- 정확성, 감대폭, 대역폭이 증가한다.
- 계의 특성변화에 대한 입력 대 출력비의 감도가 감소된다.
- 비선형과 왜형에 대한 효과가 감소한다.

핵심 예제

17 부궤환 증폭기의 장점에 해당되는 것은? [19년 2회]

① 전력이 절약된다.

② 안정도가 증진된다.

③ 증폭도가 증가된다.

④ 능률이 증대된다.

해설 **부궤환 증폭기 특성**

- 이득이 감소한다.
- 이득의 안정도가 높아진다.

정답 16 ③ 17 ②

핵심 예제

18 제어동작에 따른 제어계의 분류에 대한 설명 중 틀린 것은? [18년 1회]

① 미분동작 : D동작 또는 Rate동작이라고 부르며, 동작신호의 기울기에 비례한 조작신호를 만든다.

② 적분동작 : I동작 또는 리셋동작이라고 부르며, 적분값의 크기에 비례하여 조절신호를 만든다.

③ 2위치제어 : On/Off 동작이라고도 하며, 제어량이 목푯값보다 작은지 큰지에 따라 조작량으로 On 또는 Off의 두 가지 값의 조절신호를 발생한다.

④ 비례동작 : P동작이라고도 부르며, 제어동작신호에 반비례하는 조절신호를 만드는 제어동작이다.

해설 **비례동작(제어)** : P동작(제어)
잔류편차를 갖는 제어로 편차에 비례하는 조작량에 의해 제어하는 방식

19 PD(비례미분)제어 동작의 특징으로 옳은 것은? [17년 1회]

① 잔류편차 제거

② 간헐현상 제거

③ 불연속 제어

④ 응답 속응성 개선

해설 **비례미분제어**

- 감쇠비를 증가시키고 초과를 억제
- 시스템의 과도응답 특성을 개선하여 응답 속응성 개선

18 ④ 19 ④ 정답

20 **비례 + 적분 + 미분동작(PID동작) 식을 바르게 나타낸 것은?** [19년 1회]

① $x_0 = K_p\left(x_i + \frac{1}{T_I}\int x_i dt + T_D\frac{dx_i}{dt}\right)$

② $x_0 = K_p\left(x_i - \frac{1}{T_I}\int x_i dt - T_D\frac{dx_i}{dt}\right)$

③ $x_0 = K_p\left(x_i + \frac{1}{T_I}\int x_i dt + T_D\frac{dt}{dx_i}\right)$

④ $x_0 = K_p\left(x_i - \frac{1}{T_I}\int x_i dt - T_D\frac{dt}{dx_i}\right)$

해설 **비례적분미분동작**

$$x_0 = K_p\left(x_i + \frac{1}{T_I}\int x_i dt + T_D\frac{dx_i}{dt}\right)$$

핵심 예제

정답 20 ①

안심Touch

3 전달함수

(1) 정의 : 모든 초깃값을 0으로 한 상태에서 입력 라플라스에 대한 출력 라플라스의 비를 전달함수라 한다.

$R(S) \longrightarrow$ [$G(S)$] $\longrightarrow C(S)$

$$\therefore\ G(S) = \frac{\mathcal{L}[C(t)]}{\mathcal{L}[r(t)]} = \frac{C(S)}{R(S)}$$

(2) 직렬회로의 전달함수 : 입력 임피던스에 대한 출력 임피던스의 비를 말한다.

① 소자에 따른 임피던스

$$R \Rightarrow R[\Omega],\ L \Rightarrow LS[\Omega],\ C \Rightarrow \frac{1}{CS}[\Omega]$$

(3) 병렬회로의 전달함수 : 합성어드미턴스의 역수값, 즉 합성임피던스를 구한다.

① 소자에 따른 어드미턴스

$$R \Rightarrow \frac{1}{R}[\mho],\ L \Rightarrow \frac{1}{LS}[\mho],\ C \Rightarrow CS[\mho]$$

(4) 제어요소의 전달함수

① 비례요소 $G(S) = \dfrac{Y(S)}{X(S)} = K(K$: 이득정수$)$

② 미분요소 $G(S) = \dfrac{Y(S)}{X(S)} = KS$

③ 적분요소 $G(S) = \dfrac{Y(S)}{X(S)} = \dfrac{K}{S}$

④ 1차 지연요소 $G(S) = \dfrac{Y(S)}{X(S)} = \dfrac{K}{TS+1}$

⑤ 2차 지연요소 $G(S) = \dfrac{Y(S)}{X(S)} = \dfrac{K\omega_n^2}{S^2+2\delta\omega_n S+\omega_n^2}$

여기서, δ : 감쇠계수 또는 제동비

ω_n : 고유주파수

⑥ 부동작 시간요소 $G(S) = \dfrac{Y(S)}{X(S)} = Ke^{-LS}$

여기서, L : 부동작 시간

4 블록선도와 신호흐름선도

(1) 블록선도

블록선도는 단순성과 융통성을 지니기 때문에 모든 형태의 계통을 모델링하는 데에 자주 이용된다. 블록선도는 계통의 구성이나 연결관계를 간단히 표현하는 데 쓰일 수 있다. 또한 전달함수와 함께 전체계통의 인과관계를 표시하는 데 사용되기도 한다.

(2) 블록선도의 기호

구 분	기 호	의 미
화살표	→	신호의 진행방향을 표시
전달요소	□	입력신호를 받아서 적당히 변환된 출력 신호를 만드는 부분
가합점	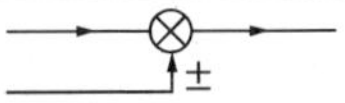 ⊗ ±	두 개 이상의 신호를 가합점의 부호에 따라 더하고 빼주는 것
인출점 = 분기점	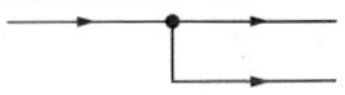	한 개의 신호를 두 계통으로 분기하기 위한 점

(3) 블록선도와 신호흐름선도에 의한 전달함수

① 직렬결합 : 전달요소의 곱으로 표현한다.

R(S) → $G_1(S)$ → $G_2(S)$ → C(S)

$$G(S) = \frac{C(S)}{R(S)} = G_1(S) \cdot G_2(S)$$

② 병렬결합 : 가합점의 부호에 따라 전달요소를 더하거나 뺀다.

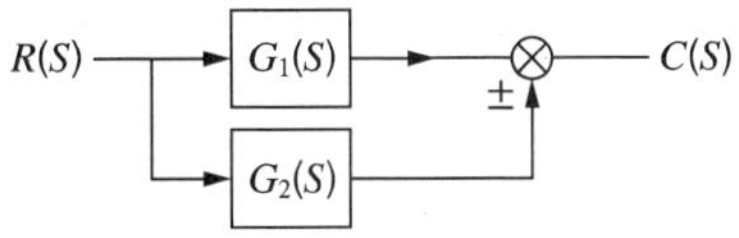

R(S), $G_1(S)$, $G_2(S)$, ±, C(S)

$$G(S) = \frac{C(S)}{R(S)} = G_1(S) \pm G_2(S)$$

③ 피드백 결합 : 출력신호 $C(S)$의 일부가 요소 $H(S)$를 거쳐 입력 측에 피드백(Feed Back)되는 결합방식이며, 그 합성전달함수는 다음과 같다.

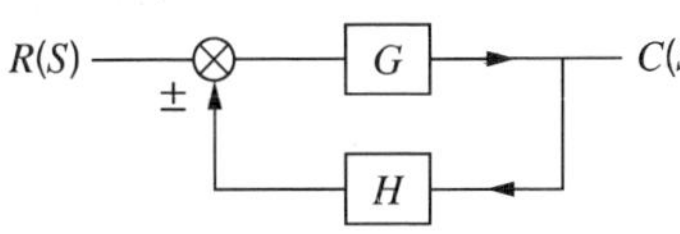

R(S), ±, G, H, C(S)

$$G(S) = \frac{C(S)}{R(S)} = \frac{G}{1 \mp GH} = \frac{\sum \text{전향경로이득}}{1 - \sum \text{루프이득}}$$

㉠ 전향경로이득 : 입력에서 출력으로 가는 동일 진행방향의 전달요소들의 곱

㉡ 루프이득 : 피드백되는 부분의 전달요소들의 곱

㉢ G : 전향 전달함수
㉣ GH : 개루프 전달함수
㉤ H : 피드백 전달요소
㉥ $H=1$: 단위 피드백 제어계
㉦ $1 \mp GH = 0$: 특성방정식=전달함수의 분모가 0이 되는 방정식
㉧ 극점 : 특성방정식의 근=전달함수의 분모가 0이 되는 근(극점의 표기 ⇒ ×)
㉨ 영점 : 전달함수의 분자가 0이 되는 근(영점의 표기 ⇒ ○)

④ 신호흐름선도

㉠ 피드백 전달함수

- Pass → 입력에서 출력으로 가는 방법
- Loop → Feed Back

예 1)

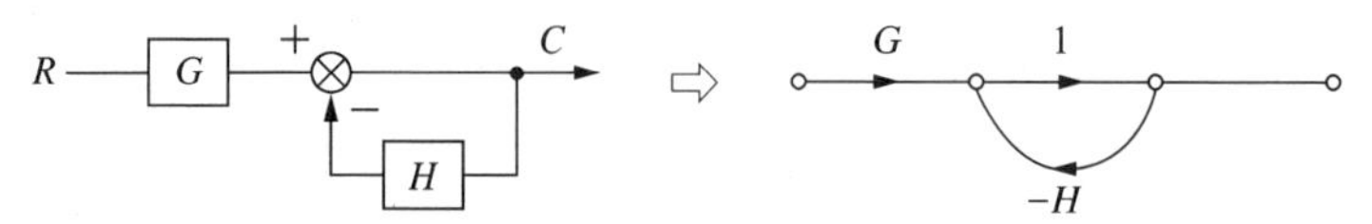

- Pass : G
- Loop : $-H$

$$\therefore\ G(S) = \frac{G}{1+H} = \frac{P_1 + P_2 + P_3}{1 - L_1 - L_2 - \cdots}$$

예 2)

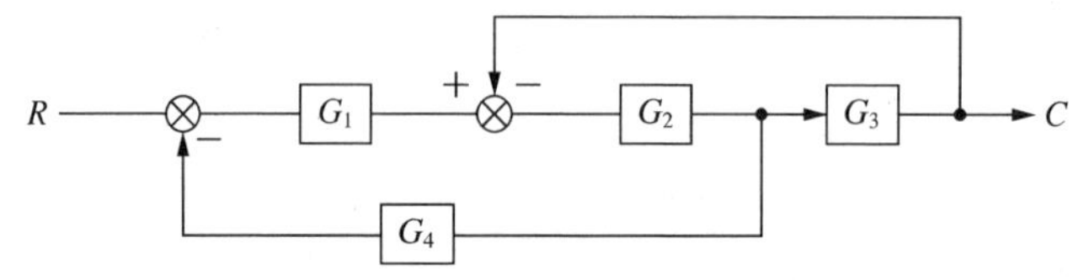

- Pass : $G_1 \cdot G_2 \cdot G_3$
- Loop1 : $-G_2G_3$
- Loop2 : $-G_1G_2G_4$

$$\therefore\ G(S) = \frac{P_1}{1 - L_1 - L_2} = \frac{G_1G_2G_3}{1 + G_2G_3 + G_1G_2G_4}$$

5 변환요소 종류

변환량	변환요소
압력 → 변위	벨로스, 다이어프램, 스프링
변위 → 압력	노즐·플래퍼, 유압 분사관, 스프링
변위 → 임피던스	가변 저항기, 용량형 변환기, 가변 저항 스프링
변위 → 전압	포텐셔미터, 차동 변압기, 전위차계
광 ↗ 임피던스	전자석, 전자 코일
광 ↘ 전압	광전관, 광전도 셀, 광전 트랜지스터, 광전지, 광전 다이오드
방사선 → 임피던스	GM 관, 전리함
온도 → 임피던스	측온 저항(열선, 서미스터, 백금, 니켈)
온도 → 전압	열전대(백금–백금로듐, 철–콘스탄탄, 구리–콘스탄탄, 크로멜–알루멜)

핵/심/예/제

01 2차 제어시스템에서 무제동으로 무한 진동이 일어나는 감쇠율(Damping Ratio) δ는?

[17년 2회, 21년 1회]

① $\delta = 0$　　② $\delta > 1$

③ $\delta = 1$　　④ $0 < \delta < 1$

해설 **감쇠율(δ)**

2차 자동제어계의 특성방정식 $s^2 + 2\delta\omega_n s + \omega_n^2 = 0$

- 무제동(무한 진동) : $\delta = 0$
- 임계제동(임계상태) : $\delta = 1$
- 과제동(비진동) : $\delta > 1$
- 부족제동(감쇠 진동) : $0 < \delta < 1$

02 그림과 같은 블록선도에서 출력 $C(s)$는?

[20년 1·2회]

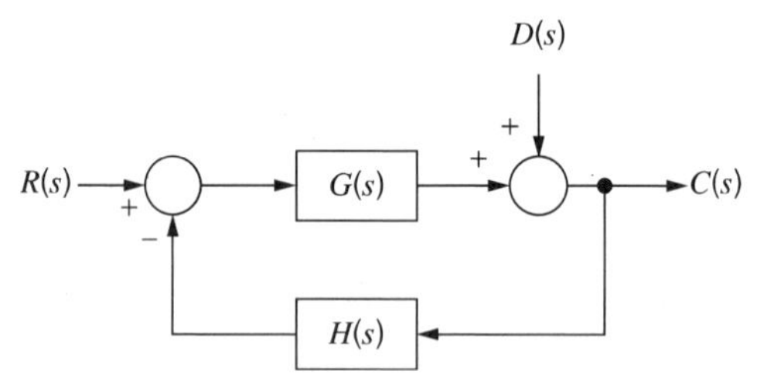

① $\dfrac{G(s)}{1+G(s)H(s)}R(s) + \dfrac{G(s)}{1+G(s)H(s)}D(s)$

② $\dfrac{1}{1+G(s)H(s)}R(s) + \dfrac{1}{1+G(s)H(s)}D(s)$

③ $\dfrac{G(s)}{1+G(s)H(s)}R(s) + \dfrac{1}{1+G(s)H(s)}D(s)$

④ $\dfrac{1}{1+G(s)H(s)}R(s) + \dfrac{G(s)}{1+G(s)H(s)}D(s)$

해설 $\dfrac{C(s)}{R(s)} = \dfrac{G(s)}{1+G(s)H(s)} \rightarrow C(s) = \dfrac{G(s)}{1+G(s)H(s)}R(s)$

$\dfrac{C(s)}{D(s)} = \dfrac{1}{1+G(s)H(s)} \rightarrow C(s) = \dfrac{1}{1+G(s)H(s)}D(s)$

두 값을 더하면

$C(s) = \dfrac{G(s)}{1+G(s)H(s)}R(s) + \dfrac{1}{1+G(s)H(s)}D(s)$

1 ① 2 ③ 정답

03 입력이 $r(t)$이고, 출력이 $c(t)$인 제어시스템이 다음의 식과 같이 표현될 때 이 제어시스템의 전달함수$\left(G(s)=\dfrac{C(s)}{R(s)}\right)$는?(단, 초깃값은 0이다) [21년 2회]

$$2\frac{d^2c(t)}{dt^2}+3\frac{dc(t)}{dt}+c(t)=3\frac{dr(t)}{dt}+r(t)$$

① $\dfrac{3s+1}{2s^2+3s+1}$ ② $\dfrac{2s^2+3s+1}{s+3}$

③ $\dfrac{3s+1}{s^2+3s+2}$ ④ $\dfrac{s+3}{s^2+3s+2}$

해설 $2\dfrac{d^2c(t)}{dt^2}+3\dfrac{dc(t)}{dt}+c(t)=3\dfrac{dr(t)}{dt}+r(t)$를 라플라스 변환하면

$2s^2C(s)+3sC(s)+C(s)=3sR(s)+R(s)$

$(2s^2+3s+1)C(s)=(3s+1)R(s)$

$G(s)=\dfrac{C(s)}{R(s)}=\dfrac{3s+1}{2s^2+3s+1}$

핵심예제

04 입력 $r(t)$, 출력 $c(t)$인 제어시스템에서 전달함수 $G(s)$는?(단, 초깃값은 0이다) [18년 1회]

$$\frac{d^2c(t)}{dt^2}+3\frac{dc(t)}{dt}+2c(t)=\frac{dr(t)}{dt}+3r(t)$$

① $\dfrac{3s+1}{2s^2+3s+1}$ ② $\dfrac{s^2+3s+2}{s+3}$

③ $\dfrac{s+1}{s^2+3s+2}$ ④ $\dfrac{s+3}{s^2+3s+2}$

해설 $s^2C(s)+3sC(s)+2C(s)=sR(s)+3R(s)$

$(s^2+3s+2)C(s)=(s+3)R(s)$

$G(s)=\dfrac{C(s)}{R(s)}=\dfrac{s+3}{s^2+3s+2}$

정답 3 ① 4 ④

05 다음 그림과 같은 회로에서 전달함수로 옳은 것은?

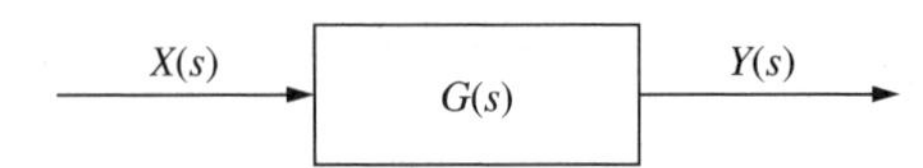

① $X(s)+Y(s)$
② $X(s)Y(s)$
③ $Y(s)/X(s)$
④ $X(s)/Y(s)$

해설

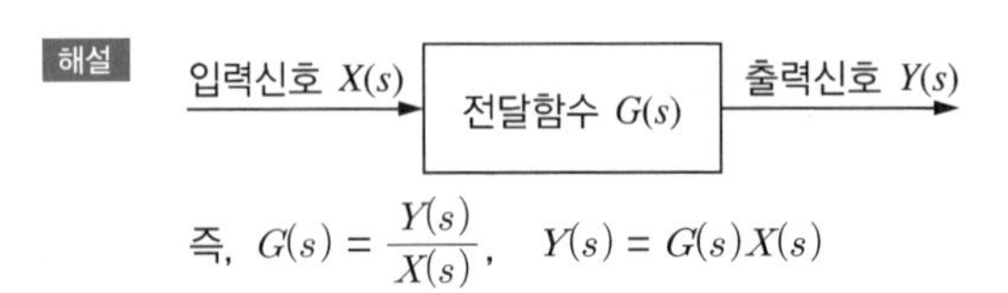

즉, $G(s)=\dfrac{Y(s)}{X(s)}$, $Y(s)=G(s)X(s)$

핵심 예제

06 다음과 같은 블록선도의 전체 전달함수는? [19년 1회]

R(s) + − G(s) C(s)

① $\dfrac{C(s)}{R(s)}=\dfrac{G(s)}{1+G(s)}$

② $\dfrac{C(s)}{R(s)}=\dfrac{G(s)}{1-G(s)}$

③ $\dfrac{C(s)}{R(s)}=1+G(s)$

④ $\dfrac{C(s)}{R(s)}=1-G(s)$

해설 $\dfrac{C(s)}{R(s)}=\dfrac{\text{Pass}}{1-(\text{Loop})}=\dfrac{G(s)}{1+G(s)}$

5 ③ 6 ① 정답

07 다음 그림과 같은 계통의 전달함수는? [18년 1회]

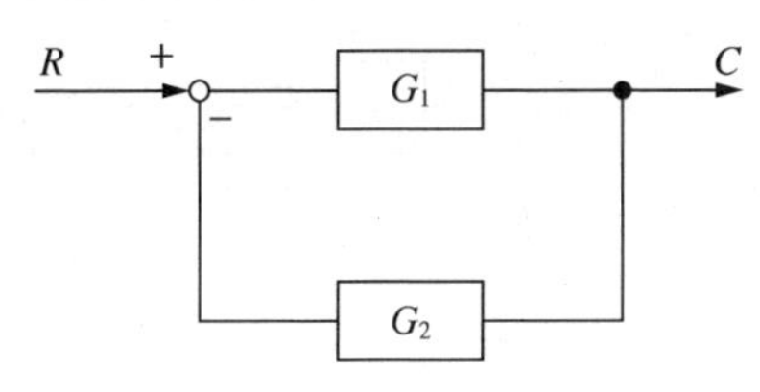

① $\dfrac{G_1}{1+G_2}$　　② $\dfrac{G_2}{1+G_1}$

③ $\dfrac{G_2}{1+G_1G_2}$　　④ $\dfrac{G_1}{1+G_1G_2}$

해설

전달함수 : $G(s) = \dfrac{\text{Pass}}{1-(\text{Loop})} = \dfrac{G_1}{1-(-G_1G_2)}$

$\therefore\ G(s) = \dfrac{G_1}{1+G_1G_2}$

핵심예제

08 그림의 블록선도와 같이 표현되는 제어시스템의 전달함수 $G(s)$는? [20년 4회]

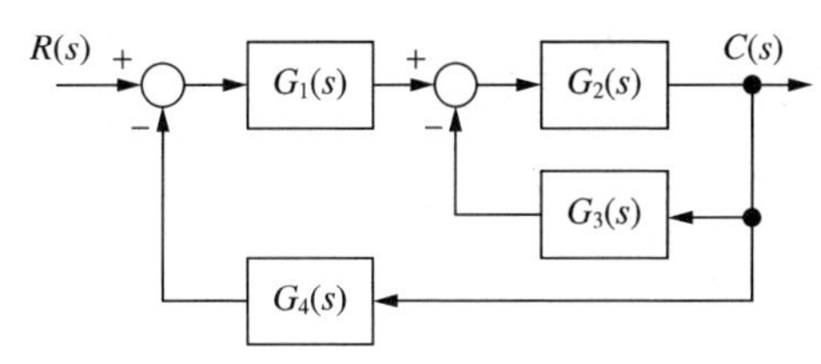

① $\dfrac{G_1(s)G_2(s)}{1+G_2(s)G_3(s)+G_1(s)G_2(s)G_4(s)}$

② $\dfrac{G_3(s)G_4(s)}{1+G_2(s)G_3(s)+G_1(s)G_2(s)G_4(s)}$

③ $\dfrac{G_1(s)G_2(s)}{1+G_1(s)G_2(s)+G_1(s)G_2(s)G_3(s)}$

④ $\dfrac{G_3(s)G_4(s)}{1+G_1(s)G_2(s)+G_1(s)G_2(s)G_3(s)}$

해설

$$\frac{C(s)}{R(s)} = \frac{\text{Pass}}{1-(\text{Loop})} = \frac{G_1(s)G_2(s)}{1-(-G_2(s)G_3(s))-(-G_1(s)G_2(s)G_4(s))}$$

$$= \frac{G_1(s)G_2(s)}{1+G_2(s)G_3(s)+G_1(s)G_2(s)G_4(s)}$$

정답 7 ④ 8 ①

09 블록선도의 전달함수 $C(s)/R(s)$는?

[21년 1회]

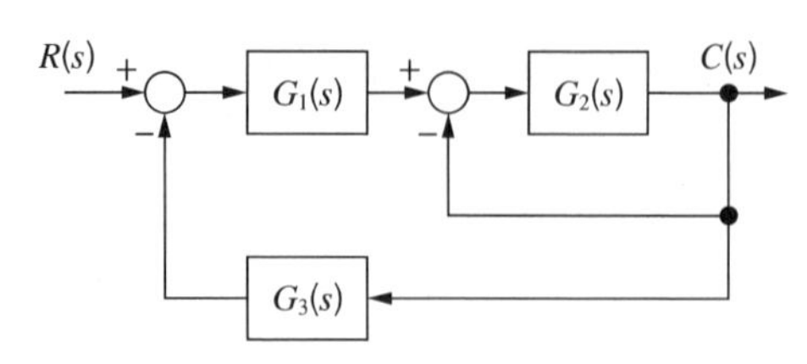

① $\dfrac{G_1(s)G_2(s)}{1+G_1(s)G_2(s)G_3(s)}$

② $\dfrac{G_1(s)G_2(s)}{1+G_1(s)+G_1(s)G_2(s)G_3(s)}$

③ $\dfrac{G_1(s)G_2(s)}{1+G_2(s)+G_1(s)G_2(s)G_3(s)}$

④ $\dfrac{G_1(s)G_2(s)}{1+G_3(s)+G_1(s)G_2(s)G_3(s)}$

해설

$$G(s)=\frac{C(s)}{R(s)}=\frac{P_1+P_2+\cdots}{1-L_1-L_2-\cdots}$$

$P=G_1(s)G_2(s)$

$L_1=-G_2(s)$

$L_2=-G_1(s)G_2(s)G_3(s)$

$$G(s)=\frac{G_1(s)G_2(s)}{1+G_2(s)+G_1(s)G_2(s)G_3(s)}$$

핵심예제

9 ③ 정답

10 그림 (a)와 그림 (b)의 각 블록선도가 등가인 경우 전달함수 $G(s)$는? [21년 2회]

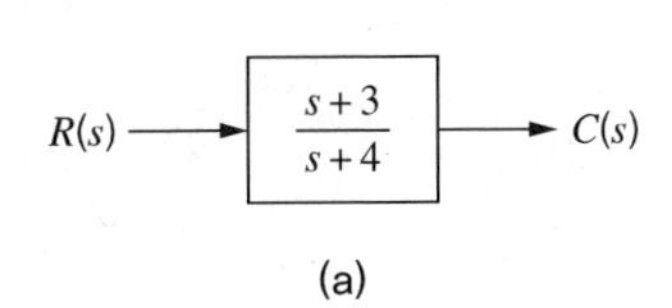

(a)

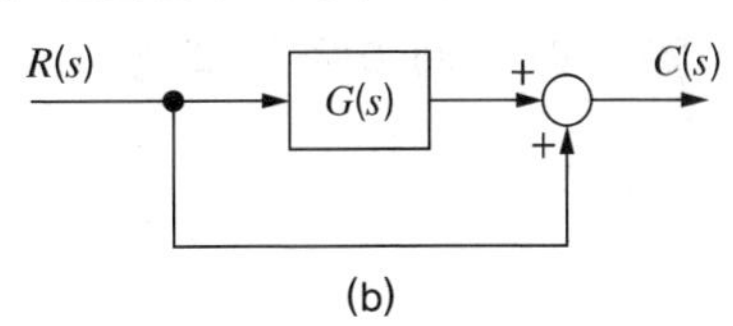

(b)

① $\frac{1}{s+4}$　　② $\frac{2}{s+4}$

③ $\frac{-1}{s+4}$　　④ $\frac{-2}{s+4}$

해설

$H(s) = \frac{s+3}{s+4}$으로 놓고

a회로에서 $R(s)H(s) = C(s)$

b회로에서 $R(s)G(s) + R(s) = C(s)$

$R(s)H(s) = R(s)G(s) + R(s)$

전부 $R(s)$로 나누면

$H(s) = G(s) + 1$

$G(s) = H(s) - 1$

$= \frac{s+3}{s+4} - \frac{s+4}{s+4}$

$= \frac{-1}{s+4}$

핵심 예제

11 정현파 신호 $\sin t$의 전달함수는? [19년 2회]

① $\frac{1}{s^2+1}$　　② $\frac{1}{s^2-1}$

③ $\frac{s}{s^2+1}$　　④ $\frac{s}{s^2-1}$

해설

전달함수 : $C_s = \mathcal{L}[\sin t] = \frac{1}{s^2+1}$

정답 10 ③ 11 ①

안심Touch

12 전압 이득이 60[dB]인 증폭기와 궤환율(β)이 0.01인 궤환회로를 부궤환 증폭기로 구성하였을 때 전체 이득은 약 몇 [dB]인가? [20년 3회]

① 20　② 40
③ 60　④ 80

해설　전압 이득 : 60[dB] $= 20\log_{10}A = 20\log_{10}10^3$
$\therefore A = 1{,}000$
증폭기 이득
$A_f = \dfrac{A}{1+\beta A} = \dfrac{1{,}000}{1+0.01\times 1{,}000} \fallingdotseq 100$
전체 이득[dB] $= 20\log_{10}A_f = 20\log_{10}10^2 = 40$[dB]

핵심예제

13 변위를 압력으로 변환하는 소자로 옳은 것은? [18년 4회, 21년 1회]

① 다이어프램
② 가변 저항기
③ 벨로스
④ 노즐 플래퍼

해설　변위 → 압력 변환 : 노즐 플래퍼, 유압분사관, 스프링

14 변위를 전압으로 변환시키는 장치가 아닌 것은? [20년 1·2회]

① 포텐셔미터
② 차동변압기
③ 전위차계
④ 측온저항체

해설　변위를 전압으로 변환시키는 장치 : 포텐셔미터, 차동변압기, 전위차계

12 ② 13 ④ 14 ④ 정답

15 **조작기기는 직접 제어대상에 작용하는 장치이고 빠른 응답이 요구된다. 다음 중전기식 조작기기가 아닌 것은?** [17년 4회, 20년 4회]

① 서보 전동기
② 전동 밸브
③ 다이어프램 밸브
④ 전자 밸브

해설 **전기식 조작기기** : 전동 밸브, 전자 밸브, 서보 전동기

정답 15 ③

제4절 시퀀스제어

1 접점(Contact)

회로를 열고 닫아 회로 상태를 결정하는 기능을 갖는 기구

(1) a접점(NO) : 평상시 열려 있고, 조작하면 닫히는 접점

① **평상시** : 전기가 통하지 않는다(OFF 상태). → 차단상태
② **조작 시** : 전기가 통한다(ON 상태). → 도통상태
③ 도면이 세로이면 우측에 도면이 가로이면 상단에 그린다.
④ 기동스위치, 자가유지접점은 모두 a접점 사용
⑤ a접점 심벌

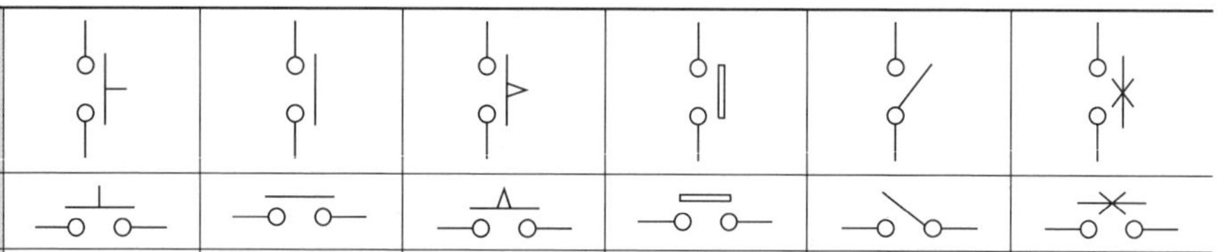

세 로						
가 로						
명 칭	푸시버튼 스위치(PBS, PB, BS)	계전기 보조 a접점	타이머 a접점 (한시동작 순시복귀)	리밋 스위치 a접점	텀블러 스위치 (수동조작 수동복지)	열동계전기 a접점

(2) b접점(NC) : 평상시 닫혀 있고, 조작하면 열리는 접점

① **평상시** : 전기가 통한다(ON 상태). → 도통상태
② **조작 시** : 전기가 통하지 않는다(OFF 상태). → 차단상태
③ 도면이 세로이면 좌측에, 도면이 가로이면 하단에 그린다.
④ 정지스위치, 인터록접점은 모두 b접점 사용
⑤ b접점 심벌

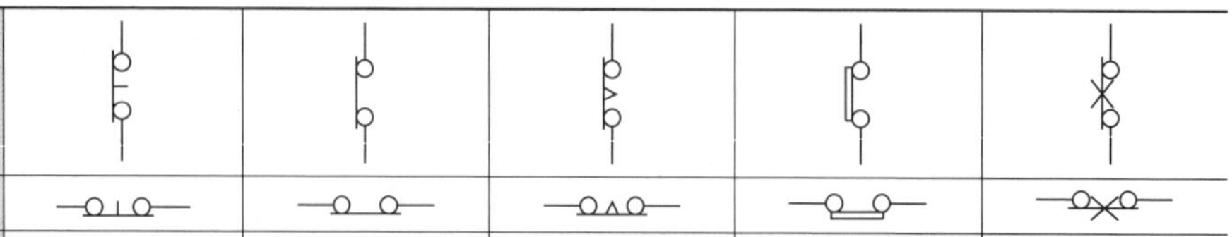

세 로					
가 로					
명 칭	푸시버튼스위치 (PBS, PB, BS)	계전기 보조 b접점	타이머 b접점 (한시동작 순시복귀)	리밋스위치 b접점	열동계전기 b접점

2 불대수 및 드모르간법칙

정 리		
부정의 법칙	(a) $(\overline{A}) = \overline{A}$	(b) $(\overline{\overline{A}}) = A$
동일의 법칙	(a) $A + A = A$	(b) $A \cdot A = A$
정 리	(a) $0 + A = A$, $A + A = A$ (c) $1 + A = 1$, $A + \overline{A} = 1$	(b) $1 \cdot A = A$, $A \cdot A = A$ (d) $0 \cdot A = 0$, $A \cdot \overline{A} = 0$
교환의 법칙	(a) $A + B = B + A$	(b) $A \cdot B = B \cdot A$
결합의 법칙	(a) $(A + B) + C = A + (B + C)$	(b) $(A \cdot B) \cdot C = A \cdot (B \cdot C)$
분배의 법칙	(a) $A \cdot (B + C) = A \cdot B + A \cdot C$	(b) $A + (B \cdot C) = (A + B) \cdot (A + C)$
흡수의 법칙	(a) $A + A \cdot B = A$	(b) $A \cdot (A + B) = A$

3 시간응답

(1) AND회로

① 의미 : 입력이 모두 H일 때 출력이 H인 회로

② 논리식과 논리회로

$X = A \cdot B$

③ 유접점과 진리표

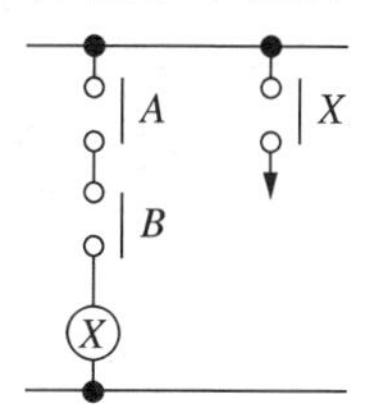

A	B	X
0	0	0
0	1	0
1	0	0
1	1	1

(2) OR회로

① 의미 : 입력 중 어느 하나 이상 H일 때 출력이 H인 회로

② 논리식과 논리회로

$X = A + B$

③ 유접점과 진리표

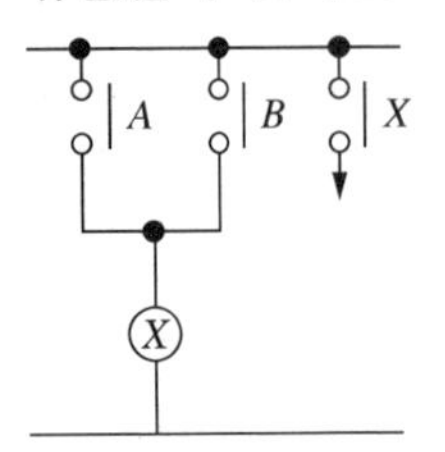

A	B	X
0	0	0
0	1	1
1	0	1
1	1	1

(3) NOT회로

① 의미 : 입력과 출력이 반대로 동작하는 회로로서 입력이 H이면 출력은 L, 입력이 L이면 출력은 H인 회로

② 논리식과 논리회로

$X = \overline{A}$

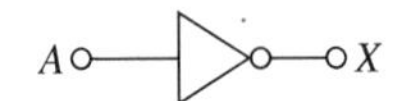

③ 유접점과 진리표

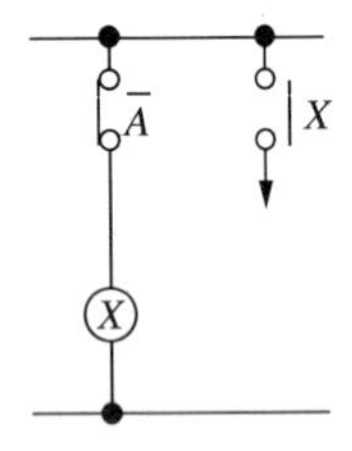

A	X
0	1
1	0

(4) NAND회로

① 의미 : AND회로의 부정회로로서 입력이 모두 H일 때만 출력이 L이 되는 회로

② 논리식과 논리회로

$X = \overline{A \cdot B}$

A
B
X

③ 유접점과 진리표

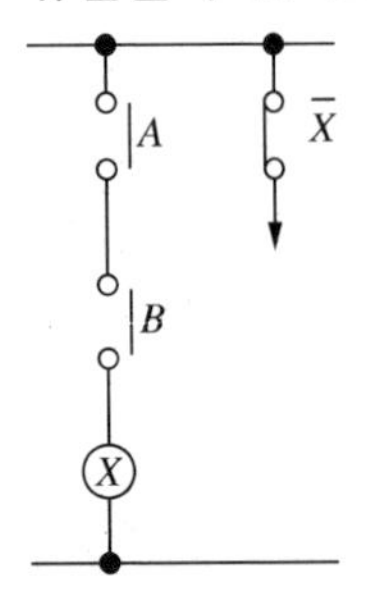

A	B	X
0	0	1
0	1	1
1	0	1
1	1	0

(5) NOR회로

① 의미 : OR회로의 부정회로로서 입력이 모두 L일 때만 출력이 H되는 회로

② 논리식과 논리회로

$X = \overline{A + B}$

③ 유접점과 진리표

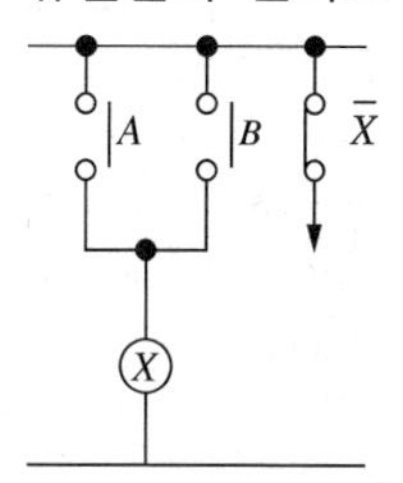

A	B	X
0	0	1
0	1	0
1	0	0
1	1	0

(6) Exclusive OR회로

① 의미 : 입력 중 어느 하나만 H일 때 출력이 H되는 회로

② 논리식과 논리회로

$X = A \cdot \overline{B} + \overline{A} \cdot B$

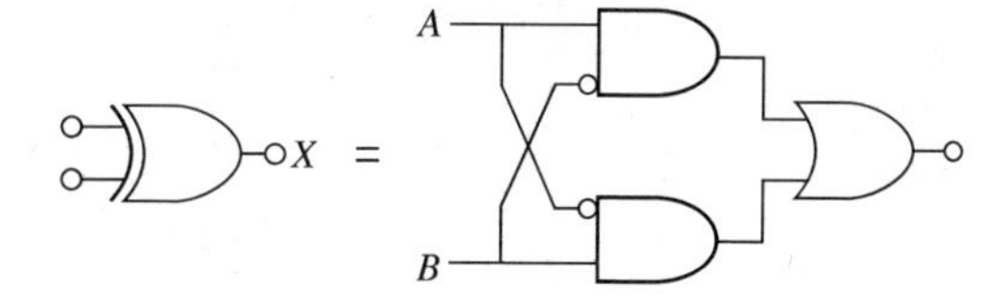

③ 유접점과 진리표

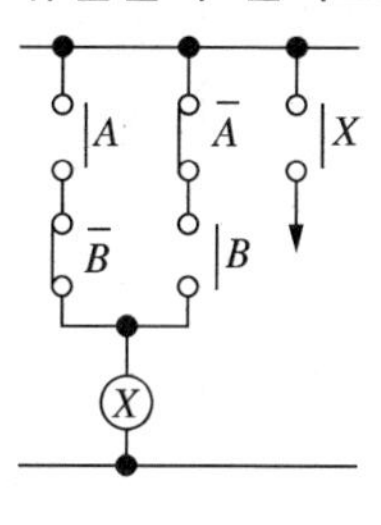

A	B	X
0	0	0
0	1	1
1	0	1
1	1	0

※ 논리회로, 논리식, 진리표

회 로	유접점	무접점과 논리식	회로도	진리값표
AND회로 곱(×) 직렬회로	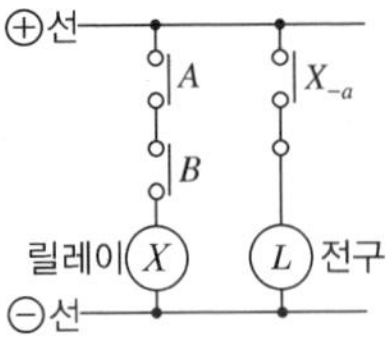 ⊕선 A, X_{-a} B 릴레이 X, L 전구 ⊖선	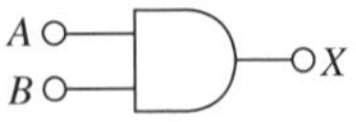 A, B → X $X=A \cdot B$	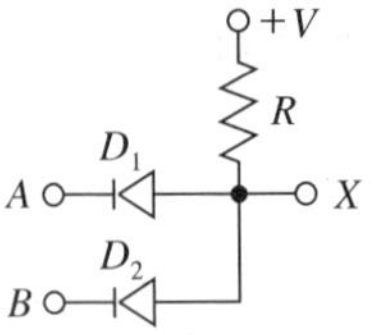 $+V$, R D_1: A → X D_2: B	A B X 0 0 0 0 1 0 1 0 0 1 1 1
OR회로 덧셈(+) 병렬회로	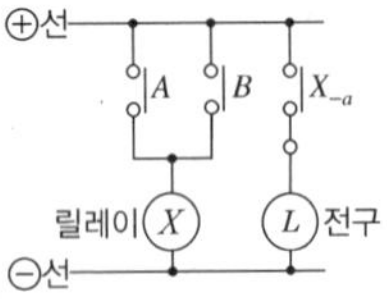 ⊕선 A, B, X_{-a} 릴레이 X, L 전구 ⊖선	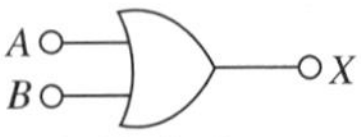 A, B → X $X=A+B$	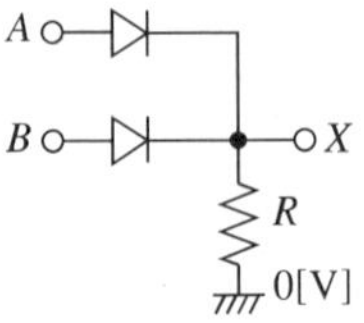 A, B → X R 0[V]	A B X 0 0 0 0 1 1 1 0 1 1 1 1
NOT회로 부정회로	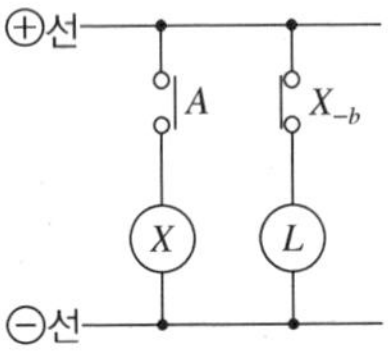 ⊕선 A, X_{-b} X, L ⊖선	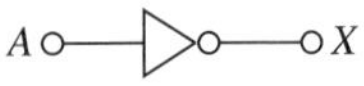 A → X $X=\overline{A}$	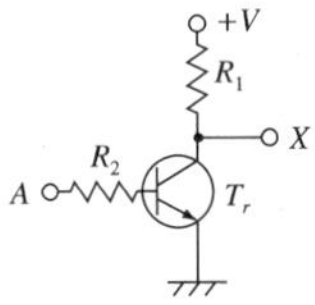 $+V$, R_1, X A, R_2, T_r 트랜지스터에 의한 NOT회로	A X 0 1 1 0
NAND회로 AND회로의 부정회로	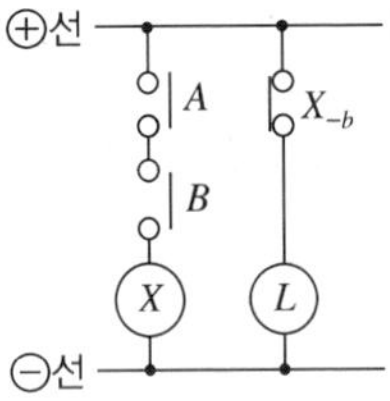 ⊕선 A, X_{-b} B X, L ⊖선	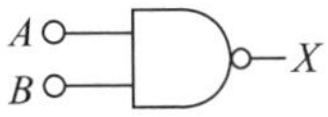 A, B → X $X=\overline{A \cdot B}=\overline{A}+\overline{B}$ 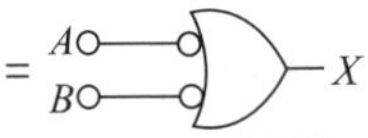 = A, B → X $X=\overline{A}+\overline{B}=\overline{A \cdot B}$	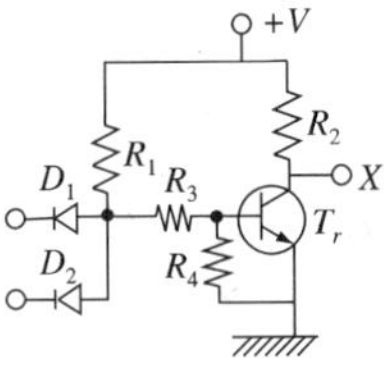 $+V$, R_2, X D_1, R_1, R_3, T_r D_2, R_4	A B X 0 0 1 0 1 1 1 0 1 1 1 0
NOR회로 OR회로의 부정회로	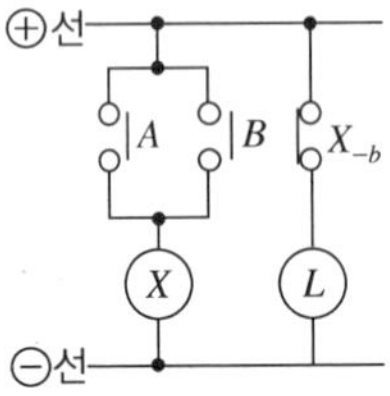 ⊕선 A, B, X_{-b} X, L ⊖선	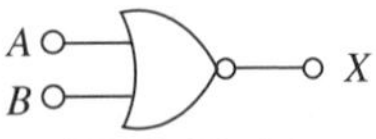 A, B → X $X=\overline{A+B}=\overline{A} \cdot \overline{B}$ 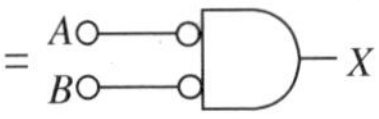 = A, B → X $X=\overline{A+B}=\overline{A} \cdot \overline{B}$	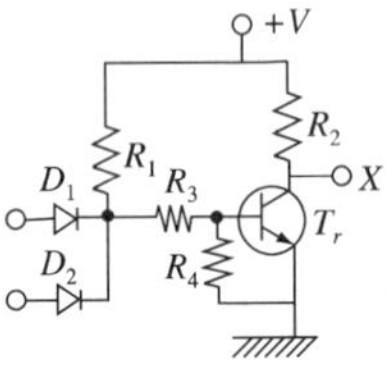 $+V$, R_2, X D_1, R_1, R_3, T_r D_2, R_4	A B X 0 0 1 0 1 0 1 0 0 1 1 0
Exclusive OR회로 =EOR회로 배타적 회로	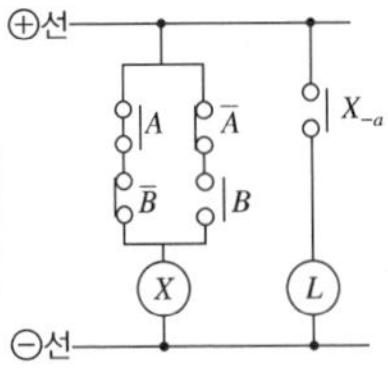 ⊕선 A, $\overline{A}$, X_{-a} $\overline{B}$, B X, L ⊖선	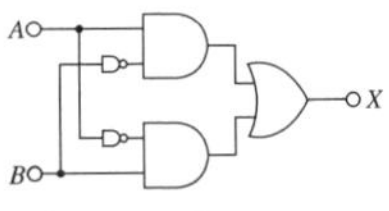  A, B → X = A, B → X $X=A \cdot \overline{B}+\overline{A} \cdot B=A \oplus B$	-	A B X 0 0 0 0 1 1 1 0 1 1 1 0

4 논리회로 논리식 변환

(1)

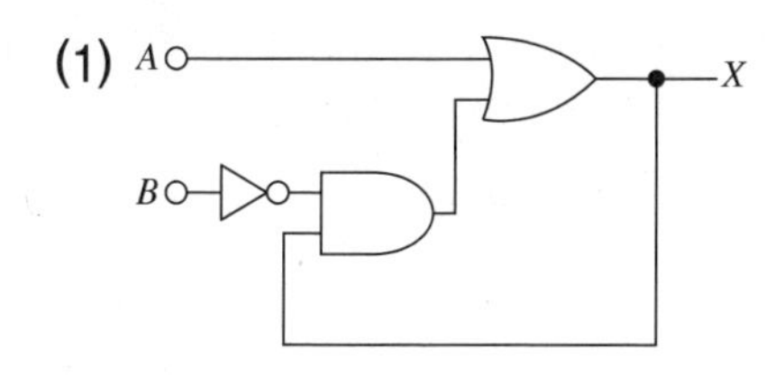

논리식 : $X = A + \overline{B} \cdot X$

(2)

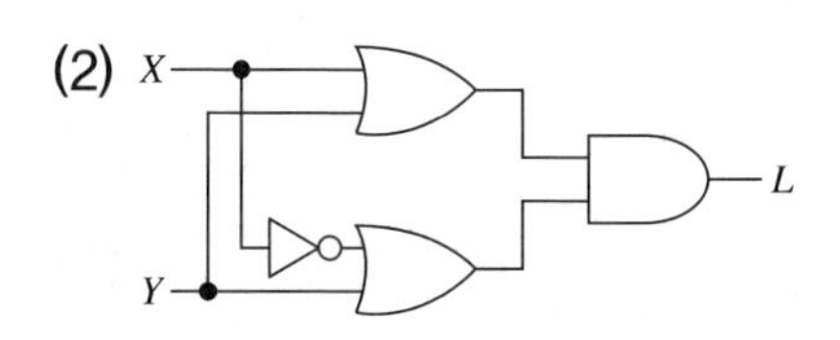

① 논리식

$L = (X + Y) \cdot (\overline{X} + Y)$

② 논리식 간소화

$$
\begin{aligned}
L &= (X + Y) \cdot (\overline{X} + Y) \\
&= \underbrace{X\overline{X}}_{0} + XY + \overline{X}Y + \underbrace{YY}_{Y} \\
&= 0 + Y(\underbrace{X + \overline{X} + 1}_{1}) \\
&= Y
\end{aligned}
$$

5 자기유지회로

(1) 유접점회로(릴레이회로)

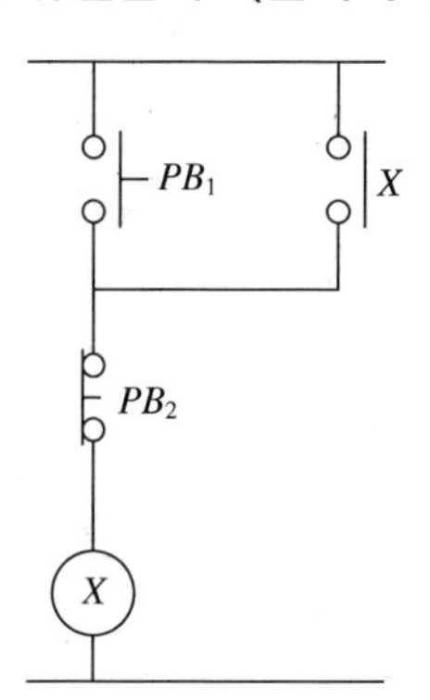

(2) 논리회로

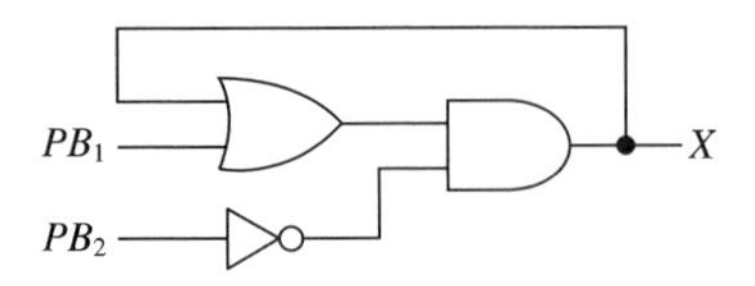

(3) 논리식

$$X = (PB_1 + X) \cdot \overline{PB_2}$$

핵/심/예/제

01 백열전등의 점등스위치로는 다음 중 어떤 스위치를 사용하는 것이 적합한가? [18년 2회]

① 복귀형 a접점 스위치

② 복귀형 b접점 스위치

③ 유지형 스위치

④ 전자 접촉기

해설 **점등스위치** : 유지형 스위치(수동조작 수동복귀 스위치)

02 다음 논리식 중 틀린 것은? [19년 1회]

① $X+X=X$

② $X \cdot X=X$

③ $X+\overline{X}=1$

④ $X \cdot \overline{X}=1$

해설 **논리식**

$X \cdot \overline{X}=0$

03 불대수의 기본정리에 관한 설명으로 틀린 것은? [18년 1회]

① $A+A=A$

② $A+1=1$

③ $A \cdot 0=1$

④ $A+0=A$

해설

AND회로	OR회로
$A \cdot 0=0$	$A+0=A$
$A \cdot 1=A$	$A+1=1$
$A \cdot A=A$	$A+A=A$
$A \cdot \overline{A}=0$	$A+\overline{A}=1$

정답 1 ③ 2 ④ 3 ③

핵심예제

04 논리식 $X = \overline{A \cdot B}$와 같은 것은? [17년 1회]

① $X = \overline{A} + \overline{B}$

② $X = A + B$

③ $X = \overline{A} \cdot \overline{B}$

④ $X = A \cdot B$

해설 논리식

$X = \overline{A \cdot B} = \overline{A} + \overline{B}$

05 그림과 같은 유접점회로의 논리식은? [17년 1회, 20년 1·2회]

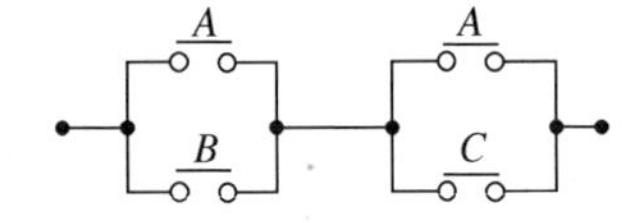

① $A + BC$

② $AB + C$

③ $B + AC$

④ $AB + BC$

해설 논리식

$$\begin{aligned}(A+B) \cdot (A+C) &= AA + AC + AB + BC \\ &= A + AC + AB + BC \\ &= A(1 + C + B) + BC \\ &= A + BC\end{aligned}$$

06 논리식 $\overline{X} + XY$를 간략화한 것은? [19년 1회]

① $\overline{X} + Y$

② $X + \overline{Y}$

③ $\overline{X}Y$

④ $X\overline{Y}$

해설 논리식

$\overline{X} + XY = (\overline{X} + X)(\overline{X} + Y) = 1 + (\overline{X} + Y) = \overline{X} + Y$

4 ① 5 ① 6 ① 정답

07 논리식 $X+\overline{X}Y$를 간단히 하면? [19년 2회]

① X ② $X\overline{Y}$

③ $\overline{X}Y$ ④ $X+Y$

해설 논리식

$X+\overline{X}Y=(X+\overline{X})(X+Y)=1+(X+Y)=X+Y$

08 논리식 $A \cdot (A+B)$를 간단히 표현하면? [19년 4회, 21년 2회]

① A ② B

③ $A \cdot B$ ④ $A+B$

해설 출력 $=A(A+B)$

$=AA+AB=A+AB=A(1+B)=A$

핵심예제

09 논리식 $(X+Y)(X+\overline{Y})$를 간단히 하면? [21년 1회]

① 1 ② XY

③ X ④ Y

해설 논리식

$(X+Y)(X+\overline{Y})=\underbrace{XX}_{X}+X\overline{Y}+XY+\underbrace{Y\overline{Y}}_{0}$

$=X+X\overline{Y}+XY$

$=X\underbrace{(1+\overline{Y})}_{1}+XY$

$=X+XY$

$=X\underbrace{(1+Y)}_{1}$

$=X$

정답 7 ④ 8 ① 9 ③

안심Touch

10 논리식 $X = AB\overline{C} + \overline{A}BC + \overline{A}B\overline{C}$ 를 가장 간소화하면? [18년 2회]

① $B(\overline{A} + \overline{C})$

② $B(\overline{A} + A\overline{C})$

③ $B(\overline{A}C + \overline{C})$

④ $B(A + C)$

해설 **논리식**

$$\begin{aligned} X &= AB\overline{C} + \overline{A}BC + \overline{A}B\overline{C} \\ &= B\overline{C}(A + \overline{A}) + \overline{A}BC \\ &= B\overline{C} + \overline{A}BC \\ &= B(\overline{C} + \overline{A}C) \\ &= B\{(\overline{C} + \overline{A}) \cdot (\overline{C} + C)\} \\ &= B(\overline{C} + \overline{A}) \end{aligned}$$

핵심 예제

11 $X = A\overline{B}C + \overline{A}BC + \overline{A}\,\overline{B}C + \overline{A}\,\overline{B}\,\overline{C} + A\overline{B}\,\overline{C}$를 가장 간소화한 것은? [18년 1회]

① $\overline{A}BC + \overline{B}$

② $B + \overline{A}C$

③ $\overline{B} + \overline{A}C$

④ $\overline{A}\,\overline{B}C + B$

해설 **논리식 간소화**

$$\begin{aligned} X &= A\overline{B}C + \overline{A}BC + \overline{A}\,\overline{B}C + \overline{A}\,\overline{B}\,\overline{C} + A\overline{B}\,\overline{C} \\ &= \overline{B}C(A + \overline{A}) + \overline{A}BC + \overline{B}\,\overline{C}(A + \overline{A}) \\ &= \overline{B}C + \overline{A}BC + \overline{B}\,\overline{C} \\ &= \overline{B}(C + \overline{C}) + \overline{A}BC \\ &= \overline{B} + \overline{A}BC \\ &= (\overline{B} + \overline{A}) \cdot (\overline{B} + B) \cdot (\overline{B} + C) \\ &= (\overline{B} + \overline{A})(\overline{B} + C) \\ &= \overline{B} + \overline{A} \cdot C \end{aligned}$$

10 ① 11 ③ 정답

12 다음의 논리식 중 틀린 것은?

[17년 1회, 20년 1회]

① $(\overline{A}+B)\cdot(A+B)=B$

② $(A+B)\cdot\overline{B}=A\overline{B}$

③ $\overline{AB+AC}+\overline{A}=\overline{A}+\overline{B}\,\overline{C}$

④ $\overline{(\overline{A}+B)+CD}=A\overline{B}(C+D)$

해설

① $(\overline{A}+B)\cdot(A+B)=\overline{A}A+\overline{A}B+AB+BB$

$=\overline{A}B+AB+B$

$=\dfrac{B(\overline{A}+A+1)}{1}=B$

② $(A+B)\cdot\overline{B}=A\overline{B}+B\overline{B}=A\overline{B}$

③ $\overline{AB+AC}+\overline{A}=\overline{AB}\cdot\overline{AC}+\overline{A}$

$=(\overline{A}+\overline{B})\cdot(\overline{A}+\overline{C})+\overline{A}$

$=\overline{A}\,\overline{A}+\overline{A}\,\overline{C}+\overline{A}\,\overline{B}+\overline{B}\,\overline{C}+\overline{A}=\overline{A}\dfrac{(1+\overline{C}+\overline{B}+1)}{1}+\overline{B}\,\overline{C}$

$=\overline{A}+\overline{B}\,\overline{C}$

④ $\overline{(\overline{A}+B)+CD}=\overline{(\overline{A}+B)}\cdot\overline{CD}=\overline{\overline{A}}\,\overline{B}\cdot(\overline{C}+\overline{D})$

$=A\overline{B}(\overline{C}+\overline{D})$

13 그림과 같은 게이트의 명칭은?

[18년 2회]

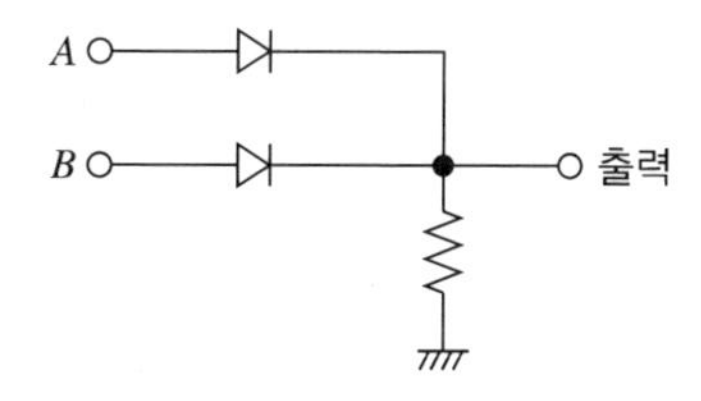

① AND

② OR

③ NOR

④ NAND

해설 다이오드가 모두 출력측을 향하고, 입력 A, B 중 어느 하나만 1이면 출력하는 OR회로이다.

정답 12 ④ 13 ②

14 그림과 같은 다이오드 게이트 회로에서 출력전압은?(단, 다이오드 내의 전압강하는 무시한다)

[18년 4회, 21년 1회]

5[V]
0[V]
5[V]
출력
전압 0

① 10[V]
② 5[V]
③ 1[V]
④ 0[V]

해설 OR게이트는 입력이 어느 하나라도 1이면 출력이 발생하는 회로이므로 출력 5[V]이다.

핵심 예제

15 그림의 시퀀스 회로와 등가인 논리 게이트는?

[17년 4회, 20년 3회]

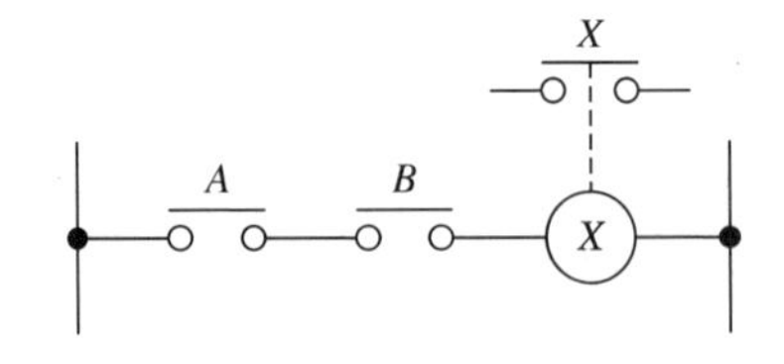

① OR게이트
② AND게이트
③ NOT게이트
④ NOR게이트

해설 입력 A와 B가 직렬 연결되었으므로 AND회로이다(단, 출력 X접점이 B접점일 경우는 NAND회로가 된다).

14 ② 15 ② 정답

16 다음 회로에서 출력전압은 몇 [V]인가?(단, $A=5[\mathrm{V}]$, $B=0[\mathrm{V}]$인 경우이다) [20년 1·2회]

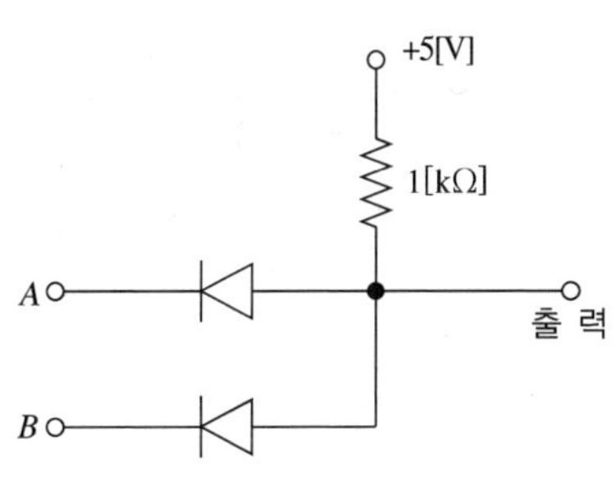

① 0　　② 5
③ 10　　④ 15

해설 A와 B가 모두 5[V]의 입력신호가 들어와야 출력하는 AND회로이고, B의 입력이 없으므로 출력은 나오지 않게 된다.

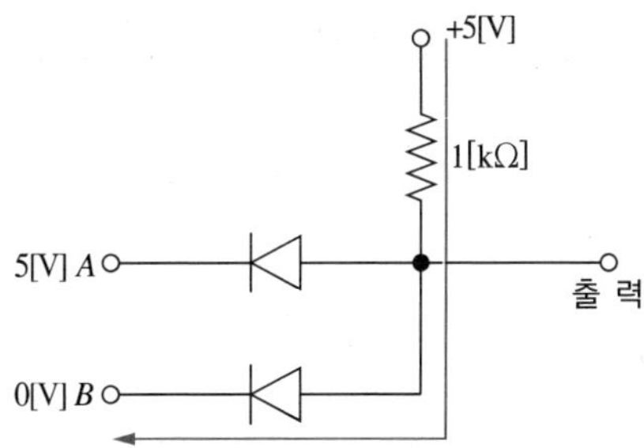

17 그림의 논리회로와 등가인 논리 게이트는? [21년 1회]

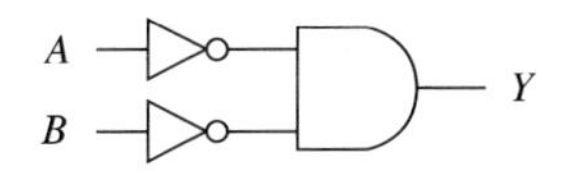

① NOR　　② NAND
③ NOT　　④ OR

해설 NOR회로
- OR회로의 출력에 NOT회로를 조합시킨 논리합의 부정회로로서 2개의 입력신호가 모두 0일 때 출력이 1인 회로이다.
- 논리식 $Y=\overline{A+B}=\overline{A}\cdot\overline{B}$
- 논리기호

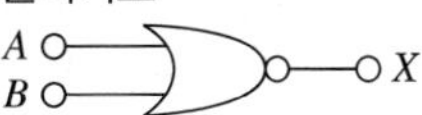

정답 16 ① 17 ①

18 그림의 논리회로와 등가인 논리게이트는? [21년 2회]

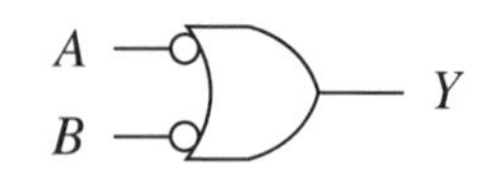

① NOR ② NAND
③ NOT ④ OR

해설 $Y=\overline{A}+\overline{B}$에서 2중 부정을 취하면(긍정과 같다)

$\overline{\overline{\overline{A}+\overline{B}}} = \overline{\overline{\overline{A}}\cdot\overline{\overline{B}}} = \overline{A\cdot B}$

$A\cdot B$ AND에 부정이므로 NAND이다.

[논리회로]

AND회로	OR회로	NOT회로	NAND회로	NOR회로
$Y=A\cdot B$	$Y=A+B$	$Y=\overline{A}$	$Y=\overline{A\cdot B}$	$Y=\overline{A+B}$

19 그림과 같은 무접점회로는 어떤 논리회로인가? [19년 2회]

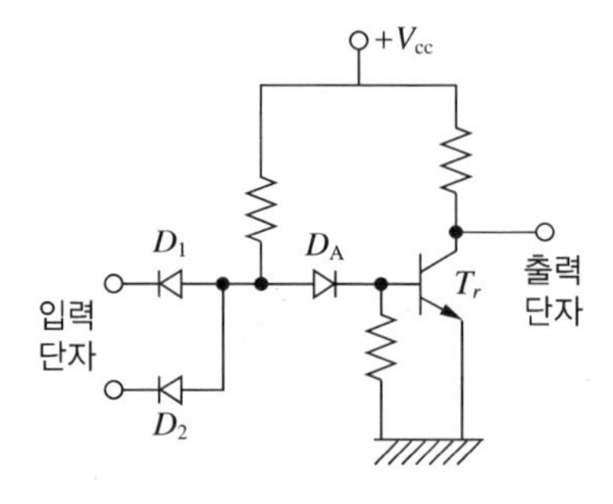

① NOR ② OR
③ NAND ④ AND

해설 NAND회로

회 로	유접점	무접점과 논리식	회로도	진리값표
NAND회로 AND회로의 부정회로	⊕선, A, X_{-b}, X, L, ⊖선	$X=\overline{A\cdot B}=\overline{A}+\overline{B}$ $=$ $X=\overline{A}+\overline{B}=\overline{A\cdot B}$	$+V$, R_1, R_2, R_3, R_4, D_1, D_2, T_r, X	A B X 0 0 1 0 1 1 1 0 1 1 1 0

18 ② 19 ③ 정답

20 두 개의 입력신호 중 한 개의 입력만이 1일 때 출력신호가 1이 되는 논리게이트는?

[20년 4회]

① EXCLUSIVE NOR
② NAND
③ EXCLUSIVE OR
④ AND

해설 EX-OR게이트 : 두 개의 입력신호 중 어느 한 개의 입력신호만 1일 때 출력하는 회로
$X = \overline{A}B + A\overline{B}$

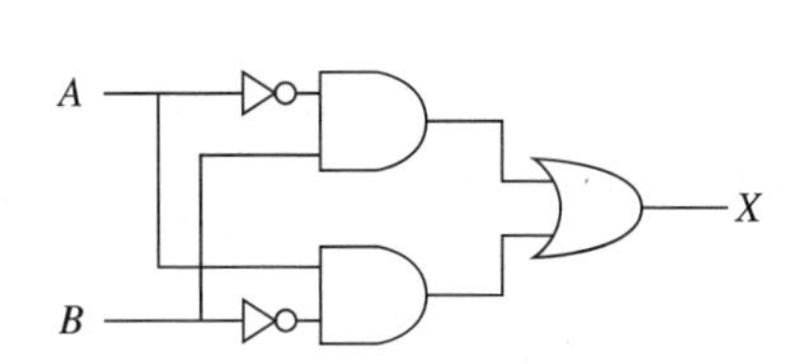

진리값

A	B	X
0	0	0
0	1	1
1	0	1
1	1	0

21 그림과 같은 계전기 접점회로의 논리식은?

[18년 4회]

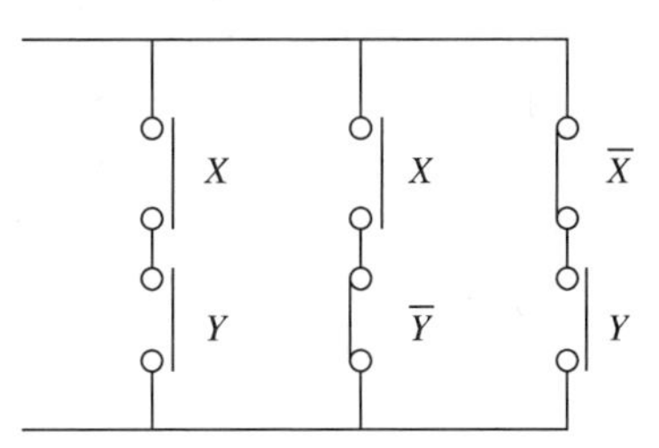

① $(X+Y)(X+\overline{Y})(\overline{X}+Y)$
② $(X+Y)+(X+\overline{Y})+(\overline{X}+Y)$
③ $(XY)+(X\overline{Y})+(\overline{X}Y)$
④ $(XY)(X\overline{Y})(\overline{X}Y)$

해설 논리식 $= (XY)+(X\overline{Y})+(\overline{X}Y)$

정답 20 ③ 21 ③

22 **그림의 시퀀스(계전기 접점) 회로를 논리식으로 표현하면?** [20년 1회]

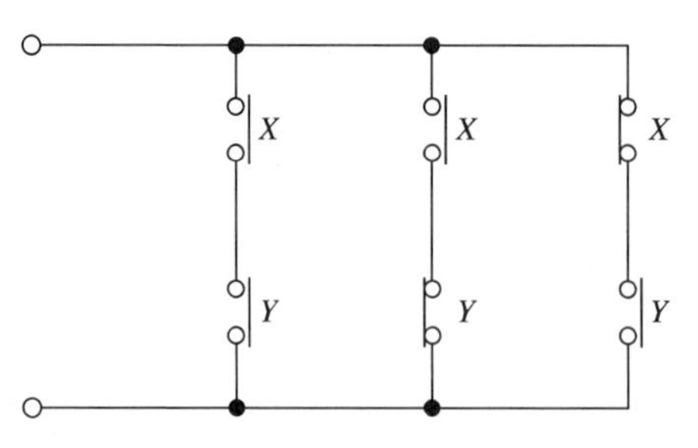

① $X+Y$

② $(XY)+(X\overline{Y})(\overline{X}Y)$

③ $(X+Y)(X+\overline{Y})(\overline{X}+Y)$

④ $(X+Y)+(X+\overline{Y})+(\overline{X}+Y)$

해설 논리식

$$XY+X\overline{Y}+\overline{X}Y = X(Y+\overline{Y})+\overline{X}Y$$
$$= X+\overline{X}Y$$
$$= (X+\overline{X})(X+Y)$$
$$= X+Y$$

핵심 예제

23 **그림의 논리기호를 표시한 것으로 옳은 식은?** [19년 1회]

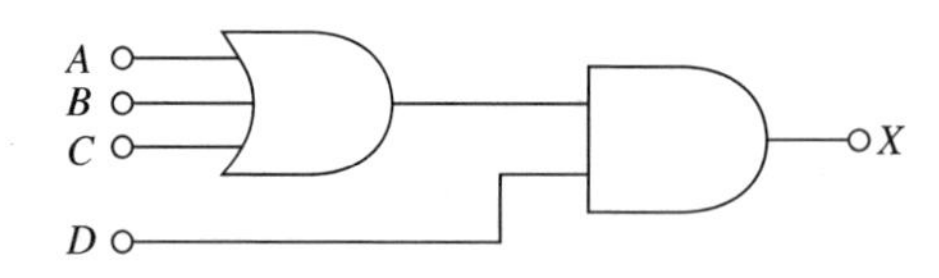

① $X=(A\cdot B\cdot C)\cdot D$

② $X=(A+B+C)\cdot D$

③ $X=(A\cdot B\cdot C)+D$

④ $X=A+B+C+D$

해설 A, B, C, D, A+B+C, D, X

논리식 : $X=(A+B+C)\cdot D$

22 ① 23 ② 정답

24 다음 무접점회로의 논리식(X)은? [17년 2회, 20년 1·2회]

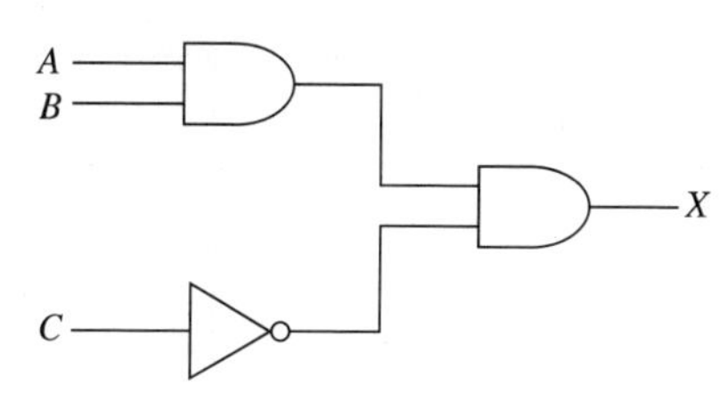

① $A \cdot B + \overline{C}$

② $A + B + \overline{C}$

③ $(A + B) \cdot \overline{C}$

④ $A \cdot B \cdot \overline{C}$

해설 **논리식**

$X = A \cdot B \cdot \overline{C}$

25 그림과 같은 논리회로의 출력 Y는? [20년 3회]

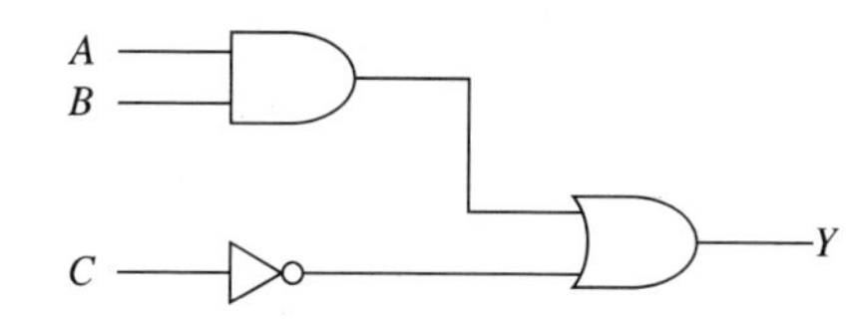

① $AB + \overline{C}$

② $A + B + \overline{C}$

③ $(A + B)\overline{C}$

④ $AB\overline{C}$

해설 논리회로 출력 : $Y = AB + \overline{C}$

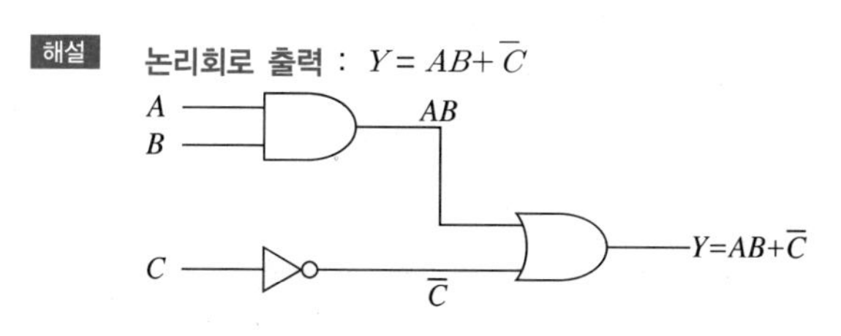

정답 24 ④ 25 ①

26 PB_{-on} 스위치와 병렬로 접속된 보조접점 X_{-a}의 역할은? [18년 1회]

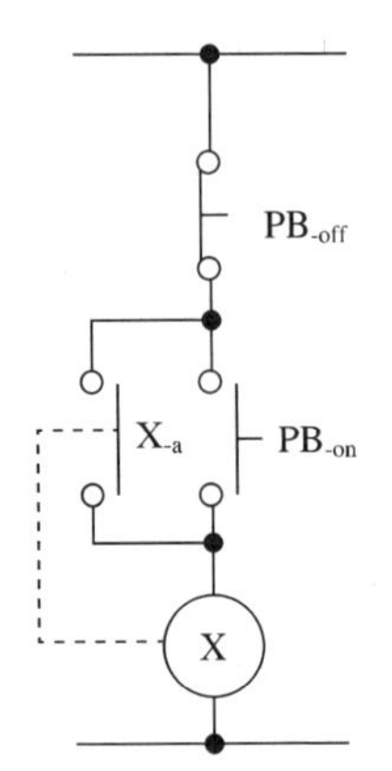

① 인터록 회로
② 자기유지회로
③ 전원차단회로
④ 램프점등회로

해설 자기유지접점(회로) : 기동스위치(PB_{-on})와 병렬연결
PB_{-off} : 정지 스위치 직렬연결

핵심예제

26 ② 정답

전기설비

제1절 전압의 종류 및 전선의 굵기 계산

1 전압의 종류

(1) **저압**
- 직류 : 1.5[kV] 이하
- 교류 : 1[kV] 이하

(2) **고압** : 저압을 넘고 7[kV] 이하

(3) **특고압** : 7[kV] 초과

2 전선의 굵기 계산

(1) **단상 2선식** : $A = \dfrac{35.6LI}{1,000e}[\text{mm}^2]\left(\text{전선단면적 } : e = \dfrac{35.6LI}{1,000A}[\text{V}]\right)$

(2) **3상 3선식** : $A = \dfrac{30.8LI}{1,000e}[\text{mm}^2]\left(\text{전선단면적 } : e = \dfrac{30.8LI}{1,000A}[\text{V}]\right)$

(3) **단상 3선(3상 4선)** : $A = \dfrac{17.8LI}{1,000e}[\text{mm}^2]\left(\text{전선단면적 } : e = \dfrac{17.8LI}{1,000A}[\text{V}]\right)$

여기서, e : 전압강하[V]
A : 전선단면적[mm^2]
L : 선로긍장[m]
I : 부하전류[A]

제2절 수전설비

1 개폐기 종류

(1) **단로기(DS)** : 무부하 전로 개폐

(2) **개폐기(OS)** : 부하전로 및 무부하 전로 개폐

(3) **차단기(CB)** : 무부하전로, 부하전로 개폐 및 고장(사고)전류 차단

2 차단기 소호매질에 의한 분류

(1) **유입차단기(OCB)** : 절연유 사용, 소음은 발생하지만 방음장치가 필요 없다.

(2) **공기차단기(ABB)** : 수십 기압의 압축공기를 이용(15~30기압)

※ 차단과 투입에 압축공기를 이용 → 임펄스 차단기

(3) **가스차단기(GCB)** : SF_6가스 사용

① 무색, 무취, 무해
② 불연성이다.
③ 소호능력이 크다.
④ 절연내력이 크다.
⑤ **진공차단기(VCB)** : 진공상태에서 전류개폐
⑥ **자기차단기(MBB)** : 전자력을 이용

※ ACB(기중차단기) : 옥내 간선 보호
NFB(배선용차단기) : 옥내 분기선 보호

3 변압기 용량계산

(1) 수용률

$$수용률 = \frac{최대전력[kW]}{설비용량[kW]} \times 100[\%]$$

(2) 부하율

$$부하율(F) = \frac{평균전력[kW]}{최대전력[kW]} \times 100 = \frac{사용전력량[kWh]/시간[h]}{최대전력[kW]} \times 100[\%]$$

(3) 부등률 : 전력소비기기를 동시에 사용되는 정도

$$부등률 = \frac{개별수용\ 최대전력의\ 합[kW]}{합성최대전력[kW]} \geq 1$$

(4) 변압기 용량계산

$$합성최대전력 = \frac{개별수용\ 최대전력의\ 합[kW]}{부등률 \times \cos\theta \times 효율}[kVA]$$

(5) 부하율(F)과 손실계수(H)의 관계식

- $부하율(F) = \frac{평균전력[kW]}{최대전력[kW]} = \frac{사용전력량[kWh]/시간[h]}{최대전력[kW]}$
- $손실계수(H) = \frac{평균전력손실[kW]}{최대전력손실[kW]} = \frac{전력손실량[kWh]/시간[h]}{최대전력손실[kW]}$

  $손실계수(H) = \alpha F + (1-\alpha)F^2$

$\therefore 1 \geq F \geq H \geq F^2 \geq 0$

4 전력용 콘덴서

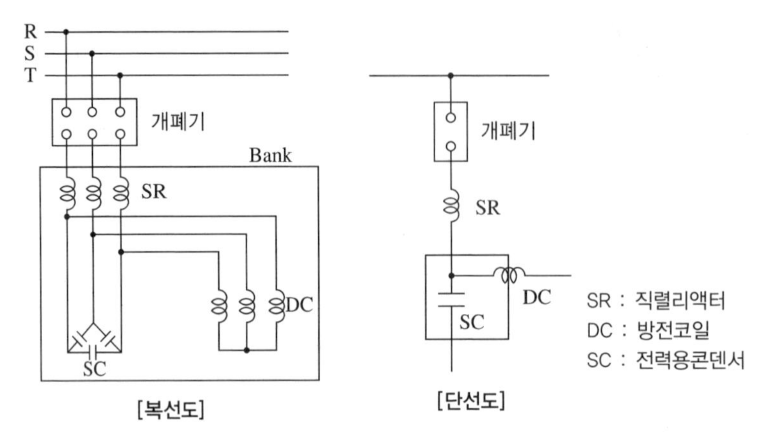

① 직렬리액터(SR) : 5고조파를 제거하여 전압의 파형 개선

제거 : $L-C$ 병렬관계(병렬공진)

$$n\omega L = \frac{1}{n\omega C}(n = 5)$$

$$5 \times 2\pi f L = \frac{1}{5 \times 2\pi f C}$$

$$\omega L = \frac{1}{25\omega C}$$

$\therefore\ X_L = 0.04X_C$(이론상 : 4[%], 실제 : 5~6[%])

② 방전코일(DC) : 전원개방 시 잔류전하를 방전하여 인체의 감전사고 방지(전원 재투입 시 과전압 발생 방지)

③ 전력용 콘덴서(SC) : 부하의 역률 개선

㉠ 역 률

- 정의 : 전압과 전류의 위상차
- 원리 : 전류가 전압보다 위상이 앞서므로
- 평균역률 : 90~95[%]
  - 전압 강하가 작다.
  - 전력 손실이 감소한다.
  - 전기요금이 절약된다.
  - 설비이용률이 증가된다.

$$\cos\theta = \frac{P[\text{kW}]}{P_a[\text{kVA}]} \times 100[\%]$$

여기서, $\cos\theta$: 역률

P : 유효전력[kW]

P_a : 피상전력[kVA]

④ 용량계산

$$Q_C = P(\tan\theta_1 - \tan\theta_2) = P\left(\frac{\sin\theta_1}{\cos\theta_1} - \frac{\sin\theta_2}{\cos\theta_2}\right)$$

$$= P\left(\frac{\sqrt{1-\cos^2\theta_1}}{\cos\theta_1} - \frac{\sqrt{1-\cos^2\theta_2}}{\cos\theta_2}\right)$$

여기서, Q_C : 콘덴서용량[kVA = kVar]

P : 유효전력

θ_1 : 개선 전 위상

θ_2 : 개선 후 위상

5 보호계전기

(1) 과전류 계전기(OCR) : 일정전류 이상이 되면 동작

(2) 과전압 계전기(OVR) : 일정전압 이상이 되면 동작

(3) 부족전압 계전기(UVR) : 일정전압 이하가 되면 동작

(4) 차동계전기, 비율차동계전기 : 양쪽 전류차에 의해 동작

① 단락사고 보호

② 발전기, 변압기 내부 고장 시 기계기구 보호

(5) 부흐홀츠 계전기 : 변압기 내부의 아크, 가스, 유량 등의 변화를 검출하여 동작

① 변압기 내부고장으로부터 보호(변압기만 보호)

② 설치위치 : 변압기 주탱크와 콘서베이터 파이프 중간에 설치

(6) 역상과전류 계전기 : 발전기의 부하 불평형이 되어 발전기 회전자가 과열 소손되는 것을 방지

(7) 지락계전기(GR) : 영상변류기(ZCT)와 조합하여 지락사고 보호

① 영상변류기(ZCT) : 영상전류 검출

㉠ 지락계전기 = 접지계전기

㉡ 영상전류 = 지락전류 = 누설전류

② 영상접지형 변압기(GPT) : 영상전압 검출

제3절 전기화학

1 전기분해

전류에 의하여 전해질 용액이 화학반응을 일으키는 현상

(1) 패러데이의 법칙(Faraday's Law)

전기분해에 의해 전극에 석출되는 물질의 양은 그 물질의 화학당량에 비례하고 통과한 총전기량에 비례한다.

$W = KQ = KIt$[g]

여기서, W : 석출량[g]

K : 물질의 전기화학당량[g/C]

Q : 통과한 전기량[C]

I : 전류[A]

t : 통과한 시간[s]

※ 전해질 용액 : 전류가 잘 통하는 수용액

2 전 지

화학변화를 이용하여 전기적 에너지를 공급하는 장치

(1) 전지의 종류

① 1차 전지 : 한 번 방전하면 다시 재사용이 불가능한 전지

② 2차 전지 : 방전 후 충전에 의하여 재사용이 가능한 전지

(2) 분극작용

양극에 수소가스가 발생하여 극의 표면을 에워싸므로 수소이온(H^+)이 방전할 수 없어 기전력이 저하하는 현상으로 감극제를 사용하여 방지한다.

(3) 국부작용

① 음극 또는 전해액에 불순물이 섞여 전지 내부에서 순환전류가 흘러 기전력이 감소하는 현상으로 음극에 수은을 도금하여 방지한다.

② 자체방전 원인 : 불순물

(4) 설페이션 현상(황산화 현상)

납축전지를 방전상태로 오래 방치하면 극판상의 황산납($PbSO_4$)의 미립자가 응집하여 백색의 큰 피복물로 된다. 이는 부도체이므로 전지의 수명단축, 전지용량 감소, 전해액의 온도상승을 유발한다.

3 2차 전지

(1) 종 류

납(연)축전지, 알칼리축전지

(2) 비 교

구 분	납(연)축전지	알칼리축전지
공칭전압	2[V/셀]	1.2[V/셀]
공칭용량	10[h]	5[h]
양극재료	• 충전 : PbO_2(이산화납) • 방전 : $PbSO_4$(황산납)	$Ni(OH)_2$(수산화니켈)
음극재료	• 충전 : Pb(납) • 방전 : $PbSO_4$(황산납)	Cd(카드뮴)

4 충전방식

(1) **보통충전** : 필요할 때마다 표준시간율로 소정의 충전을 하는 방법

(2) **급속충전** : 비교적 단시간에 보통충전 전류의 2~3배의 전류로 충전하는 방식

(3) **부동충전** : 그림과 같이 충전장치를 축전지와 부하에 병렬로 연결하여 전지의 자기방전을 보충함과 동시에 상용부하에 대한 전력공급은 충전기가 부담하고 충전기가 부담하기 어려운 대전류 부하는 축전지가 부담하게 하는 방법(충전기와 축전기가 부하와 병렬상태에서 자기방전 보충방식)

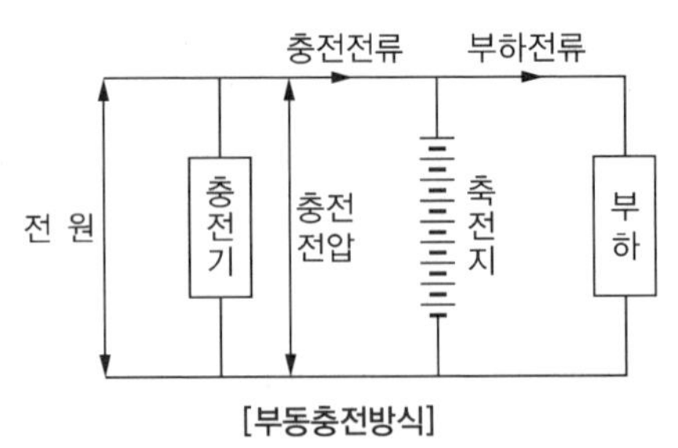

[부동충전방식]

(4) **균등충전** : 전지를 장시간 사용하는 경우 단전지들의 전압이 불균일하게 되는 때가 있는데 이를 시정하기 위해서 얼마간 과충전을 계속하여 각 전해조의 전압을 일정하게 하는 것

(5) **세류충전** : 자기방전량만 항상 충전하는 방식

5 2차 충전전류, 축전지용량

(1) 2차 충전전류

$$2\text{차 충전전류} = \frac{\text{축전지의 용량[Ah]}}{\text{정격방전율[h]}} + \frac{\text{상시부하[kW]}}{\text{표준전압[V]}}[\text{A}]$$

(2) 축전지용량

$$C = \frac{1}{L}KI = It[\text{Ah}]$$

여기서, L : 보수율(0.8)
K : 방전시간 환산계수
I : 방전전류[A]
t : 방전시간[h]

제4절 예비전원설비

1 예비전원설비의 종류

(1) **자가발전설비** : 상용전원 정전 시에 디젤엔진, 가솔린엔진, 가스터빈 엔진 등을 원동기로 하여 구동되는 발전기를 기동시켜 필요한 최소한의 전력을 공급하는 설비

(2) **축전지설비** : 상시에 정류기로 축전지를 충전시켜 두었다가 정전 시 그대로 직류전원으로 사용하거나 Inverter로 AC전원으로 변환하여 사용하는 설비

(3) **예비회선수전설비** : 수전설비에 연결된 배전선로를 다른 변전소로부터 별도의 예비회선을 가설하여 전용선로 정전 시 전원공급

(4) **무정전 전원설비** : 대형 컴퓨터나 중요한 통신설비 등과 같이 순간정전도 허용할 수 없는 기기에 상용전원이 정전 되어도 무정전으로 계속 전력을 공급할 수 있도록 한 것으로 UPS(Uninterruptible Power Supply)라고 하는 것

2 무정전 전원 공급장치(UPS)

(1) UPS 구성도

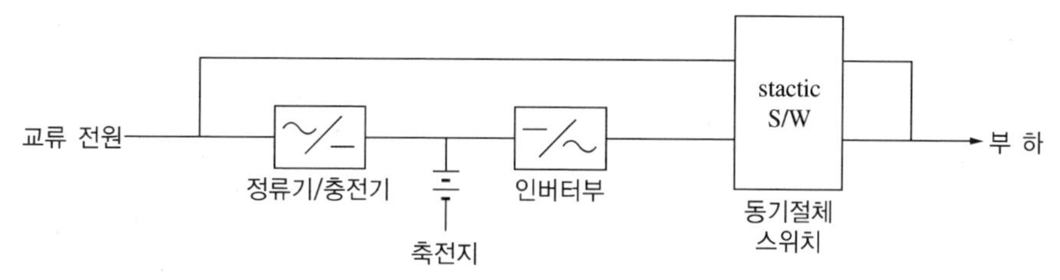

① **정류기, 충전기부(컨버터)** : 교류 전원을 공급받아 직류 전원으로 바꾸어 주는 동시에 축전지를 충전

② **인버터부** : 직류 전원을 교류 전원으로 바꾸어주는 장치

③ **동기절체 스위치부** : 인버터부의 과부하 및 이상 시 예비, 상용전원(Bypass Line)으로 절체시켜 주는 스위치부

④ **축전지** : 정전 시 인버터부에 직류 전원을 공급하여 부하에 무정전으로 전원을 공급하는 설비

제5절 전열회로

1 열량공식

(1) **전력** $P[\mathrm{W}] = VI = I^2R = \dfrac{V^2}{R}$

① 전력량 $W[\mathrm{W \cdot s = J}] = Pt = VIt = I^2Rt = \dfrac{V^2}{R}t$

② 열량 $H[\mathrm{cal}] = 0.24\,W[\mathrm{J}] = 0.24Pt = 0.24\,VIt = 0.24I^2Rt = 0.24\dfrac{V^2}{R}t$

(2) $H = Cm\theta[\mathrm{cal}]$

여기서, C : 비열(물 = 1)
m : 질량[g]
θ : 온도차[℃]

(3) $H = 860\eta Pt[\mathrm{kcal}]$

여기서, η : 효율
P : 전력[kW]
t : 시간[h]

※ 1[J] ≒ 0.24[cal]
1[kWh] ≒ 860[kcal]

2 열전효과

열과 전기에 관한 효과로서 제베크, 펠티에, 톰슨, 핀치효과 등

(1) **펠티에효과** : 서로 다른 두 종류의 금속선으로 폐회로를 만들어 전류를 흘리면 그 접합점에서 열이 흡수, 발생(전자냉동에 이용)

(2) **제베크효과** : 서로 다른 두 종류의 금속선으로 폐회로를 만들고 이 두 회로의 온도를 달리하면 열기전력 발생(열전온도계, 열감지기에 이용)

(3) 톰슨효과 : 같은 종류의 금속선으로 폐회로를 만들어 전류를 흘리면 열이 흡수 또는 발생

(4) 핀치효과 : 전류가 흐르고 있는 자계에 도체를 인가 시 도체측면에 양(+), 음(−)의 전하가 나타나 두 면에 전위차 발생

(5) 열전대

① 온도를 전압으로 변환시키는 소자
② 열전대 조합(열전쌍)
　㉠ 구리-콘스탄탄
　㉡ 철-콘스탄탄
　㉢ 크로멜-엘루멜
　㉣ 백금-백금로듐

제6절 전기계측

1 오차와 보정

(1) 오차 : 참값과 측정값의 차

$\varepsilon = M - T$

여기서, ε : 오차

M : 측정값

T : 참값

(2) 보정 : 측정값과 참값을 같게 하는 데 필요한 차

$\alpha = T - M$

여기서, α : 보정값

① 백분율 오차 $= \dfrac{\varepsilon}{T} \times 100[\%] = \dfrac{M-T}{T} \times 100[\%]$

② 백분율 보정 $= \dfrac{\alpha}{M} \times 100[\%] = \dfrac{T-M}{M} \times 100[\%]$

2 지시계기

(1) 구성요소

구동장치, 제어장치, 제동장치, 가동부지지장치, 지침과 눈금

(2) 지시계기의 종류

① 가동 코일형 : 직류 측정(교류는 측정할 수 없다)

㉠ 감도 및 정확도가 높다.

㉡ 구동 토크가 크다.

㉢ 소비 전력이 작다.

㉣ 측정 범위가 낮다.

② 가동 철편형, 유도형 : 교류 측정(직류는 측정할 수 없다)

㉠ 구조가 간단하다.

㉡ 가격이 저렴하다.

㉢ 오차가 크다.

㉣ 외부 자기장의 영향을 받는다.

③ 열전형 → 제베크 효과 이용

※ 참 고

종 류	기 호	문자 기호	사용 회로	구동 토크
가동 코일형		M	직 류	영구 자석의 자기장 내에 코일을 두고, 이 코일에 전류를 통과시켜 발생되는 힘을 이용한다.
가동 철편형		S	교 류	전류에 의한 자기장이 연철편에 작용하는 힘을 사용한다.
유도형		I	교 류	회전 자기장 또는 이동 자기장과 이것에 의한 유도 전류와의 상호 작용을 이용한다.
전류력 계형		D	직류 교류	전류 상호 간에 작용하는 힘을 이용한다.
정전형		E	직류 교류	충전된 대전체 사이에 작용하는 흡인력 또는 반발력(즉, 정전력)을 이용한다.
열전형		T	직류 교류	다른 종류의 금속체 사이에 발생되는 기전력을 이용한다.
정류형		R	직류 교류	가동 코일형 계기 앞에 정류 회로를 삽입하여 교류를 측정하므로 가동 코일형과 같다.

• 전류 측정용 : 가동철편형, 가동코일형, 열전대형
• 전압 측정용 : 저항형, 정전형

3 측정기구

(1) 역률 측정

전압계, 전류계, 전력계

(2) 회로시험기

전압, 전류, 저항 측정 및 도통시험

(3) 메거(절연저항계)

절연저항측정

(4) 콜라우시 브리지

축전지 내부저항, 전해액의 저항 측정

핵/심/예/제

핵심예제

01 **전기화재의 원인이 되는 누전전류를 검출하기 위해 사용되는 것은?** [19년 1회]

① 접지계전기
② 영상변류기
③ 계기용변압기
④ 과전류계전기

해설 **영상변류기(ZCT)** : 영상전류(지락전류, 누설전류) 검출

02 **변압기 내부 보호에 사용되는 계전기는?** [19년 4회]

① 비율 차동 계전기
② 부족 전압 계전기
③ 역전류 계전기
④ 온도 계전기

해설 **변압기 내부 고장 보호 계전기** : 부흐홀츠 계전기, 비율 차동 계전기, 차동 계전기

03 **수정, 전기석 등의 결정에 압력을 가하여 변형을 주면 변형에 비례하여 전압이 발생하는 현상을 무엇이라 하는가?** [20년 1·2회]

① 국부작용
② 전기분해
③ 압전현상
④ 성극작용

해설 **압전효과(현상)** : 기계적 에너지를 전기적 에너지로 변환시키는 현상으로 압전 소자에 외부 응력, 진동 등을 가하면 압전 소자로부터 전기 신호가 발생하는 효과(현상)

1 ② 2 ① 3 ③ 정답

04 수신기에 내장된 축전지의 용량이 6[Ah]인 경우 0.4[A]의 부하전류로는 몇 시간 동안 사용할 수 있는가? [19년 1회]

① 2.4시간
② 15시간
③ 24시간
④ 30시간

해설 • 축전기 용량 : $C = It$[Ah]에서 시간을 구하면
• 시간 : $t = \frac{C}{I} = \frac{6}{0.4} = 15$[h]

05 교류 전력 변환장치로 사용되는 인버터회로에 대한 설명으로 옳지 않은 것은? [19년 2회]

① 직류 전력을 교류 전력으로 변환하는 장치를 인버터라고 한다.
② 전류형 인버터와 전압형 인버터로 구분할 수 있다.
③ 전류방식에 따라서 타려식과 자려식으로 구분할 수 있다.
④ 인버터의 부하장치에는 직류직권전동기를 사용할 수 있다.

해설 인버터(Inverter)

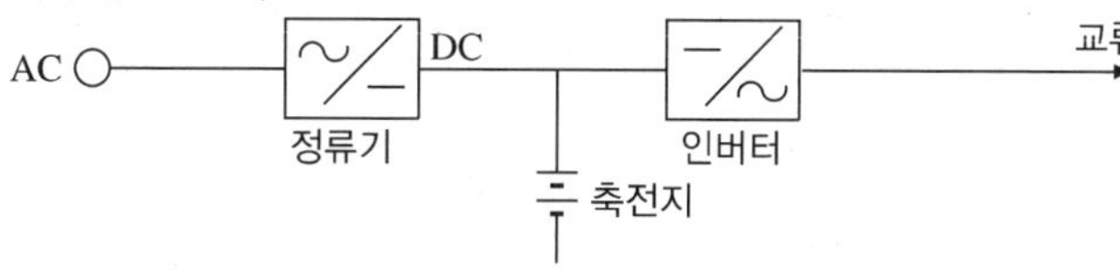

• 직류 DC → 교류 AC로 변환
• 인버터의 부하장치에는 교류직권전동기를 사용한다.

컨버터(Converter)
교류 AC → 직류 DC로 변환

정답 4 ② 5 ④

06 20[℃]의 물 2[L]를 64[℃]가 되도록 가열하기 위해 400[W]의 온수기를 20분 사용하였을 때 이 온수기의 효율은 약 몇 [%]인가? [17년 1회]

① 27
② 59
③ 77
④ 89

해설 $Cm(T-T_0)=860\eta Pt$에서 효율을 구하면

$$\eta=\frac{Cm(T-T_0)}{860Pt}\times 100=\frac{1\times2\times(64-20)}{860\times0.4\times\frac{20}{60}}\times 100$$

$=76.7[\%]$

핵심 예제

07 열팽창식 온도계가 아닌 것은? [17년 1회, 20년 3회]

① 열전대 온도계
② 유리 온도계
③ 바이메탈 온도계
④ 압력식 온도계

해설
- 열전대 온도계 : 두 종류의 금속을 접속하고 한쪽은 높은 온도로 다른 쪽은 낮은 온도로 유지하면 온도 차이에 의하여 기전력이 발생한다. 이때 기전력을 측정하면 온도의 측정이 가능해지는데 이것을 열전대 온도계라 한다.
- 유리 온도계 : 진공 상태의 가느다란 유리관에 수은이나 알코올을 적당량 넣은 것이며, 열을 얻은 수은이나 알코올의 부피가 열적 평형 상태가 될 때까지 늘어나 유리관 위로 올라간다.
- 바이메탈 온도계 : 바이메탈은 온도가 상승하면 휘는 성질이 있는데, 이 휘는 정도에 따라 온도를 측정하는 것을 말한다.
- 압력식 온도계 : 지시부, 감응부, 모세관 등으로 구성되어 있고 모세관 내의 액체 또는 가스 등이 온도 변화에 따라 팽창 또는 증발하여 부르동관을 구부리고 지침을 움직이게 하는 원리이다.

6 ③ 7 ① 정답

08 어떤 측정계기의 지시값을 M, 참값을 T라 할 때 보정률[%]은? [21년 1회]

① $\frac{T-M}{M} \times 100[\%]$

② $\frac{M}{M-T} \times 100[\%]$

③ $\frac{T-M}{T} \times 100[\%]$

④ $\frac{T}{M-T} \times 100[\%]$

해설 **오차율과 보정률**

- 오차율 = $\frac{M-T}{T} \times 100[\%]$
- 보정률 = $\frac{T-M}{M} \times 100[\%]$

핵심 예제

09 가동 철편형 계기의 구조 형태가 아닌 것은? [19년 1회]

① 흡인형

② 회전자장형

③ 반발형

④ 반발흡인형

해설 **가동 철편형 계기의 구조형태**

- 반발형(Repulsion Type)
- 반발흡인형(Combination Type)
- 흡인형(Attraction Type)

정답 8 ① 9 ②

핵심예제

10 **균등 눈금을 사용하며 소비전력이 적게 소요되고 정확도가 높은 지시계기는?** [17년 1회]

① 가동 코일형 계기
② 전류력계형 계기
③ 정전형 계기
④ 열전형 계기

해설 가동 코일형 계기
- 구조 및 원리 : 영구 자석이 만드는 자기장 내에 가동 코일을 놓고, 코일에 측정하고자 하는 전류를 흘리면 이 전류와 자기장 사이에 전자력이 발생한다. 이 전자력을 구동 토크로 한 계기를 영구 자석 가동 코일형 계기라 한다.
- 특 징
  - 감도와 정확도가 높다.
  - 구동 토크가 크고 정확한 측정이 된다.
  - 소비 전력이 대단히 적다.
  - 균등 눈금을 사용함으로써 측정 범위를 간단히 변경시킬 수 있다.
  - 직류 전용이므로 교류를 측정하려면 정류기를 삽입해야 한다.
  - 측정 범위가 낮으므로 측정 범위를 확대하기 위해서는 분류기나 배율기를 삽입해야 한다.

11 **교류전압계의 지침이 지시하는 전압은 다음 중 어느 것인가?** [19년 1회]

① 실횻값
② 평균값
③ 최댓값
④ 순시값

해설
- 교류전압계 지시값 : 실횻값(실효전압)
- 직류전압계 지시값 : 평균값(평균전압)

10 ① 11 ① 정답

12 메거(Megger)는 어떤 저항을 측정하기 위한 장치인가? [20년 1·2회]

① 절연저항
② 접지저항
③ 전지의 내부저항
④ 궤조저항

해설 **메거(절연저항계)** : 절연저항 측정

13 절연저항을 측정할 때 사용하는 계기는? [19년 4회, 20년 4회]

① 전류계
② 전위차계
③ 메 거
④ 휘트스톤브리지

해설 12번 해설 참조

14 전지의 내부저항이나 전해액의 도전율 측정에 사용되는 것은? [18년 4회]

① 접지저항계
② 캘빈 더블 브리지법
③ 콜라우시 브리지법
④ 메 거

해설 **콜라우시 브리지법** : 전지의 내부저항, 전해액의 저항 측정

정답 12 ① 13 ③ 14 ③

CHAPTER 06 전기기기

제 1 절 직류기

1 직류발전기 원리

방향을 알아내는 방법 : 플레밍의 오른손법칙(발전기법칙)

- 엄지 : 속도(v[m/s])
- 검지 : 자속밀도(B[Wb/m^2])(자속의 방향)
- 중지 : 유기기전력(e[V])

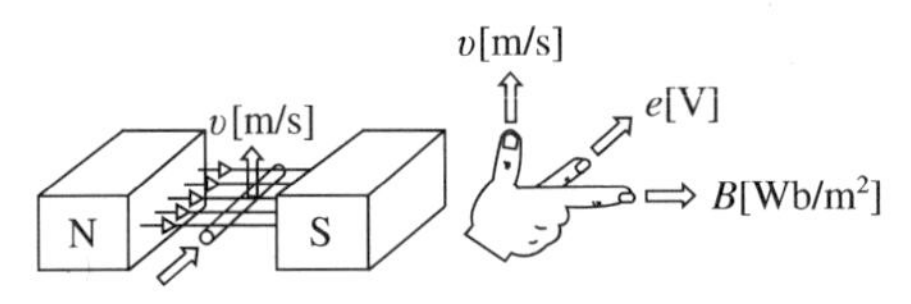

2 직류발전기의 구조

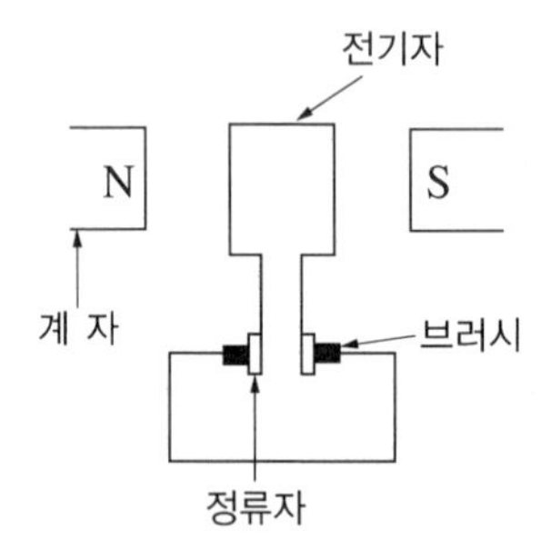

① **전기자** : 원동기로 회전시켜 자속을 끊으면서 기전력을 유도하는 부분이다.

② **계자** : 전기자가 쇄교하는 자속을 만드는 부분(철심은 계자권선으로 자극을 만드는 것)이다.

③ **정류자** : 브러시(Brush)와 접촉하여 전기자권선에 유도되는 교류기전력을 정류해서 직류로 만드는 부분(브러시와 접촉하여 마찰이 생기므로 마모됨은 물론 불꽃 등으로 높은 온도가 된다)이다.

④ **브러시** : 정류자면에 접촉하여 전기자권선과 외부회로를 연결하는 것이며, 적당한 접촉저항이 있고 연마성이 적어서 정류자면을 손상시키지 않고 기계적으로 튼튼해야 한다.

3 유도기전력

$$E = \frac{P}{a} Z\phi \frac{N}{60} = K\phi N[\mathrm{V}]$$

여기서, P : 극수

a : 전기자 병렬회로수(파권 : $a = 2$, 중권 : $a = P$)

Z : 전기자 도체수

ϕ : 자속[Wb]

N : 분당 회전수[rpm]

K : 비례상수$\left(K = \frac{PZ}{60a}\right)$

4 직류발전기의 병렬 운전

(1) 병렬 운전 조건

① 정격전압(단자전압)과 극성이 같아야 한다.
② 외부 특성곡선이 어느 정도 수하특성이어야 한다.
③ 용량이 다른 경우 : %부하전류로 나타낸 외부 특성곡선이 일치해야 한다.
④ 용량이 같을 경우 : 외부 특성곡선이 일치해야 한다.
※ 달라도 되는 것 : 절연저항, 손실, 용량

(2) 균압선

직권, 복권 발전기는 병렬운전을 안정히 하기 위해 사용한다.

5 직류전동기

(1) 직류전동기의 원리

플레밍의 왼손법칙 : 평등 자계(B) 속에 전기자 도체(l)를 놓고 전류(I)를 흘리면 도체에 전자력(F)이 발생한다.

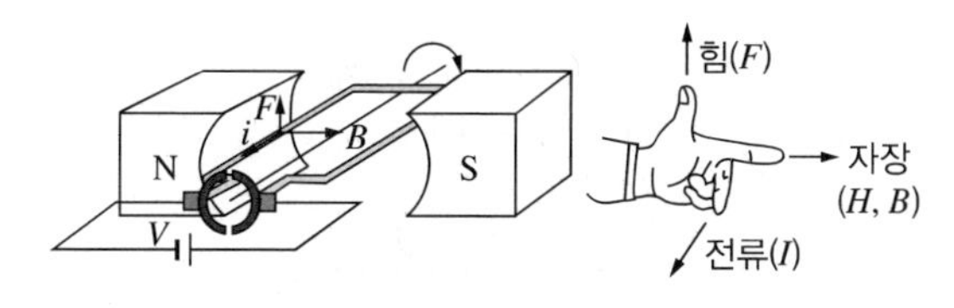

(2) 토크(회전력)

$$T = 0.975\frac{P_m[\mathrm{W}]}{N} = 975\frac{P_m[\mathrm{kW}]}{N}[\mathrm{kg \cdot m}]$$

여기서, P_m : 기계적 출력(동력)

N : 분당 회전수[rpm]

(3) 직권전동기

① 정격전압 운전 중 무부하(무여자)하면 안 된다.

② 무부하(무여자) 시 과속도로 되어 전동기가 과열소손 된다.

③ 토크 : $T \propto I_a^2$, $T \propto \phi^2$, $T \propto \frac{1}{N^2}$

(4) 분권전동기

① 정격전압 운전 중 무여자하면 안 된다.

② 무여자 시 과속도로 되어 전동기가 과열소손 된다.

③ 토크 : $T \propto I_a$, $T \propto \phi$, $T \propto \frac{1}{N}$

(5) 자여자 전동기(직권, 분권, 복권)

① 전원극성을 바꾸어도 회전방향이 변하지 않는다.

② 회전방향 변경 : 계자전류 또는 전기자전류 중 하나의 전류방향을 바꾼다.

6 직류전동기 속도제어 및 제동법

(1) 속도제어법

전압제어	효율이 좋다.	• 광범위 속도제어 • 일그너방식(부하가 급변하는 곳, 플라이휠) • 정토크제어 • 직병렬제어 • 워드레오너드방식 • 초퍼제어방식
계자제어	효율이 좋다.	• 세밀하고 안정된 속도제어 • 속도 조정 범위가 좁다. • 정출력 구동방식
저항제어	효율이 나쁘다.	• 속도 조정 범위가 좁다.

(2) 제동법 : 전동기를 정지시키는 방법

① **발전제동** : 전동기를 발전기로 구동시켜 발생한 기전력을 저항에서 열에너지로 소비시키며 제동

② **회생제동** : 전동기를 발전기로 구동시켜 발생한 기전력을 전원전압보다 높게 하여 전원으로 되돌려주며 제동

③ **역상(역전)제동** : 전원 3선 중 2선의 접속을 바꾸어 역방향 토크를 발생시켜 급격히 제동

7 손실 및 효율

(1) 손 실

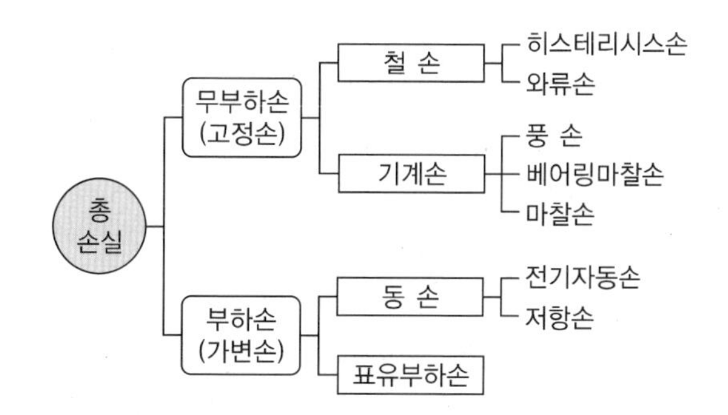

※ 최대효율조건 : 무부하손(고정손) = 부하손(가변손)

(2) 효율(규약효율)

① $\eta = \dfrac{출력}{입력} \times 100[\%]$

② $\eta_{전동기} = \dfrac{입력 - 손실}{입력} \times 100[\%]$

③ $\eta_{발전기} = \dfrac{출력}{출력 + 손실} \times 100[\%]$

※ 계자저항$(R_f)\uparrow$ ∝ 계자전류$(I_f)\downarrow$ ∝ 자속$(\phi)\downarrow$ ∝ 회전수$(N)\uparrow$

(3) 기 타

증폭기 : 작은 전력 변화로 증폭하는 것

① 앰플리다인(Amplidyne)

② 로토트롤(Rototrol)

③ HT 다이나모(Hitachi Dynamo)

제2절 동기기

1 동기발전기

(1) 동기속도

$$N_s = \frac{120f}{P}\ [\text{rpm}]$$

(2) 동기발전기의 병렬 운전 조건

① 기전력의 위상이 같을 것
② 기전력의 크기가 같을 것
③ 기전력의 주파수가 같을 것
④ 기전력의 파형이 같을 것
⑤ 기전력의 상회전이 일치할 것

(3) 난조 방지 : 제동권선 설치

난조란 부하의 급변, 조속기가 너무 예민하거나, 송전계통 이상현상, 계자에 고조파가 유기될 때 발전기 회전자가 동기속도를 찾지 못하고 심하게 진동하게 되어 차후 탈조가 일어나는 현상을 말하며, 방지법으로는 자극면(제동권선)을 설치하는 방법이 주로 사용된다.

제3절 변압기

1 변압기의 원리 : 전자유도작용(현상)

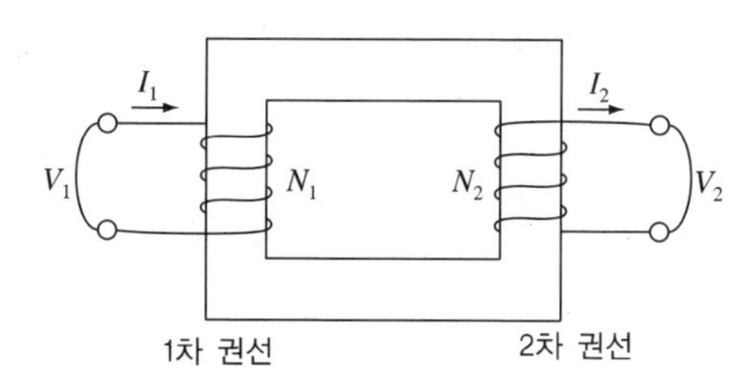

(1) 유도기전력 : $E_2 = 4.44f\phi N_2 = 4.44f\phi BA$ [V]

여기서, f : 주파수[Hz]
ϕ : 자속[Wb]
N : 권선수
B : 자속밀도[Wb/m^2]
A : 단면적[m^2]

(2) 권수비(전압비)

① 권수비 : $a = \dfrac{V_1}{V_2} = \dfrac{N_1}{N_2} = \dfrac{I_2}{I_1} = \sqrt{\dfrac{Z_1}{Z_2}} = \sqrt{\dfrac{R_1}{R_2}}$

② 1차 입력 : $P_1 = V_1 I_1$

③ 2차 출력 : $P_2 = V_2 I_2 (P_1 = P_2)$

2 변압기 절연유 구비조건 및 열화 방지

(1) 변압기 기름의 구비 조건

① 절연내력이 커야 한다.
② 점도가 작고 비열이 커서 냉각효과가 커야 한다.
③ 인화점이 높아야 한다(130[℃] 이상).
④ 응고점이 낮아야 한다(−30[℃] 이하).
⑤ 절연재료와 금속에 접촉하여도 화학작용을 일으키지 않아야 한다.
⑥ 높은 온도에서 석출물이 생기거나 산화하지 않아야 한다.

⑦ 열전도율이 커야 한다.
⑧ 열팽창계수는 작아야 한다.

(2) 변압기 기름의 열화

① **열화 원인** : 변압기의 호흡작용에 의해 고온의 절연유가 외부 공기와의 접촉에 의한 열화 발생
② **열화 영향** : 절연내력의 저하, 냉각효과 감소, 침식작용
③ **열화 방지 설비** : 콘서베이터, 질소봉입, 흡착제방식(브리더)
④ **발생가스** : 수소(H_2)

3 변압기의 시험

① **개방(무부하)회로 시험으로 측정할 수 있는 값** : 여자전류(여자어드미턴스), 무부하전류, 철손 측정
② **단락시험으로 측정할 수 있는 값** : 임피던스 전압, 임피던스 와트(동손), 전압변동률 측정
③ **등가회로 작성 시 필요한 시험법** : 단락시험, 무부하시험, 저항측정시험

4 3상 변압기의 병렬 운전

필요조건	병렬운전이 불가능한 경우
극성(위상)이 일치할 것	• Δ－Δ와 Δ－Y • Y－Y와 Δ－Y • Y－Y와 Y－Δ • Y나 Δ의 총합이 홀수인 경우
권수비 및 1, 2차 정격전압이 같을 것	
각 변압기의 %Z가 같을 것	
각 변압기의 저항과 리액턴스비가 같을 것	
상회전 방향 및 각 변위가 같을 것(3상)	

• 가극성 : 1차와 2차 기전력이 서로 가해지는 변압기 $V = V_1 + V_2$[V]
• 감극성 : 1차와 2차 기전력이 서로 상쇄하는 변압기 $V = V_1 - V_2$[V]

5 변압기 결선

(1) Y–Y결선 : $I_l = I_P,\ V_l = \sqrt{3}\,V_P\angle 30°$

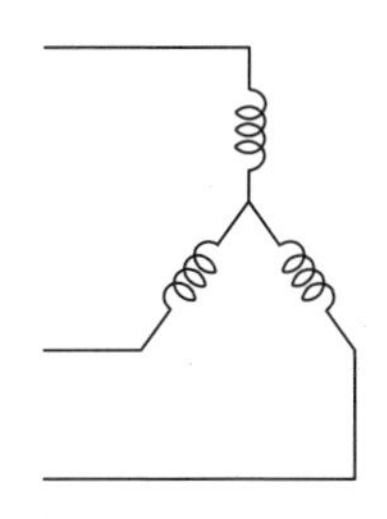
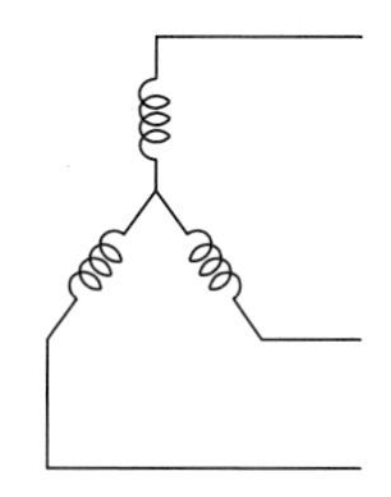

① 특 징

㉠ 1차와 2차 전류 사이에 위상차가 없다.

㉡ 중성점을 접지할 수 있으므로 이상전압 방지

㉢ 보호계전기 동작을 확실히 한다.

㉣ 제3고조파 전류에 의해 통신선 유도장해 발생

(2) Δ–Δ결선 : $V_l = V_P,\ I_l = \sqrt{3}\,I_P\angle -30°$

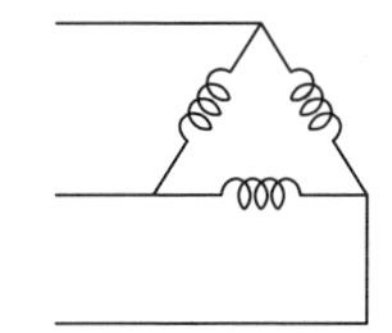
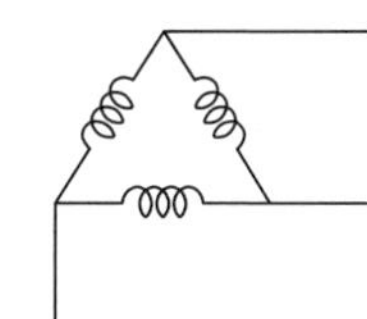

① 특 징

㉠ 1차와 2차 전압 사이에 위상차가 없다.

㉡ 제3고조파 순환전류가 △결선 내에서 순환하므로 정현파 전압 유기

㉢ 1대 소손 시 V결선하여 계속 송전 가능

㉣ 중성점을 접지할 수 없으므로 사고 발생 시 이상전압이 크다.

(3) V–V결선(2대)

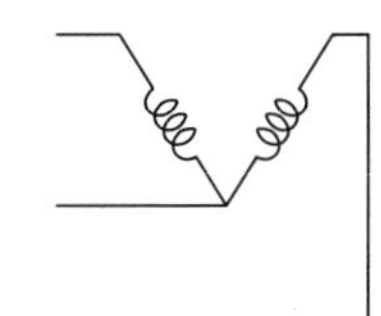
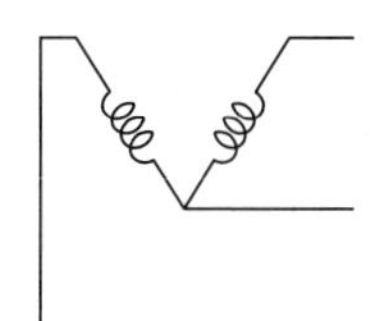

① V결선 출력 : $P_V = \sqrt{3}\,P[\text{kVA}]$

② 이용률 $= \dfrac{\sqrt{3}}{2} = 0.866(86.6[\%])$

③ 출력비 $= \frac{1}{\sqrt{3}} = 0.577(57.5[\%])$

여기서, V_l : 선간전압

V_P : 상전압

I_l : 선간전류(선전류)

I_P : 상전류

P : 단상변압기 용량[kVA]

6 상수의 변환

(1) 3상–2상 간의 상수변환

① 스코트 결선
② 메이어 결선
③ 우드 브리지 결선

(2) 3상–6상 간의 상수변환 : 환상 결선, 2중 3각 결선, 2중 성형 결선, 대각 결선, 포크 결선

7 손실 및 효율

(1) 손 실

① 무부하손(고정손) : 철손(P_i)
② 부하손(가변손) : 동손(P_c)
③ 최대 효율조건 : 철손(P_i) = 동손(P_c)

(2) 효 율

① 효 율

$$\eta = \frac{출력}{입력} \times 100 = \frac{출력}{출력 + 손실} \times 100 = \frac{출력}{출력 + 철손 + 동손} \times 100[\%]$$

여기서, 변압기 용량[kVA]

변압기 출력[kW]

철손[kW]

동손[kW]

② 전부하 시 : $\eta_{전} = \dfrac{P_a \cos\theta}{P_a \cos\theta + P_i + P_c} \times 100[\%]$

㉠ 최대 효율 : $P_i = P_c$

㉡ 손실 = $P_i + P_c$

여기서, P_i : 24시간 철손[kWh] = TP_i

$P' = \left(\dfrac{1}{m}\right) P_a \cos\theta$: 24시간 출력[kWh]

P_c : 24시간 동손[kWh] = $\left(\dfrac{1}{m}\right)^2 P_c$

③

주파수 비례	%강하율, 동기속도, 회전자 속도, 유도리액턴스
주파수 반비례	철손(P_i), 자속(ϕ), 자속밀도(B), 여자전류(I_o)

8 변성기

(1) 계기용 변압기(PT) : 고전압을 저전압으로 변성

① 2차 전압 : 110[V]

② 점검 : 2차 측 개방

(2) 계기용 변류기(CT) : 대전류를 소전류로 변류

① 2차 전류 : 5[A]

② 점검 : 2차 측 단락 → 이유 : 2차 측 절연보호

제4절 유도기

1 3상 유도전동기의 원리 : 회전자계

(1) 3상 농형 유도전동기

① 구조가 간단하고, 기계적으로 튼튼하다.
② 취급이 용이하고, 효율이 좋다.
③ 속도조절이 어렵다.

(2) 3상 권선형 유도전동기

① 구조가 복잡하고, 중・대형기에 사용
② 2차 측 저항 조절에 의해 기동 및 속도조절이 용이하다.

(3) 회전자 회전방향

회전자계와 같은 방향으로 회전

(4) 유도전동기의 장점

① 전원을 쉽게 얻을 수 있다.
② 구조가 간단하고, 값이 싸며, 튼튼하다.
③ 취급이 용이하며, 쉽게 운전할 수 있다.
④ 부하변화에 대하여 거의 정속도 특성이다.

2 슬립(s)

① 회전자계 회전속도 : $N_s = \dfrac{120f}{P}$[rpm](1차 : 동기속도)

② 회전자 회전속도 : $N = (1-s)N_s = N_s - sN_s$[rpm] (2차 : 회전속도)

③ 슬립 : $s = \dfrac{N_s - N}{N_s} \times 100[\%]$

㉠ 유도전동기 : $0 < s < 1$
㉡ 유도발전기 : $s < 0$

㉢ 유도제동기 : $1 < s < 2$

- 역상(역전)제동 : 전원 3선 중 2선의 접속을 변경(회전자계와 반대방향 회전)
- 슬립 : $s = \dfrac{N_s + N}{N_s} \times 100[\%]$

④ 무부하 시 : $s \fallingdotseq 0(N_s \fallingdotseq N)$

⑤ 기동 시 : $s = 1(N = 0)$

3 토크(회전력) 및 출력

(1) $T = 0.975 \times \dfrac{P[\mathrm{W}]}{N} = 975 \times \dfrac{P[\mathrm{kW}]}{N}$

(2) $T \propto V^2 \propto I^2 \propto P$

(3) $P = \dfrac{9.8KQH}{\eta}[\mathrm{kW}]$

여기서, K : 여유계수
Q : 유량$[\mathrm{m^3/s}]$
H : 전양정$[\mathrm{m}]$
η : 효율$[\%]$

$P = \dfrac{0.163KQH}{\eta}[\mathrm{kW}]$

여기서, Q : 유량$[\mathrm{m^3/min}]$

4 3상 유도전동기 기동법

(1) 3상 농형 유도전동기

① 직입(전전압) 기동법 : 5[kW] 이하 소형 전동기 기동

② Y-△ 기동법 : 기동 시 기동전류를 $\dfrac{1}{3}$로 감소

(기동 시 : Y결선 , 운전 시 : △결선)

③ 기동보상기 기동법 : 단권변압기 탭 조정

④ 리액터 기동법

⑤ 콘도르파법

(2) 3상 권선형 유도전동기

① 2차 저항 기동법
② 게르게스법

5 3상 유도전동기 속도제어법

(1) 3상 농형 유도전동기(1차 측)

① 주파수 변환법 : 인버터를 이용한 주파수 변환장치 이용
② 극수 변환법 : 승강기 등 속도제어
③ 1차 전압 제어법

(2) 3상 권선형 유도전동기(2차 측)

① 2차 저항 제어법 : 구조가 간단하고, 제어조작이 용이하다.
② 2차 여자법 : 회전자 기전력과 같은 크기의 주파수 전압을 회전자에 인가
(슬립 주파수 전압 인가)

(3) 종속접속법 : 전동기 2대를 연결하여 속도제어

6 단상 유도전동기 : 교번자계원리

기동토크가 큰 순서

반발기동형 > 반발유도형 > 콘덴서기동형 > 분상기동형 > 셰이딩코일형

핵/심/예/제

01 발전기에서 유도기전력의 방향을 나타내는 법칙은? [17년 1회]

① 패러데이의 전자유도법칙
② 플레밍의 오른손법칙
③ 앙페르의 오른나사법칙
④ 플레밍의 왼손법칙

해설 **플레밍의 오른손법칙** : 발전기법칙

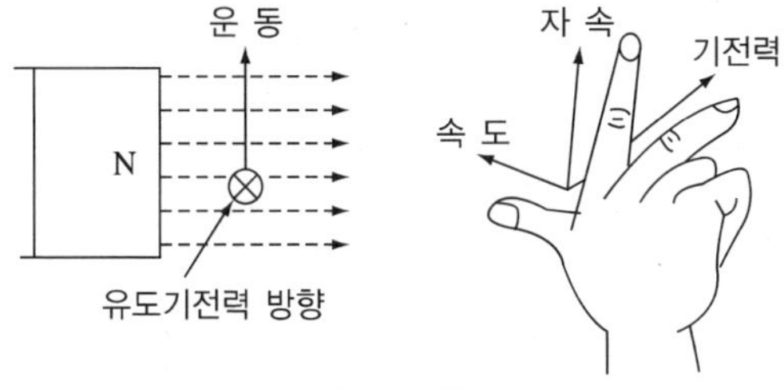

엄지 : 운동의 방향
검지 : 자속의 방향
중지 : 기전력의 방향

플레밍의 왼손법칙 : 전동기법칙
엄지 : 힘의 방향
검지 : 자속밀도 방향
중지 : 전류의 방향

02 동기발전기의 병렬 운전 조건으로 틀린 것은? [17년 1회, 20년 1·2회]

① 기전력의 크기가 같을 것
② 기전력의 위상이 같을 것
③ 기전력의 주파수가 같을 것
④ 극수가 같을 것

해설 **동기발전기의 병렬 운전 조건**
- 기전력의 위상이 같을 것
- 기전력의 크기가 같을 것
- 기전력의 주파수가 같을 것
- 기전력의 파형이 같을 것

정답 1 ② 2 ④

03 전기자 제어 직류 서보 전동기에 대한 설명으로 옳은 것은? [20년 4회]

① 교류 서보 전동기에 비하여 구조가 간단하여 소형이고 출력이 비교적 낮다.
② 제어 권선과 콘덴서가 부착된 여자 권선으로 구성된다.
③ 전기적 신호를 계자 권선의 입력 전압으로 한다.
④ 계자 권선의 전류가 일정하다.

해설 **직류 서보 전동기의 특징**
- 기동 토크가 크고, 효율이 좋다.
- 회전자 관성 모멘트가 작다.
- 제어 권선 전압이 0에서는 기동해서는 안 되고, 곧 정지해야 한다.
- 직류 서보 전동기의 기동 토크가 교류 서보 전동기보다 크다.
- 속응성이 좋다. 시정수가 짧다. 기계적 응답이 좋다.
- 회전자 팬에 의한 냉각 효과를 기대할 수 없다.
- 계자 권선의 전류가 일정하다.

핵심 예제

04 3상 직권 정류자 전동기에서 중간 변압기를 사용하는 이유 중 틀린 것은? [17년 1회]

① 경부하 시 속도의 이상 상승 방지
② 실효 권수비 선정 조정
③ 전원전압의 크기에 관계없이 정류에 알맞은 회전자 전압 선택
④ 회전자 상수의 감소

해설 **중간 변압기 사용 이유**
- 속도조정
- 변압기 권수비 조정
- 권수비에 따른 변압기 전압 조정

3 ④ 4 ④ 정답

05 3상 직권 정류자 전동기에서 고정자 권선과 회전자 권선 사이에 중간 변압기를 사용하는 주된 이유가 아닌 것은? [20년 4회]

① 경부하 시 속도의 이상 상승 방지
② 철심을 포화시켜 회전자 상수를 감소
③ 중간 변압기의 권수비를 바꾸어서 전동기 특성을 조정
④ 전원전압의 크기에 관계없이 정류에 알맞은 회전자전압 선택

해설 **3상 직권 정류자 전동기를 사용하는 이유**
- 전원전압의 크기에 관계없이 정류에 알맞은 회전자 전압을 선택할 수 있다.
- 중간 변압기의 권수비를 바꾸어 전동기의 특성을 조정할 수 있다.
- 직권 특성이기 때문에 경부하에서는 속도가 매우 상승하나 중간 변압기를 사용하여, 그 철심을 포화시켜 속도 상승을 제한할 수 있다.

06 다음 중 직류전동기의 제동법이 아닌 것은? [20년 1·2회]

① 회생제동
② 정상제동
③ 발전제동
④ 역전제동

해설 **직류전동기의 제동법**
- 발전제동 : 전동기를 발전기로 구동시켜 발생한 기전력을 저항에서 열에너지로 소비시키며 제동
- 회생제동 : 전동기를 발전기로 구동시켜 발생한 기전력을 전원전압보다 높게 하여 전원으로 되돌려주며 제동
- 역상(역전)제동 : 전원 3선 중 2선의 접속을 바꾸어 역방향 토크를 발생시켜 급히 제동

07 전기기기에서 생기는 손실 중 권선의 저항에 의하여 생기는 손실은? [19년 2회]

① 철 손
② 동 손
③ 표유부하손
④ 히스테리시스손

해설 **동손** : 권선저항(부하손 줄열에 의한 손실)

정답 5 ② 6 ② 7 ②

핵심 예제
안심Touch

08 정속도 운전의 직류발전기로 작은 전력의 변화를 큰 전력의 변화로 증폭하는 발전기는?

[17년 1회]

① 앰플리다인
② 로젠베르그 발전기
③ 솔레노이드
④ 서보전동기

해설 **특수 직류발전기**
- 앰플리다인 발전기 : 계자전류를 변화시켜 출력(전력)을 조절하는 직류발전기
- 로젠베르그 발전기 : 정전압 발전기

09 1차 권선수 10회, 2차 권선수 300회인 변압기에서 2차 단자전압 1,500[V]가 유도되기 위한 1차 단자전압은 몇 [V]인가?

[18년 1회]

① 30
② 50
③ 120
④ 150

핵심 예제

해설

$$a = \frac{V_1}{V_2} = \frac{I_2}{I_1} = \frac{N_1}{N_2} = \sqrt{\frac{Z_1}{Z_2}} = \sqrt{\frac{R_1}{R_2}} = \sqrt{\frac{L_1}{L_2}}$$

$$V_1 = \frac{N_1}{N_2} V_2 = \frac{10}{300} \times 1{,}500 = 50[\mathrm{V}]$$

10 변압기의 임피던스 전압을 구하기 위하여 행하는 시험은?

[19년 1회]

① 단락시험
② 유도저항시험
③ 무부하 통전시험
④ 무극성시험

해설 **변압기 등가회로**

복잡한 변압기 회로를 1차와 2차 등가 임피던스를 통해 간단한 회로로 만드는 것으로 권선저항 측정시험, 무부하시험, 단락시험 등을 통해 여러 가지 값들을 산출하여 등가회로를 만들 수 있다.
- 권선저항 측정시험
- 무부하(개방)시험 : 철손, 여자전류(무부하전류), 여자어드미턴스 등을 구할 수 있다.
- 단락시험 : 동손, 임피던스 와트, 임피던스 전압, 단락전류 등을 구할 수 있다.

8 ① 9 ② 10 ① 정답

11 자기용량 10[kVA]의 단권 변압기를 그림과 같이 접속하면 역률 80[%]의 부하에 몇 [kW]의 전력을 공급할 수 있는가? [18년 4회, 21년 2회]

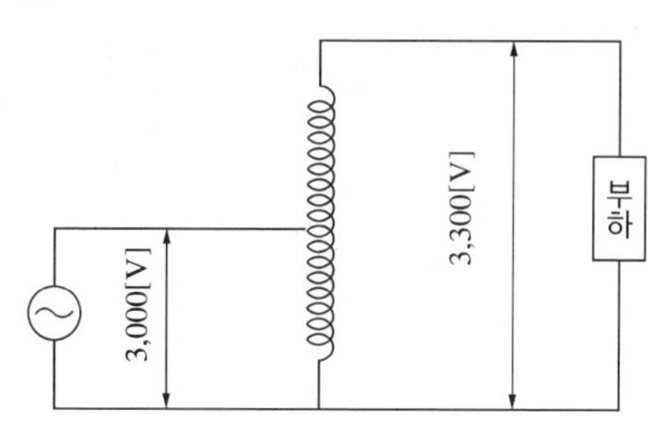

① 8
② 54
③ 80
④ 88

해설 $\dfrac{\text{자기용량}}{\text{부하용량}} = \dfrac{V_h - V_l}{V_h}$

$\text{부하용량} = \text{자기용량} \times \dfrac{V_h}{V_h - V_l}$

$= \text{자기용량} \times \dfrac{V_h}{e}$

$= 10 \times \dfrac{3,300}{300}[\text{kVA}] \times \cos\theta$

$= 10 \times \dfrac{3,300}{300} \times 0.8$

$= 88[\text{kW}]$

12 0.5[kVA]의 수신기용 변압기가 있다. 변압기의 철손이 7.5[W], 전부하동손이 16[W]이다. 화재가 발생하여 처음 2시간은 전부하 운전되고, 다음 2시간은 $\dfrac{1}{2}$ 의 부하가 걸렸다고 한다. 4시간에 걸친 전손실 전력량은 약 몇 [Wh]인가? [17년 4회]

① 65
② 70
③ 75
④ 80

해설 $W_l = \text{철손} + \text{동손} = 30 + 40 = 70[\text{kWh}]$

$\text{철손} = P_i \times T = 7.5 \times 4 = 30[\text{kWh}]$

$\text{동손} = \left(\dfrac{1}{m}\right)^2 P_c T = 1^2 \times 16 \times 2 + \left(\dfrac{1}{2}\right)^2 \times 16 \times 2 = 40[\text{kWh}]$

정답 11 ④ 12 ②

13 변류기에 결선된 전류계가 고장이 나서 교체하는 경우 옳은 방법은? [19년 1회]

① 변류기의 2차를 개방시키고 전류계를 교체한다.
② 변류기의 2차를 단락시키고 전류계를 교체한다.
③ 변류기의 2차를 접지시키고 전류계를 교체한다.
④ 변류기에 피뢰기를 연결하고 전류계를 교체한다.

해설 **변류기(CT) 점검 교체 시** : 2차 측을 단락시킨다.
이유 : 2차 측 고전압에 의한 절연을 보호하기 위해

핵심예제

14 60[Hz], 4극의 3상 유도전동기가 정격출력일 때 슬립이 2[%]이다. 이 전동기의 동기속도 [rpm]는? [21년 2회]

① 1,200　② 1,764
③ 1,800　④ 1,836

해설 $N_s = \frac{120f}{P} = \frac{120 \times 60}{4}$ = 1,800[rpm]

여기서, N_s : 동기속도[rpm]
f : 주파수[Hz]
P : 극수

15 단상 유도전동기의 Slip은 5.5[%], 회전자의 속도가 1,700[rpm]인 경우 동기속도(N_s)는? [18년 1회]

① 3,090[rpm]
② 9,350[rpm]
③ 1,799[rpm]
④ 1,750[rpm]

해설 **동기속도**

$N = (1-s)N_s$

$N_s = \frac{N}{1-s} = \frac{1,700}{1-0.055}$ = 1,799[rpm]

13 ② 14 ③ 15 ③ 정답

16 3상 농형 유도전동기의 기동방식으로 옳은 것은? [17년 2회]

① 분상기동형
② 콘덴서기동형
③ 기동 보상기법
④ 셰이딩일체형

해설

3상 유도전동기 기동법		단상 유도전동기 기동법
3상 농형 유도전동기 기동법	3상 권선형 유도전동기 기동법	
• 리액터 기동법 • 기동 보상기에 의한 기동법 • Y－△ 기동법 • 전전압(직입) 기동법	• 2차 저항 기동법 • 게르게스법	• 반발기동형 • 반발유도형 • 콘덴서기동형 • 분상기동형 • 셰이딩코일형

17 3상 유도전동기의 기동법이 아닌 것은? [17년 4회]

① Y－△ 기동법
② 기동 보상기법
③ 1차 저항 기동법
④ 전전압 기동법

해설 16번 해설 참조

18 3상 농형 유도전동기의 기동법이 아닌 것은? [20년 3회]

① Y－△ 기동법
② 기동 보상기법
③ 2차 저항 기동법
④ 리액터 기동법

해설 16번 해설 참조

정답 16 ③ 17 ③ 18 ③

19 3상 유도전동기의 특성에서 토크, 2차 입력, 동기속도의 관계로 옳은 것은? [21년 1회]

① 토크는 2차 입력과 동기속도에 비례한다.
② 토크는 2차 입력에 비례하고 동기속도에 반비례한다.
③ 토크는 2차 입력에 반비례하고 동기속도에 비례한다.
④ 토크는 2차 입력의 제곱에 비례하고 동기속도의 제곱에 반비례한다.

해설 **3상 유도전동기의 토크(T)**

$$T = \frac{P_2}{\omega} = \frac{P_2}{2\pi N_s}[\text{N} \cdot \text{m}]$$

여기서, P_2 : 2차 입력[W]
ω : 각속도[rad/s]
N_s : 동기속도[rps]

∴ 토크(T)는 2차 입력(P_2)에 비례하고, 동기속도(N_s)에 반비례한다.

핵심예제

20 3상 유도전동기가 중부하로 운전되던 중 1선이 절단되면 어떻게 되는가? [19년 1회]

① 전류가 감소한 상태에서 회전이 계속된다.
② 전류가 증가한 상태에서 회전이 계속된다.
③ 속도가 증가하고 부하전류가 급상승한다.
④ 속도가 감소하고 부하전류가 급상승한다.

해설 3상 유도전동기가 운전 중 1선이 단선되면 속도는 감소하며, 건전상(단선되지 않은 상)의 전류가 급격하게 상승한다.(속도 $N \downarrow$, $I \uparrow$)

21 3상 유도전동기 Y-△ 기동회로의 제어요소가 아닌 것은? [18년 1회]

① MCCB
② THR
③ MC
④ ZCT

해설
- MCCB : 배선용 차단기(기동회로 전원 투입, 차단)
- MC : 전자접촉기(기동스위치에 의해 전동기 기동, 정지)
- THR : 열동계전기(전동기 부하에 과부하전류가 흐를 시 동작하여 전동기 보호)
- ZCT : 영상변류기(지락사고 시 지락전류 검출)

19 ② 20 ④ 21 ④ 정답

22 제연용으로 사용되는 3상 유동전동기를 Y-△ 기동 방식으로 하는 경우, 기동을 위해 제어회로에서 사용되는 것과 거리가 먼 것은?

[19년 4회]

① 타이머 ② 영상변류기
③ 전자접촉기 ④ 열동계전기

해설 **Y-△ 기동방식의 제어회로에 사용되는 재료**
- 전자접촉기(MC) : Y 기동용 전자접촉기, △ 운전용 전자접촉기
- 열동계전기(THR) : 전동기를 과부하로부터 보호
- 타이머(T) : Y 기동 후 타이머 설정시간이 지나면 △ 운전으로 전환

23 다음 단상 유도전동기 중 기동토크가 가장 큰 것은?

[18년 4회]

① 셰이딩코일형 ② 콘덴서기동형
③ 분상기동형 ④ 반발기동형

해설 **기동토크가 큰 순서**
반발기동형 > 반발유도형 > 콘덴서기동형 > 분상기동형 > 셰이딩코일형

핵심예제

24 지하 1층, 지상 2층, 연면적이 1,500[m^2]인 기숙사에서 지상 2층에 설치된 차동식 스포트형 감지기가 작동하였을 때 전 층의 지구경종이 동작되었다. 각 층 지구경종의 정격전류가 60[mA]이고, 24[V]가 인가되고 있을 때 모든 지구경종에서 소비되는 총 전력[W]은?

[20년 3회]

① 4.23 ② 4.32
③ 5.67 ④ 5.76

해설 지하 1층, 지상 1층, 지상 2층의 3층 건물이고, 연면적이 1,500[m^2]이므로 각 층의 바닥면적은 $\frac{1,500}{3}$ = 500[m^2]이 된다. 따라서 각 층의 바닥면적이 600[m^2]을 초과하지 않으므로 각 층별 1경계구역으로 경종이 1개씩 총 3개가 설치된다.
총 소비전력
$P = VI \times$ 개수 $= 24 \times 6 \times 10^{-3} \times 3 = 4.32$[W]

정답 22 ② 23 ④ 24 ②

MEMO

Engineer Fire Protection System

소방설비기사(필기) 기본서 시리즈

(전기분야)

소방전기일반

최근 기출문제

Engineer Fire
Protection System

소방설비기사(필기) 기본서 시리즈

(전기분야)

소방전기일반

2021년 4회 최근 기출문제

2021년 제4회 최근 기출문제

01 단상 반파 정류회로를 통해 평균 26[V]의 직류 전압을 출력하는 경우, 정류 다이오드에 인가되는 역방향 최대 전압은 약 몇 [V]인가?(단, 직류 측에 평활회로(필터)가 없는 정류회로이고, 다이오드의 순방향 전압은 무시한다)

① 26 ② 37
③ 58 ④ 82

02 시퀀스회로를 논리식으로 표현하면?

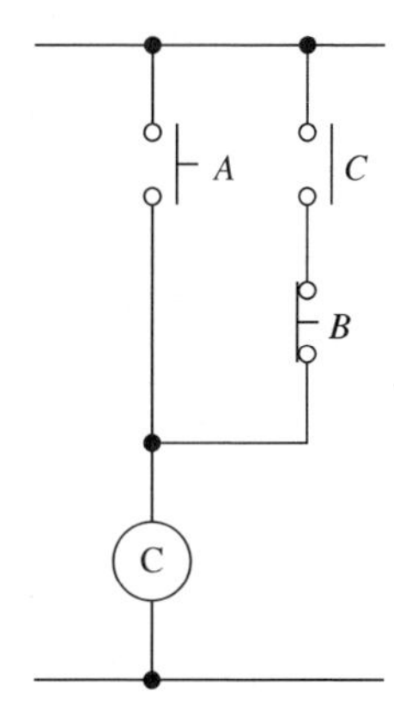

① $C = A + \overline{B} \cdot C$ ② $C = A \cdot \overline{B} + C$
③ $C = A \cdot C + \overline{B}$ ④ $C = A \cdot C + \overline{B} \cdot C$

03 제어량에 따른 제어방식의 분류 중 온도, 유량, 압력 등의 공업 프로세스의 상태량을 제어량으로 하는 제어계로서 외란의 억제를 주목적으로 하는 제어방식은?

① 서보기구
② 자동조정
③ 추종제어
④ 프로세스제어

04 반도체를 이용한 화재감지기 중 서미스터(Thermistor)는 무엇을 측정하기 위한 반도체 소자인가?

① 온 도
② 연기 농도
③ 가스 농도
④ 불꽃의 스펙트럼 강도

05 회로에서 a와 b 사이의 합성저항[Ω]은?

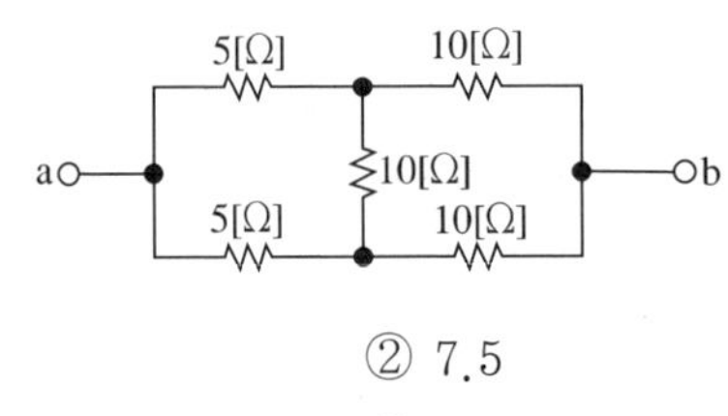

① 5
② 7.5
③ 15
④ 30

06 1개의 용량이 25[W]인 객석유도등 10개가 설치되어 있다. 이 회로에 흐르는 전류는 약 몇 [A]인가?(단, 전원 전압은 220[V]이고, 기타 선로손실 등은 무시한다)

① 0.88
② 1.14
③ 1.25
④ 1.36

07 PD(비례미분)제어 동작의 특징으로 옳은 것은?

① 잔류편차 제거
② 간헐현상 제거
③ 불연속 제어
④ 속응성 개선

08 회로에서 저항 20[Ω]에 흐르는 전류[A]는?

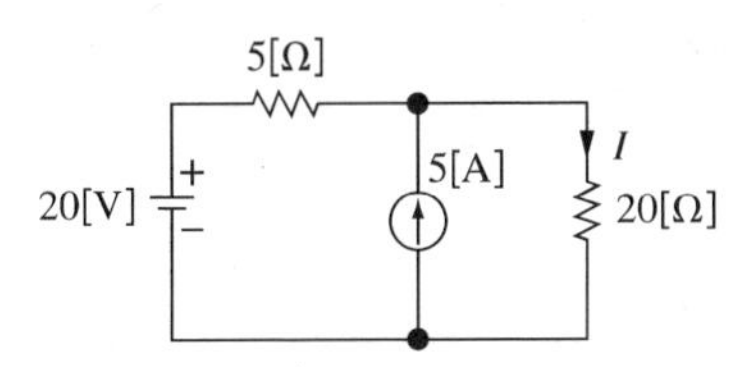

① 0.8
② 1.0
③ 1.8
④ 2.8

09 1[cm]의 간격을 둔 평행 왕복전선에 25[A]의 전류가 흐른다면 전선 사이에 작용하는 단위 길이당 힘[N/m]은?

① 2.5×10^{-2}[N/m](반발력)
② 1.25×10^{-2}[N/m](반발력)
③ 2.5×10^{-2}[N/m](흡인력)
④ 1.25×10^{-2}[N/m](흡인력)

10 0.5[kVA]의 수신기용 변압기가 있다. 이 변압기의 철손은 7.5[W]이고, 전부하동손은 16[W]이다. 화재가 발생하여 처음 2시간은 전부하로 운전되고, 다음 2시간은 1/2의 부하로 운전되었다고 한다. 4시간에 걸친 이 변압기의 전손실 전력량은 몇 [Wh]인가?

① 62
② 70
③ 78
④ 94

11 테브난의 정리를 이용하여 그림 (a)의 회로를 그림 (b)와 같은 등가회로로 만들고자 할 때 $V_{th}[\mathrm{V}]$와 $R_{th}[\Omega]$은?

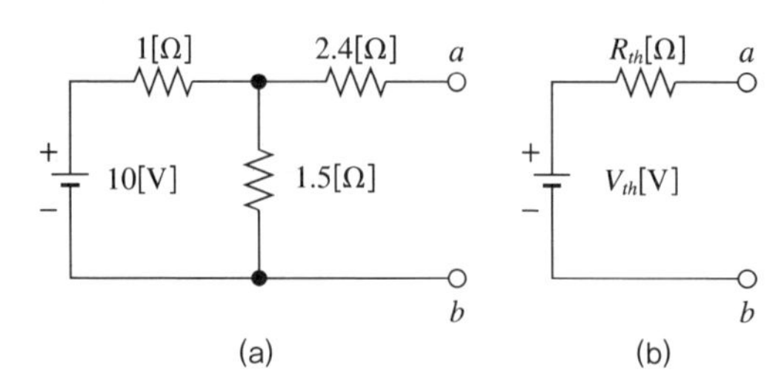

① 5[V], 2[Ω]
② 5[V], 3[Ω]
③ 6[V], 2[Ω]
④ 6[V], 3[Ω]

12 블록선도에서 외란 $D(s)$의 입력에 대한 출력 $C(s)$의 전달함수$\left(\dfrac{C(s)}{D(s)}\right)$는?

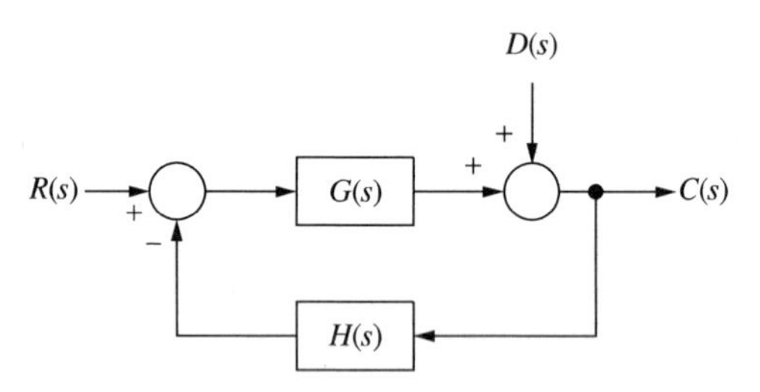

① $\dfrac{G(s)}{H(s)}$

② $\dfrac{1}{1+G(s)H(s)}$

③ $\dfrac{H(s)}{G(s)}$

④ $\dfrac{G(s)}{1+G(s)H(s)}$

13 회로에서 전압계 ⓥ가 지시하는 전압의 크기는 몇 [V]인가?

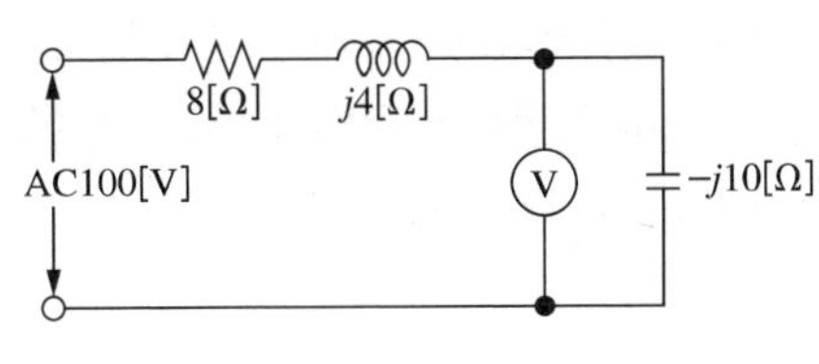

① 10
② 50
③ 80
④ 100

14 지시계기에 대한 동작원리가 아닌 것은?

① 열전형 계기 : 대전된 도체 사이에 작용하는 정전력을 이용
② 가동 철편형 계기 : 전류에 의한 자기장에서 고정 철편과 가동 철편 사이에 작용하는 힘을 이용
③ 전류력계형 계기 : 고정 코일에 흐르는 전류에 의한 자기장과 가동 코일에 흐르는 전류 사이에 작용하는 힘을 이용
④ 유도형 계기 : 회전 자기장 또는 이동 자기장과 이것에 의한 유도 전류와의 상호작용을 이용

15 선간전압의 크기가 $100\sqrt{3}\,[\mathrm{V}]$인 대칭 3상 전원에 각 상의 임피던스가 $Z = 30 + j40\,[\Omega]$인 Y결선의 부하가 연결되었을 때 이 부하로 흐르는 선전류[A]의 크기는?

① 2
② $2\sqrt{3}$
③ 5
④ $5\sqrt{3}$

16 자유공간에서 무한히 넓은 평면에 면전하밀도 σ[C/m^2]가 균일하게 분포되어 있는 경우 전계의 세기(E)는 몇 [V/m]인가?(단, ε_0는 진공의 유전율이다)

① $E = \dfrac{\sigma}{\varepsilon_0}$
② $E = \dfrac{\sigma}{2\varepsilon_0}$
③ $E = \dfrac{\sigma}{2\pi\varepsilon_0}$
④ $E = \dfrac{\sigma}{4\pi\varepsilon_0}$

17 **50[Hz]의 주파수에서 유도성 리액턴스가 4[Ω]인 인덕터와 용량성 리액턴스가 1[Ω]인 커패시터와 4[Ω]의 저항이 모두 직렬로 연결되어 있다. 이 회로에 100[V], 50[Hz]의 교류전압을 인가했을 때 무효전력[Var]은?**

① 1,000　　② 1,200

③ 1,400　　④ 1,600

18 **다음의 단상 유도전동기 중 기동 토크가 가장 큰 것은?**

① 셰이딩 코일형

② 콘덴서 기동형

③ 분상 기동형

④ 반발 기동형

19 **무한장 솔레노이드에서 자계의 세기에 대한 설명으로 틀린 것은?**

① 솔레노이드 내부에서의 자계의 세기는 전류의 세기에 비례한다.

② 솔레노이드 내부에서의 자계의 세기는 코일의 권수에 비례한다.

③ 솔레노이드 내부에서의 자계의 세기는 위치에 관계없이 일정한 평등 자계이다.

④ 자계의 방향과 암페어 적분 경로가 서로 수직인 경우 자계의 세기가 최대이다.

20 **다음의 논리식을 간소화하면?**

$$Y = \overline{(\overline{A}+B)\cdot\overline{B}}$$

① $Y = A + B$

② $Y = \overline{A} + B$

③ $Y = A + \overline{B}$

④ $Y = \overline{A} + \overline{B}$

2021년 제4회 정답 및 해설

01	02	03	04	05	06	07	08	09	10	11	12	13	14	15	16	17	18	19	20
④	①	④	①	②	②	④	③	②	②	④	②	④	①	①	②	②	④	④	①

01 $Ed = 0.45E$

$E = \frac{Ed}{0.45}$

최대역전압 $PIV = \sqrt{2}E = \sqrt{2} \times \frac{Ed}{0.45} = \sqrt{2} \times \frac{26}{0.45} = 81.71[\text{V}]$

02 C와 $\overline{B}$ 직렬에 A 병렬이므로

출력 $C = A + C\overline{B}$

03 프로세스(공정)제어 : 공업의 프로세스 상태인 온도, 유량, 압력, 농도, 액위면 등을 제어량으로 제어

04 서미스터 특징

- 온도보상용
- 부(−)저항 온도계수$\left(\text{온도} \propto \frac{1}{\text{저항}}\right)$

05

- 브리지 평형조건이 되므로 중앙의 10[Ω]에는 전류가 흐르지 않는다.
- 합성저항 : $R_0 = \frac{(5+10)(5+10)}{(5+10)+(5+10)} = 7.5[\Omega]$

06 전력 : $P = VI$에서

전류 : $I = \frac{P}{V} = \frac{25 \times 10}{220} \fallingdotseq 1.14[A]$

07 **비례미분제어**

- 감쇠비를 증가시키고 초과를 억제
- 시스템의 과도응답 특성을 개선하여 응답 속응성 개선

08 **한 회로에 전압원, 전류원 동시에 존재하므로 중첩의 원리 적용**

- 전류원만 존재 시

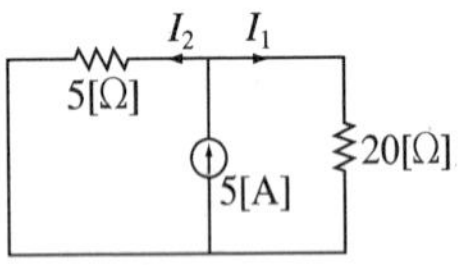

$$I_1 = \frac{R_2}{R_1 + R_2} \times I = \frac{5}{20+5} \times 5 = 1[A]$$

- 전압원만 존재 시

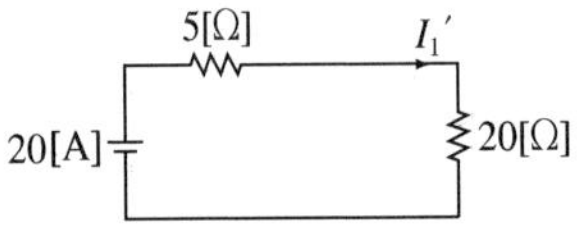

$$I_1' = \frac{20}{5+20} = 0.8$$

- 20[Ω]에 흐르는 전전류

$$I_{20} = I_1 + I_1' = 1 + 0.8 = 1.8[A]$$

09 **전류의 방향이 다를 경우(왕복도선) : 반발력**

$$F = 2 \times 10^{-7} \times \frac{I_1 I_2}{r} [N/m]$$

$$= 2 \times 10^{-7} \times \frac{25 \times 25}{10^{-2}} = 1.25 \times 10^{-2} [N/m]$$

10 전력량 $W=P_t$

철손량(고정손) + 동손량(가변손)

처음 2시간 $7.5\times2+16\times(1)^2\times2=47$

다음 2시간 $7.5\times2+16\times\left(\frac{1}{2}\right)^2\times2=23$

∴ 총 4시간 $47+23=70$

11

$R_{th}=\frac{1\times1.5}{1+1.5}+2.4=3[\Omega]$

$V_{th}=\frac{1.5}{1+1.5}\times10=6[\text{V}]$

12

$G(s)=\frac{\text{출력}}{\text{입력}}=\frac{P_1+P_2+\cdots}{1-L_1-L_2-\cdots}$

$P=1$

$L=-G(s)H(s)$

$G(s)=\frac{C(s)}{R(s)}=\frac{1}{1+G(s)H(s)}$

13

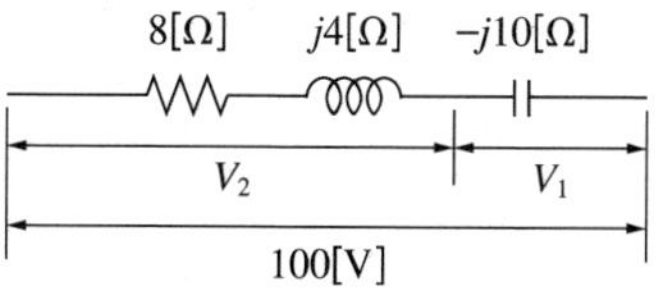

8[Ω] j4[Ω] −j10[Ω]

V_2 V_1

100[V]

$V_1=\frac{-j10}{8+j4-j10}\times100$

$=100[\text{V}]$

14 **열전형 계기** : 다른 종류의 금속체 사이에 온도차를 주어 발생되는 기전력 이용(제베크 효과)

15

Y결선 ┌ $V_l = \sqrt{3}\,V_P$
└ $I_l = I_P$

$$V_P = \frac{V_l}{\sqrt{3}} = \frac{100\sqrt{3}}{\sqrt{3}} = 100[\text{V}]$$

$$I_l = I_P = \frac{V_P}{Z} = \frac{100}{\sqrt{30^2+40^2}} = 2[\text{A}]$$

16 **무한 평면의 전계의 세기**

$$E = \frac{\sigma}{2\varepsilon_0}$$

17 $R = 4[\Omega]$, $X_L = 4[\Omega]$, $X_C = 1[\Omega]$, $V = 100[\text{V}]$

$$X = X_L - X_C = 4 - 1 = 3[\Omega]$$

$$P_r = I^2 X = \left(\frac{V}{Z}\right)^2 X = \left(\frac{V}{\sqrt{R^2+X^2}}\right)^2 X$$

$$= \left(\frac{100}{\sqrt{4^2+3^2}}\right)^2 \times 3$$

$$= 1{,}200[\text{Var}]$$

18 반발 기동형 > 반발 유도형 > 콘덴서 기동형 > 분상 기동형 > 셰이딩 코일형의 순이다.

19 **무한장 솔레노이드 자계의 세기**

솔레노이드 내부에서의 자계는 위치에 관계없이 평등자장이고, 누설자속이 없다.

- 내부자계 $H_I = NI[\text{AT/m}]$([m] : 단위 길이당 권수[회/m], [T/m])
- 외부자계 $H_0 = 0$

20 $\overline{(\overline{A}+B)\cdot\overline{B}}$

$= \overline{(\overline{A}+B)} + \overline{\overline{B}}$

$= (\overline{\overline{A}}\cdot\overline{B}) + B$

$= (A\cdot\overline{B}) + B = (A+B)\cdot\underbrace{(\overline{B}+B)}_{1} = A + B$

MEMO

소방설비기사 필기 소방전기일반

초 판 발 행	2022년 03월 10일 (인쇄 2022년 01월 06일)
발 행 인	박영일
책 임 편 집	이해욱
편 저	민병진
편 집 진 행	윤진영 · 김경숙
표지디자인	권은경 · 길전홍선
편집디자인	심혜림 · 조준영
발 행 처	(주)시대고시기획
출 판 등 록	제10-1521호
주 소	서울시 마포구 큰우물로 75 [도화동 538 성지 B/D] 9F
전 화	1600-3600
팩 스	02-701-8823
홈 페 이 지	www.sidaegosi.com
I S B N	979-11-383-1623-1 (14500)
정 가	16,000원